BEAUMARCHAIS

LA FOLLE JOURNÉE
OU
LE MARIAGE DE FIGARO

COMÉDIE

TEXTE INTÉGRAL

*Texte conforme
à l'édition originale de 1785
et au manuscrit de la Bibliothèque Nationale.*

*Notes explicatives, questionnaires, bilans,
documents et parcours thématique*

établis par

Bernard COMBEAUD,

*Professeur agrégé des Lettres
en Classes préparatoires.*

Classiques Hachette

La couverture de cet ouvrage a été réalisée avec l'aimable collaboration de la Comédie-Française.

Photographie : Thierry Vasseur.

Crédits photographiques
p. 4 haut :coll. de la Comédie-Française, photo J.-L. Charmet ;
p. 4 bas : autographe de Beaumarchais, photo Hachette.
p. 8 :   *Le Mariage de Figaro,* acte III, dessin de Saint-Quentin, gravure de Malapeau, photo Hachette.
p. 9 :   photo Hachette.
p. 57 :   mise en scène de F. Petit, photo M. Enguerand.
p. 65 :   photo Lipnitzki-Viollet.
p. 71 :   Giraudon.
p. 78 :   gravure de Liénard, bibliothèque de l'Arsenal, Paris, photo Hachette.
p. 87 :   photo Giraudon.
p. 90 :   *Le mariage de Figaro,* acte II, dessin de Saint-Quentin, gravure de Malapeau, bibliothèque de la Comédie-Française.
p. 104 :   photo M. Enguerand.
p. 106 :   photo Giraudon.
p. 130 :   photo Giraudon.
p. 134 :   Mlle Comtat dans le rôle de Suzanne, Comédie-Française, photo J.-L. Charmet.
p. 143 :   photo A. Sauvan/Enguerand.
p. 147 :   photo Giraudon.
p. 166 :   photo Agnès Varda c/o Enguerand.
p. 168 :   Louvre, photo Giraudon.
p. 182 :   Louvre, photo Giraudon.
p. 186 :   photo Hachette.
p. 191 :   photo Giraudon.
p. 196 :   photo Giraudon.
p. 200 :   *Le Mariage de Figaro,* acte V, dessin original de Saint-Quentin, 1785, coll. de la Comédie-Française, photo J.-L. Charmet.
p. 204 :   musée Kaiser-Ermitage, photo Giraudon.
p. 233 :   photo M. Enguerand.
p. 237 :   photo Hachette.

© 1991 Hachette Livre, 43, quai de Grenelle, 75905 PARIS CEDEX 15
ISBN 2.01.017215.9

LE MARIAGE DE FIGARO
(texte intégral)

BEAUMARCHAIS ET SON TEMPS

À PROPOS DE L'ŒUVRE

PARCOURS THÉMATIQUE

ANNEXES

Caron de Beaumarchais

*Dès midi, le 27 avril 1784, la ville et la Cour se pressent aux portes de
la Comédie-Française : on va lever le rideau sur une pièce dont quatre
ans plus tôt le roi avait dit : « Cela ne sera jamais joué »… à moins
« de détruire la Bastille ». Depuis 1781, Beaumarchais manœuvre
pour désarmer la censure, et le jour de son triomphe est venu. À
cinquante-deux ans, l'homme est au faîte de sa carrière. Enrichi par
ses succès de finance, récemment anobli, il a fait rire l'Europe de la
partialité du juge Goezman, dans quatre <u>Mémoires</u> étincelants. Nul
n'ignore quel rôle fut le sien dans la guerre d'Amérique. Défenseur de
la liberté, celui qui triomphe aujourd'hui est l'auteur comblé du
<u>Barbier de Séville.</u> Au fond d'une loge grillée, durant cinq heures de
représentation, l'ancien horloger va savourer sa gloire : il a réussi,
avec un sens aigu de la publicité, à provoquer le plus grand événement
de l'histoire de notre théâtre. Seul <u>Hernani,</u> en 1830, suscitera dans
l'opinion un mouvement comparable !*

*Beaumarchais n'est qu'un dramaturge amateur, mais au théâtre
comme en tout, cet ambitieux veut d'abord le succès. Il n'a rien négligé
pour cela : puisant dans la tradition comique, il a réuni les procédés
les plus heureux : des idées neuves de Diderot sur le théâtre, il a su
donner une illustration parfaite. Mais si sa <u>Folle Journée</u> lui tient tant
à cœur, c'est pour une autre raison : jamais avant lui dramaturge
n'avait osé se peindre sur scène avec autant d'impudeur. L'unité, la
nouveauté du personnage de Figaro viennent de Beaumarchais : ainsi
que le dit René Pomeau, il « lui a insufflé son âme » : comme son
Figaro, l'auteur « a tout vu, tout fait et tout usé ». Il s'est jeté dans
mille entreprises, a connu la fortune et ses revers, jusqu'à la fraîcheur
de la Bastille. Beaumarchais aime à faire parade sur scène de cette
« bizarre suite d'événements » qu'est sa propre destinée… On le
retrouve encore enfant sous les traits de Chérubin et, libertin
mûrissant, sous ceux d'Almaviva. Avec l'esprit de Figaro, c'est donc le
sens même et le succès de sa propre vie que Beaumarchais met en
scène. L'authenticité seule pouvait du reste donner à une pièce autant
de vie, de fraîcheur sensuelle, et cet air d'éternelle jeunesse.*

*Dehors, les grilles ont été arrachées par la foule, la garde bousculée. À
l'intérieur, trois cents privilégiés dînent et sabrent le champagne. Les
assiettes cliquètent, les guichets s'ouvrent : ah ! qu'enfin le rideau se
lève ! Eberlué lui-même, Beaumarchais murmure : « il y a quelque
chose de plus fou que ma pièce, c'est son succès ».*

◀ *Beaumarchais, d'après J.-M. Nattier (1685-1766)*

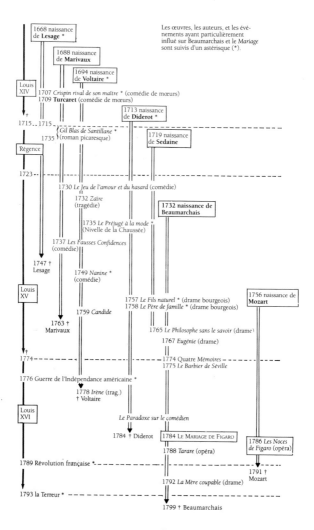

Les œuvres, les auteurs, et les événements ayant particulièrement influé sur Beaumarchais et le *Mariage* sont suivis d'un astérisque (*).

1668 naissance de **Lesage** *

1688 naissance de **Marivaux**

1694 naissance de **Voltaire** *

Louis XIV

1707 *Crispin rival de son maître* * (comédie de mœurs)
1709 **Turcaret** (comédie de mœurs)

1713 naissance de **Diderot** *

1715 † 1715 — *Gil Blas de Santillane* * (roman picaresque)
1735

1719 naissance de **Sedaine**

Régence

1723

1730 *Le Jeu de l'amour et du hasard* (comédie)
1732 *Zaïre* (tragédie)

1732 naissance de Beaumarchais

1735 *Le Préjugé à la mode* * (Nivelle de la Chaussée)

1737 *Les Fausses Confidences* (comédie)

1747 † Lesage

1749 *Nanine* * (comédie)

Louis XV

1757 *Le Fils naturel* * (drame bourgeois)
1758 *Le Père de famille* * (drame bourgeois)

1756 naissance de Mozart

1759 *Candide*

1763 † Marivaux

1765 *Le Philosophe sans le savoir* (drame)

1767 *Eugénie* (drame)

1774 † 1774 Quatre Mémoires
1775 *Le Barbier de Séville*

1776 Guerre de l'Indépendance américaine *

1778 *Irène* (trag.) † Voltaire

Louis XVI

Le Paradoxe sur le comédien

1784 † Diderot 1784 LE MARIAGE DE FIGARO

1786 *Les Noces de Figaro* (opéra)

1788 *Tarare* (opéra)

1789 Révolution française *

1791 † Mozart

1792 *La Mère coupable* (drame)

1793 la Terreur *

1799 † Beaumarchais

6

Héritiers de Molière, les Comédiens-Français s'étaient mués en défenseurs rigoureux de la tradition classique, et proscrivaient le mélange des genres. Tel était pourtant, selon les préceptes de Diderot, la première originalité de la pièce. *Le Mariage de Figaro* est d'abord une comédie de mœurs. Beaumarchais y suscite le rire en mettant les personnages dans des situations où « leur caractère s'oppose à leur condition ». Il en profite pour faire la critique d'une « foule d'abus qui désolent la société ». Il se souvient aussi de la comédie larmoyante quand il fait prêcher Marceline contre les injustices de la condition féminine. Mais c'est surtout à la comédie d'intrigue qu'emprunte Beaumarchais. L'imbroglio entrecroise quatre intrigues, filées et dénouées de main de maître. Les péripéties se multiplient. Tout l'arsenal comique est mis à contribution : reconnaissance, déguisements, conversations surprises font sans trève rebondir l'action, pour notre plus grand plaisir. Beaumarchais emprunte enfin à l'opéra : le nombre des figurants est exceptionnel, les costumes et les décors d'une richesse somptueuse. Chaque acte se termine par un véritable tableau, que rehaussent les chansons et la danse. *Le Mariage* est déjà un « spectacle total », une fête pour les sens.

Mais c'est surtout par l'impression de vie et de vérité que Beaumarchais se montre original : le dialogue est écrit avec un sens du rythme, de l'enchaînement et de l'effet qu'on ne retrouve que chez Molière. La coulisse même est utilisée, se peuplant d'êtres dont la présence modifie les situations. Désireux de renouer avec « la franche et vraie gaieté » de la tradition française, Beaumarchais a créé un comique qui est tout de situation et de mouvement.

Ses personnages sont neufs et attachants : un valet de comédie, qui au lieu de mener le jeu tombe toujours des nues et va de surprise en surprise, une Suzanne aussi coquette avec le Comte qu'avec son fiancé : amoureuse aujourd'hui, sera-t-elle fidèle demain ? Rien n'est moins sûr. Le charme équivoque de Chérubin « rend plus sensible le parfum de femme qui flotte dans *Le Mariage de Figaro* ». Le Comte, grand seigneur libertin, conserve toujours grande allure, et la Comtesse, délaissée, parfois tentée, nous touche parce qu'elle souffre.

La Troisième République verra dans la pièce une portée révolutionnaire qu'elle n'avait sans doute pas. Beaumarchais eût-il voulu renverser une société à laquelle il devait sa réussite ? Mais on assiste au crépuscule émouvant d'une société libertine et aimable qui jette ses derniers feux : chacun ne cherche que son plaisir, et joue pourtant son bonheur, le soir venu, sous les grands marronniers... Dans cette nuit du cinquième acte, déjà frissonnent des âmes modernes, inquiètes de la difficulté d'exister, en un monde que le hasard seul semble conduire.

St Quentin Del. — Malapeau Sc. F.

un pâ...âté? je fais ce que c'est.

LA FOLLE JOURNÉE,

o u

LE MARIAGE DE FIGARO,

Comédie en cinq Actes, en Prose,

PAR M. DE BEAUMARCHAIS.

Représentée pour la première fois par les Comédiens Français ordinaires du Roi, le Mardi 27 Avril 1784.

En faveur du badinage,
Faites grace à la raison. *Vaud. de la Piece.*

AU PALAIS-ROYAL,

Chez RUAULT, Libraire, près le Théâtre,
N° 216.

M. DCC. LXXXV.

ÉPÎTRE DÉDICATOIRE[1],

aux personnes trompées sur ma pièce et qui n'ont pas voulu la voir.

Ô vous que je ne nommerai point ! Cœurs généreux, esprits justes, à qui l'on a donné des préventions contre un ouvrage réfléchi, beaucoup plus gai qu'il n'est frivole ; soit que vous l'acceptiez ou non, je vous en fais l'hommage, et c'est tromper l'envie dans une de ses mesures. Si le hasard vous la fait lire, il la trompera dans une autre, en vous montrant quelle confiance est due à tant de rapport qu'on vous fait !

Un objet de pur agrément peut s'élever encore à l'honneur d'un plus grand mérite : c'est de vous rappeler cette vérité de tous les temps, qu'on connaît mal les hommes et les ouvrages quand on les juge sur la foi d'autrui ; que les personnes, surtout dont l'opinion est d'un grand poids, s'exposent à glacer sans le vouloir ce qu'il fallait peut-être encourager, lorsqu'elles négligent de prendre pour base de leurs jugements le seul conseil qui soit bien pur : celui de leurs propres lumières.

Ma résignation égale mon profond respect.

L'AUTEUR.

---

1. « Cette dédicace était destinée à mettre "sous une forme circonspecte" *Le Mariage de Figaro* "sous la protection de leurs Majestés" (Beaumarchais, *Mémoire au Roi*, fin mars 1785). L'auteur la fit imprimer à six exemplaires, mais renonça à l'insérer dans les éditions de la pièce. Gudin (*cf.* note 1 p. 22), fut le premier à la publier, en 1809 ». (Note de J.-P. de Beaumarchais, Garnier éd., Paris, 1980.)

NB : Les mots suivis du signe (•) sont définis dans le lexique p. 284-287.

PRÉFACE[1]

En écrivant cette préface, mon but n'est pas de rechercher oiseusement si j'ai mis au théâtre une pièce bonne ou mauvaise – il n'est plus temps pour moi – mais d'examiner scrupuleusement, et je le dois toujours, si j'ai fait une œuvre blâmable.

Personne n'étant tenu de faire une comédie qui ressemble aux autres, si je me suis écarté d'un chemin trop battu, pour des raisons qui m'ont paru solides, ira-t-on me juger, comme l'ont fait MM. tels, sur des règles qui ne sont pas les miennes ? imprimer puérilement que je reporte l'art à son enfance, parce que j'entreprends de frayer un nouveau sentier à cet art dont la loi première, et peut-être la seule, est d'amuser en instruisant[2] ? Mais ce n'est pas de cela qu'il s'agit.

Il y a souvent très loin du mal que l'on dit d'un ouvrage à celui qu'on en pense. Le trait qui nous poursuit, le mot qui importune reste enseveli dans le cœur, pendant que la bouche se venge en blâmant presque tout le reste. De sorte qu'on peut regarder comme un point établi au théâtre, qu'en fait de reproche à l'auteur, ce qui nous affecte le plus est ce dont on parle le moins.

Il est peut-être utile de dévoiler, aux yeux de tous, ce double aspect des comédies ; et j'aurai fait encore un bon usage de la mienne, si je parviens, en la scrutant, à fixer l'opinion publique sur ce qu'on doit entendre par ces mots : Qu'est-ce que LA DÉCENCE THÉÂTRALE ?

A force de nous montrer délicats, fins connaisseurs et d'affecter, comme j'ai dit autre part[3], l'hypocrisie de la

---

1. Cette préface fut rédigée plusieurs mois après la pièce, pour l'édition de 1785, afin de régler un certain nombre de comptes personnels avec les censeurs et détracteurs de la pièce, qui, tel Suard, ne désarmaient pas devant le succès. C'est l'un des trois textes théoriques importants que nous a laissés Beaumarchais, avec la *Lettre modérée sur la chute et la critique du Barbier de Séville* (1775), et l'*Essai sur le genre dramatique sérieux*, qui sert de préface à *Eugénie*, un drame• de 1767.
2. *amuser en instruisant* : c'est la formule classique qui définit les buts de la comédie, et qu'avait adoptée Molière.
3. *autre part* : dans la *Lettre modérée sur la chute et la critique du Barbier de Séville*.

11

décence auprès du relâchement des mœurs, nous deve-
nons des êtres nuls, incapables de s'amuser et de juger de
ce qui leur convient : faut-il le dire enfin ? des bégueules
rassasiées qui ne savent plus ce qu'elles veulent, ni ce
qu'elles doivent aimer ou rejeter. Déjà ces mots si rebat-
tus, *bon ton, bonne compagnie,* toujours ajustés au niveau
de chaque insipide coterie, et dont la latitude est si grande
qu'on ne sait où ils commencent et finissent, ont détruit la
franche et vraie gaieté qui distinguait de tout autre le
comique de toute nation.

Ajoutez-y le pédantesque abus de ces autres grands mots,
décence et bonnes mœurs, qui donnent un air si important,
si supérieur, que nos jugeurs de comédies[1] seraient déso-
lés de n'avoir pas à les prononcer sur toutes les pièces de
théâtre, et vous connaîtrez à peu près ce qui garotte le
génie, intimide tous les auteurs, et porte un coup mortel à
la vigueur de l'intrigue, sans laquelle il n'y a pourtant que
du bel esprit à la glace[2] et des comédies de quatre jours.

Enfin, pour dernier mal, tous les états de la société sont
parvenus à se soustraire à la censure dramatique : on ne
pourrait mettre au théâtre *Les Plaideurs* de Racine, sans
entendre aujourd'hui les Dandins et les Brid'oisons, même
des gens plus éclairés, s'écrier qu'il n'y a plus ni mœurs,
ni respect pour les magistrats.

On ne ferait point le *Turcaret*[3], sans avoir à l'instant sur les
bras fermes[4], sous-fermes, traites et gabelles, droits réunis,
tailles, taillons, le trop-plein, le trop-bu, tous les imposi-
teurs royaux. Il est vrai qu'aujourd'hui *Turcaret* n'a plus de
modèles. On l'offrirait sous d'autres traits, l'obstacle resterait le même.

---

1. *jugeurs de comédie* : les censeurs royaux, mais aussi les critiques jaloux, partisans de la dramaturgie classique.
2. *bel esprit à la glace* : humour froid et affecté, qui laisse le spectateur « de glace ».
3. *Turcaret* : comédie de mœurs de Lesage (1709), qui met en scène un financier ridicule et odieux.
4. *fermes* : par métonymie•, toutes les administrations chargées du recouvrement des impôts. Les taxes indirectes (fermes) étaient « affer-mées » à de riches hommes d'affaires, les Fermiers généraux.

On ne jouerait point les fâcheux, les marquis, les emprunteurs de Molière[1], sans révolter à la fois la haute, la moyenne, la moderne et l'antique noblesse. Ses *Femmes savantes* irriteraient nos féminins bureaux d'esprit. Mais quel calculateur peut évaluer la force et la longueur du levier qu'il faudrait, de nos jours, pour élever jusqu'au théâtre l'œuvre sublime du *Tartuffe* ? Aussi l'auteur qui se compromet avec le public *pour l'amuser ou pour l'instruire,* au lieu d'intriguer à son choix son ouvrage, est-il obligé de tourniller[2] dans des incidents impossibles, de persifler au lieu de rire, et de prendre ses modèles hors de la société, crainte de se trouver mille ennemis, dont il ne connaissait aucun en composant son triste drame.

J'ai donc réfléchi que, si quelque homme courageux ne secouait pas toute cette poussière, bientôt l'ennui des pièces françaises porterait la nation au frivole opéra-comique[3], et plus loin encore, aux boulevards, à ce ramas infect de tréteaux[4] élevés à notre honte, où la décente liberté, bannie du théâtre français, se change en une licence effrénée ; où la jeunesse va se nourrir de grossières inepties, et perdre, avec ses mœurs, le goût de la décence et des chefs-d'œuvre de nos maîtres. J'ai tenté d'être cet homme ; et si je n'ai pas mis plus de talent à mes ouvrages, au moins mon intention s'est-elle manifestée dans tous.

J'ai pensé, je pense encore, qu'on n'obtient ni grand pathétique, ni profonde moralité, ni bon et vrai comique au théâtre, sans des situations fortes, et qui naissent toujours

---

1. *emprunteurs de Molière* : allusion à Dorante, dans *Le Bourgeois gentil-homme*, ou à *Dom Juan*, acte IV, scène 3, avec M. Dimanche.
2. *tourniller* : faire mille tours ; l'un des nombreux néologismes de l'auteur. Celui-ci est particulièrement expressif et savoureux.
3. *opéra-comique* : présentait des actions dramatiques, entrecoupées de couplets et de musique légère, comme les vaudevilles.
4. *tréteaux* : ceux des comédiens ambulants du théâtre de la Foire, où même les grands venaient s'encanailler parmi le peuple pour écouter les « parades », sortes de sketches publicitaires que les comédiens forains donnaient devant leurs salles, perchés sur un balcon ou sur des tréteaux, afin d'attirer le chaland.

d'une disconvenance sociale[1], dans le sujet qu'on veut traiter. L'auteur tragique, hardi dans ses moyens, ose admettre le crime atroce : les conspirations, l'usurpation du trône, le meurtre, l'empoisonnement, l'inceste dans *Œdipe* et *Phèdre* ; le fratricide dans *Vendôme*[2] ; le parricide dans *Mahomet*[3] ; le régicide dans *Macbeth*[4], etc., etc. La comédie, moins audacieuse, n'excède pas[5] les disconvenances, parce que ses tableaux sont tirés de nos mœurs, ses sujets de la société. Mais comment frapper sur l'avarice, à moins de mettre en scène un méprisable avare ? démasquer l'hypocrisie, sans montrer, comme Orgon, dans le *Tartuffe,* un abominable hypocrite, *épousant sa fille et convoitant sa femme*[6] ? un homme à bonnes fortunes[6], sans le faire parcourir un cercle entier de femmes galantes ? un joueur[7] effréné, sans l'envelopper de fripons, s'il ne l'est pas déjà lui-même ?

Tous ces gens-là sont loin d'être vertueux ; l'auteur ne les donne pas pour tels : il n'est le patron d'aucun d'eux, il est le peintre de leurs vices. Et parce que le lion est féroce, le loup vorace et glouton, le renard rusé, cauteleux, la fable est-elle sans moralité[8] ? Quand l'auteur la dirige contre un sot que la louange enivre, il fait choir du bec du corbeau le fromage dans la gueule du renard, sa moralité est remplie ; s'il la tournait contre le bas flatteur, il finirait son apologue ainsi : *Le renard s'en saisit, le dévore ; mais le fromage était empoisonné.* La fable est une comédie légère,

---

1. *disconvenance sociale* : opposition du caractère ou de la situation d'un personnage à ce qu'exigerait de lui sa condition sociale ou son état. C'est là une des leçons importantes des *Entretiens sur le Fils naturel* de Diderot (1757), qui sert de référence à Beaumarchais.
2. *Vendôme* : personnage de Voltaire dans sa tragédie intitulée *Adélaïde du Guesclin* (1734).
3. *Mahomet* : tragédie de Voltaire, 1742.
4. *Macbeth* : drame de Shakespeare joué en France pour la première fois en 1784.
5. *n'excède pas* : n'exagère pas.
6. *L'Homme à bonnes fortunes* : titre d'une pièce de Baron, 1686.
7. *Le Joueur* : célèbre comédie de Regnard, 1696.
8. *sans moralité* : réponse aux jugements paradoxaux que dit Rousseau au sujet de La Fontaine, dans l'*Emile,* livre II.

et toute comédie n'est qu'un long apologue : leur différence est que dans la fable les animaux ont de l'esprit, et que dans notre comédie les hommes sont souvent des bêtes, et, qui pis est, des bêtes méchantes.

Ainsi, lorsque Molière, qui fut si tourmenté par les sots, donne à l'avare un fils prodigue et vicieux qui lui vole sa cassette et l'injurie en face, est-ce des vertus ou des vices qu'il tire sa moralité ? que lui importent ces fantômes ? c'est vous qu'il entend corriger. Il est vrai que les afficheurs et balayeurs littéraires[1] de son temps ne manquèrent pas d'apprendre au bon public combien tout cela était horrible ! Il est aussi prouvé que des envieux très importants, ou des importants très envieux, se déchaînèrent contre lui. Voyez le sévère Boileau, dans son épître au grand Racine, venger son ami qui n'est plus, en rappelant ainsi les faits :

> *L'Ignorance et l'Erreur[2], à ses naissantes pièces,*
> *En habits de marquis, en robes de comtesses,*
> *Venaient pour diffamer son chef-d'œuvre nouveau,*
> *Et secouaient la tête à l'endroit le plus beau.*
> *Le commandeur voulait la scène plus exacte ;*
> *Le vicomte, indigné, sortait au second acte :*
> *L'un, défenseur zélé des dévots mis en jeu,*
> *Pour prix de ses bons mots le condamnait au feu ;*
> *L'autre, fougueux marquis, lui déclarant la guerre,*
> *Voulait venger la Cour immolée au parterre.*

On voit même dans un placet de Molière à Louis XIV, qui fut si grand en protégeant les arts, et sans le goût éclairé duquel notre théâtre n'aurait pas un seul chef-d'œuvre de Molière ; on voit ce philosophe auteur se plaindre amèrement au roi que, pour avoir démasqué les hypocrites, ils imprimaient partout qu'il était *un libertin, un impie, un athée, un démon vêtu de chair, habillé en homme*[3] ; et cela

---

1. *afficheurs et balayeurs littéraires* : les critiques littéraires.
2. *l'Ignorance et L'Erreur* : Boileau, épître VII, *Sur l'utilité des ennemis.*
3. *habillé en homme* : allusion à la « cabale des dévots », qui se déchaîna contre *Le Tartuffe* de Molière.

s'imprimait avec APPROBATION ET PRIVILÈGE de ce roi qui le protégeait : rien là-dessus n'est empiré.

Mais, parce que les personnages d'une pièce s'y montrent sous des mœurs vicieuses, faut-il les bannir de la scène ? Que poursuivrait-on au théâtre ? les travers et les ridicules ? Cela vaut bien la peine d'écrire ! Ils sont chez nous comme les modes : on ne s'en corrige point, on en change.

Les vices, les abus, voilà ce qui ne change point, mais se déguise en mille formes sous le masque des mœurs dominantes : leur arracher ce masque et les montrer à découvert, telle est la noble tâche de l'homme qui se voue au théâtre. Soit qu'il moralise en riant, soit qu'il pleure en moralisant[1], Héraclite ou Démocrite[2], il n'a pas un autre devoir. Malheur à lui, s'il s'en écarte ! On ne peut corriger les hommes qu'en les faisant voir tels qu'ils sont. La comédie utile et véridique n'est point un éloge menteur, un vain discours d'académie.

Mais gardons-nous bien de confondre cette critique générale, un des plus nobles buts de l'art, avec la satire odieuse et personnelle : l'avantage de la première est de corriger sans blesser. Faites prononcer au théâtre, par l'homme juste, aigri de l'horrible abus des bienfaits, *tous les hommes sont des ingrats* : quoique chacun soit bien près de penser comme lui, personne ne s'en offensera. Ne pouvant y avoir un ingrat sans qu'il existe un bienfaiteur, ce reproche même établit une balance égale entre les bons et les mauvais cœurs, on le sent et cela console. Que si l'humoriste[3] répond *qu'un bienfaiteur fait cent ingrats*, on répliquera justement *qu'il n'y a peut-être pas un ingrat qui n'ait été plusieurs fois bienfaiteur :* et cela console encore. Et c'est ainsi qu'en généralisant, la critique la plus amère porte du fruit sans nous blesser, quand la satire person-

---

1. *en moralisant* : la formule rappelle un principe essentiel pour les partisans du drame• et de la comédie larmoyante : le nécessaire mélange des genres.
2. *Héraclite ou Démocrite* : philosophes grecs antérieurs à Socrate, dont le premier passe pour pessimiste, et le second pour optimiste.
3. *humoriste* : homme à l'humeur sombre et chagrine.

nelle, aussi stérile que funeste, blesse toujours et ne produit jamais. Je hais partout cette dernière, et je la crois un si punissable abus, que j'ai plusieurs fois d'office invoqué la vigilance du magistrat pour empêcher que le théâtre ne devînt une arène de gladiateurs, où le puissant se crût en droit de faire exercer ses vengeances par les plumes vénales, et malheureusement trop communes, qui mettent leur bassesse à l'enchère.

N'ont-ils donc pas assez, ces Grands, des mille et un feuillistes[1], faiseurs de bulletins, afficheurs, pour y trier les plus mauvais, en choisir un bien lâche, et dénigrer qui les offusque ? On tolère un si léger mal, parce qu'il est sans conséquence, et que la vermine éphémère démange un instant et périt ; mais le théâtre est un géant qui blesse à mort tout ce qu'il frappe. On doit réserver ses grands coups pour les abus et pour les maux publics.

Ce n'est donc ni le vice ni les incidents qu'il amène, qui font l'indécence théâtrale ; mais le défaut de leçons et de moralité. Si l'auteur ou faible ou timide, n'ose en tirer de son sujet voilà ce qui rend sa pièce équivoque ou vicieuse.

Lorsque je mis *Eugénie*[2] au théâtre (et il faut bien que je me cite, puisque c'est toujours moi qu'on attaque), lorsque je mis *Eugénie* au théâtre, tous nos jurés-crieurs à la décence[3] jetaient des flammes dans les foyers sur ce que j'avais osé montrer un seigneur libertin, habillant ses valets en prêtres, et feignant d'épouser une jeune personne qui paraît enceinte au théâtre sans avoir été mariée.

Malgré leurs cris, la pièce a été jugée, sinon le meilleur, au moins le plus moral des drames, constamment jouée sur tous les théâtres, et traduite dans toutes les langues. Les bons esprits ont vu que la moralité, que l'intérêt y nais-

---

1. *feuillistes* : néologisme péjoratif, désignant les journalistes payés « à la feuille », qui alors proliféraient, en raison de la montée en puissance de la presse et de l'opinion publique.
2. *Eugénie* : drame• de Beaumarchais, 1767.
3. *jurés-crieurs à la décence* : ironique ; individus qui seraient censés s'engager « par serment » dans l'office de « crieur » public, en vue d'alerter l'opinion sur les dangers qu'elle court en allant assister à certaines pièces ; les censeurs, donc.

saient entièrement de l'abus qu'un homme puissant et vicieux fait de son nom, de son crédit pour tourmenter une faible fille sans appui, trompée, vertueuse et délaissée. Ainsi tout ce que l'ouvrage a d'utile et de bon naît du courage qu'eut l'auteur d'oser porter la disconvenance sociale au plus haut point de liberté.

Depuis, j'ai fait *Les Deux Amis*[1], pièce dans laquelle un père avoue à sa prétendue nièce qu'elle est sa fille illégitime. Ce drame est aussi très moral, parce qu'à travers les sacrifices de la plus parfaite amitié, l'auteur s'attache à y montrer les devoirs qu'impose la nature sur les fruits d'un ancien amour, que la rigoureuse dureté des convenances sociales, ou plutôt leur abus, laisse trop souvent sans appui.

Entre autres critiques de la pièce, j'entendis dans une loge, auprès de celle que j'occupais, un jeune *important* de la Cour qui disait gaiement à des dames : « L'auteur, sans doute, est un garçon fripier qui ne voit rien de plus élevé que des commis des Fermes et des marchands d'étoffes ; et c'est au fond d'un magasin[2] qu'il va chercher les nobles amis qu'il traduit à la scène française. – Hélas ! monsieur, lui dis-je en m'avançant, il a fallu du moins les prendre où il n'est pas impossible de les supposer. Vous ririez bien plus de l'auteur s'il eût tiré deux vrais amis de l'Œil-de-bœuf[3] ou des carrosses ? Il faut un peu de vraisemblance, même dans les actes vertueux. »

Me livrant à mon gai caractère, j'ai depuis tenté, dans *Le Barbier de Séville,* de ramener au théâtre l'ancienne et franche gaieté, en l'alliant avec le ton léger de notre plaisanterie actuelle ; mais comme cela même était une espèce de nouveauté, la pièce fut vivement poursuivie. Il semblait que j'eusse ébranlé l'État ; l'excès des précautions

---

1. *Les Deux Amis* : drame•, écrit en 1770.
2. *au fond du magasin* : le personnage principal est un « négociant de Lyon », comme le rappelle le sous-titre. Ironique : Beaumarchais raille les préjugés antibourgeois.
3. *l'Œil-de-bœuf* : salle du château de Versailles, éclairée par une fenêtre ronde, qu'on nomme « œil-de-bœuf », où les courtisans attendaient d'être reçus au lever du Roi.

qu'on prit et des cris qu'on fit contre moi décelait surtout la frayeur que certains vicieux de ce temps avaient de s'y voir démasqués. La pièce fut censurée quatre fois, cartonnée[1] trois fois sur l'affiche à l'instant d'être jouée, dénoncée même au Parlement d'alors, et moi, frappé de ce tumulte, je persistais à demander que le public restât le juge de ce que j'avais destiné à l'amusement du public.

Je l'obtins au bout de trois ans[2]. Après les clameurs, les éloges, et chacun me disait tout bas : « Faites-nous donc des pièces de ce genre, puisqu'il n'y a plus que vous qui osiez rire en face. »

Un auteur désolé par la cabale et les criards, mais qui voit sa pièce marcher, reprend courage ; et c'est ce que j'ai fait. Feu M. le prince de Conti[3], de patriotique mémoire (car, en frappant l'air de son nom, l'on sent vibrer le vieux mot *patrie*), feu M. le prince de Conti, donc, me porta le défi public de mettre au théâtre ma préface du *Barbier,* plus gaie, disait-il, que la pièce, et d'y montrer la famille de Figaro, que j'indiquais dans cette préface. « Monseigneur, lui répondis-je, si je mettais une seconde fois ce caractère sur la scène, comme je le montrerais plus âgé, qu'il en saurait quelque peu davantage, ce serait bien un autre bruit ; et qui sait s'il verrait le jour ? » Cependant, par respect, j'acceptai le défi ; je composai cette *Folle journée,* qui cause aujourd'hui la rumeur. Il daigna la voir le premier. C'était un homme d'un grand caractère, un prince auguste, un esprit noble et fier : le dirai-je ? il en fut content.

Mais quel piège, hélas ! j'ai tendu au jugement de nos critiques en appelant ma comédie du vain nom de *Folle journée !* Mon objet était bien de lui ôter quelque importance ;

---

1. *cartonnée* : La représentation avait été annulée par un placard de carton collé sur l'affiche, qui annonçait une nouvelle pièce.
2. *trois ans* : le *Barbier,* dans sa première version, était un opéra- comique, proposé aux Italiens, en 1772, qui le refusèrent. Beaumarchais adapta l'œuvre pour les Comédiens-Français, qui l'acceptèrent, en 1773, et devaient la jouer le 11 février 1774. Mais la censure retarda la sortie de la pièce jusqu'au 23 février 1775.
3. *Conti* : Louis-François de Bourbon, prince de Conti (1717-1776) beau-fils du Régent, protecteur de Beaumarchais.

mais je ne savais pas encore à quel point un changement d'annonce peut égarer tous les esprits. En lui laissant son véritable titre, on eût lu *L'Époux suborneur*[1]. C'était pour eux une autre piste, on me courait[2] différemment. Mais ce nom de *Folle journée* les a mis à cent lieues de moi : ils n'ont plus rien vu dans l'ouvrage que ce qui n'y sera jamais ; et cette remarque un peu sévère sur la facilité de prendre le change a plus d'étendue qu'on ne croit.

Au lieu du nom de *George Dandin*, si Molière eût appelé son drame *La Sottise des alliances*, il eût porté bien plus de fruit ; si Regnard eût nommé son *Légataire*, *La Punition du célibat*, la pièce nous eût fait frémir. Ce à quoi il ne songea pas, je l'ai fait avec réflexion. Mais qu'on ferait un beau chapitre sur tous les jugements des hommes et la morale du théâtre, et qu'on pourrait intituler : *De l'influence de l'affiche !*

Quoi qu'il en soit, *La Folle journée* resta cinq ans au portefeuille ; les comédiens ont su que je l'avais, ils me l'ont enfin arrachée. S'ils ont bien ou mal fait pour eux, c'est ce qu'on a pu voir depuis. Soit que la difficulté de la rendre excitât leur émulation, soit qu'ils sentissent avec le public que pour lui plaire en comédie il fallait de nouveaux efforts, jamais pièce aussi difficile n'a été jouée avec autant d'ensemble, et si l'auteur (comme on le dit) est resté audessous de lui-même, il n'y a pas un seul acteur dont cet ouvrage n'ait établi, augmenté ou confirmé la réputation. Mais revenons à sa lecture, à l'adoption des comédiens.

Sur l'éloge outré qu'ils en firent, toutes les sociétés voulurent le connaître, et dès lors il fallut me faire des querelles de toute espèce, ou céder aux instances universelles. Dès lors aussi les grands ennemis de l'auteur ne manquèrent pas de répandre à la Cour qu'il blessait dans cet ouvrage, d'ailleurs *un tissu de bêtises*, la religion, le gouvernement, tous les états de la société, les bonnes mœurs, et qu'enfin

---

1. *L'Époux suborneur :* c'est le premier titre auquel avait songé Beaumarchais pour sa pièce. (Un suborneur est un séducteur malhonnête.)
2. *courait :* terme de chasse ; on me poursuivait.

la vertu y était opprimée et le vice triomphant, *comme de raison,* ajoutait-on. Si les graves messieurs qui l'ont tant répété me font l'honneur de lire cette préface, ils y verront au moins que j'ai cité bien juste ; et la bourgeoise intégrité que je mets à mes citations n'en fera que mieux ressortir la noble infidélité des leurs.

Ainsi, dans *Le Barbier de Séville,* je n'avais qu'ébranlé l'État ; dans ce nouvel essai, plus infâme et plus séditieux, je le renversais de fond en comble. Il n'y avait plus rien de sacré, si l'on permettait cet ouvrage. On abusait l'autorité par les plus insidieux rapports ; on cabalait auprès des corps puissants ; on alarmait les dames timorées ; on me faisait des ennemis sur le prie-Dieu des oratoires : et moi, selon les hommes et les lieux, je repoussais la basse intrigue par mon excessive patience, par la roideur de mon respect, l'obstination de ma docilité ; par la raison, quand on voulait l'entendre.

Ce combat a duré quatre ans[1]. Ajoutez-les aux cinq du portefeuille : que reste-t-il des allusions qu'on s'efforce à voir dans l'ouvrage ? Hélas ! quand il fut composé, tout ce qui fleurit aujourd'hui n'avait pas même encore germé : c'était tout un autre univers.

Pendant ces quatre ans de débat, je ne demandais qu'un censeur ; on m'en accorda cinq ou six[2]. Que virent-ils dans l'ouvrage, objet d'un tel déchaînement ? La plus badine

---

1. *quatre ans* : de 1781 à 1784.
2. *cinq ou six* : en 1781, la pièce fut d'abord soumise, sur la demande de Beaumarchais, à Coquely de Chaussepierre, qui donna son approbation ; Louis XVI ayant déclaré « Cela ne sera jamais joué », un groupe de courtisans obtint en 1782 qu'un nouvel examen fût ordonné. Il fut confié à l'académicien Suard, qui détestait Beaumarchais, et ne manqua de se prononcer contre la pièce. A l'occasion d'une représentation privée, Beaumarchais ne donna son accord qu'à la condition qu'un nouveau censeur fût nommé. Ce fut l'académicien Gaillard, qui déclara la pièce excellente... La pièce fut couverte de louanges, mais le Roi s'obstinait dans son refus de la laisser jouer au Français. Un quatrième censeur, le bigot Jean-Baptiste-Marie Guidi, déposa un rapport défavorable... Un cinquième censeur, Fouques-Deshayes, donna son accord, moyennant « quelques suppressions et adoucissements ». Ce rapport favorable permettant la levée des interdictions, les amis de Beaumarchais obtinrent la nomination d'un censeur supplémentaire, le sixième donc, qui fut l'auteur dramatique Bret. Ce dernier approuva la pièce sans réserves, et la représentation fut enfin autorisée, en 1784 !

des intrigues. Un grand seigneur espagnol, amoureux d'une jeune fille qu'il veut séduire, et les efforts que cette fiancée, celui qu'elle doit épouser, et la femme du seigneur, réunissent pour faire échouer dans son dessein un maître absolu, que son rang, sa fortune et sa prodigalité rendent tout-puissant pour l'accomplir. Voilà tout, rien de plus. La pièce est sous vos yeux.

D'où naissaient donc ces cris perçants ? De ce qu'au lieu de poursuivre un seul caractère vicieux, comme le joueur, l'ambitieux, l'avare, ou l'hypocrite, ce qui ne lui eût mis sur les bras qu'une seule classe d'ennemis, l'auteur a profité d'une composition légère, ou plutôt a formé son plan de façon à y faire entrer la critique d'une foule d'abus qui désolent la société. Mais comme ce n'est pas là ce qui gâte un ouvrage aux yeux du censeur éclairé, tous, en l'approuvant, l'ont réclamé pour le théâtre. Il a donc fallu l'y souffrir : alors les grands du monde ont vu jouer avec scandale

> *Cette pièce où l'on peint un insolent valet*
> *Disputant sans pudeur son épouse à son maître.*

> M. Gudin[1].

Oh ! que j'ai de regret de n'avoir pas fait de ce sujet moral une tragédie bien sanguinaire ! Mettant un poignard à la main de l'époux outragé, que je n'aurais pas nommé Figaro, dans sa jalouse fureur je lui aurais fait noblement poignarder le Puissant vicieux ; et comme il aurait vengé son honneur dans des vers carrés, bien ronflants, et que mon jaloux, tout au moins général d'armée, aurait eu pour rival quelque tyran bien horrible et régnant au plus mal sur un peuple désolé, tout cela[2], très loin de nos mœurs, n'aurait, je crois, blessé personne, on eût crié *bravo ! ouvrage bien moral !* Nous étions sauvés, moi et mon Figaro sauvage.

Mais ne voulant qu'amuser nos Français et non faire ruisseler les larmes de leurs épouses, de mon coupable amant

---

1. *Gudin* : Gudin de la Bresnellerie, ami le plus fidèle de Beaumarchais, son biographe, et l'éditeur de ses œuvres (1738-1812).
2. *tout cela* : tel est pourtant le thème de l'opéra de Beaumarchais, *Tarare* (1787). Mais il s'agira d'une œuvre dramatique, et non comique !

j'ai fait un jeune seigneur de ce temps-là, prodigue, assez galant, même un peu libertin, à peu près comme les autres seigneurs de ce temps-là. Mais qu'oserait-on dire au théâtre d'un seigneur, sans les offenser tous, sinon de lui reprocher son trop de galanterie ? N'est-ce pas là le défaut le moins contesté par eux-mêmes ? J'en vois beaucoup, d'ici, rougir modestement (et c'est un noble effort) en convenant que j'ai raison.

Voulant donc faire le mien coupable, j'ai eu le respect généreux de ne lui prêter aucun des vices du peuple. Direz-vous que je ne le pouvais pas, que c'eût été blesser toutes les vraisemblances ? Concluez donc en faveur de ma pièce, puisque enfin je ne l'ai pas fait.

Le défaut même dont je l'accuse n'aurait produit aucun mouvement comique, si je ne lui avais gaiement opposé l'homme le plus dégourdi de sa nation, *le véritable Figaro,* qui, tout en défendant Suzanne, sa propriété, se moque des projets de son maître, et s'indigne très plaisamment qu'il ose jouter de ruse avec lui, maître passé dans ce genre d'escrime.

Ainsi, d'une lutte assez vive entre l'abus de la puissance, l'oubli des principes, la prodigalité, l'occasion, tout ce que la séduction a de plus entraînant, et le feu, l'esprit, les ressources que l'infériorité piquée au jeu peut opposer à cette attaque, il naît dans ma pièce un jeu plaisant d'intrigue, où l'époux subordonneur, contrarié, lassé, harassé, toujours arrêté dans ses vues, est obligé, trois fois dans cette journée, de tomber aux pieds de sa femme, qui, bonne, indulgente et sensible, finit par lui pardonner : c'est ce qu'elles font toujours. Qu'a donc cette moralité de blâmable, messieurs ?

La trouvez-vous un peu badine pour le ton grave que je prends ? Accueillez-en une plus sévère qui blesse vos yeux dans l'ouvrage, quoique vous ne l'y cherchiez pas : c'est qu'un seigneur assez vicieux pour vouloir prostituer à ses caprices tout ce qui lui est subordonné, pour se jouer, dans ses domaines, de la pudicité de toutes ses jeunes vassales, doit finir, comme celui-ci, par être la risée de ses valets. Et c'est ce que l'auteur a très fortement prononcé, lorsqu'en fureur, au cinquième acte, Almaviva, croyant confondre une femme infidèle, montre à son jardinier un cabinet, en lui criant : *Entres-y, toi, Antonio ; conduis devant son juge l'infâme qui m'a déshonoré* ; et que celui-ci lui répond : *Il y a, parguenne, une bonne Providence ! Vous en avez tant fait dans le pays, qu'il faut bien aussi qu'à votre tour*[1]... !

Cette profonde moralité se fait sentir dans tout l'ouvrage ; et s'il convenait à l'auteur de démontrer aux adversaires qu'à travers sa forte leçon il a porté la considération pour la dignité du coupable plus loin qu'on ne devait l'attendre de la fermeté de son pinceau, je leur ferais remarquer que, croisé dans tous ses projets, le comte Almaviva se voit toujours humilié, sans être jamais avili.

En effet, si la Comtesse usait de ruse pour aveugler sa jalousie dans le dessein de le trahir, devenue coupable elle-même, elle ne pourrait mettre à ses pieds son époux sans le dégrader à nos yeux. La vicieuse intention de l'épouse brisant un lien respecté, l'on reprocherait justement à l'auteur d'avoir tracé des mœurs blâmables : car nos jugements sur les mœurs se rapportent toujours aux femmes ; on n'estime pas assez les hommes pour tant exiger d'eux sur ce point délicat. Mais loin qu'elle ait ce vil projet, ce qu'il y a de mieux établi dans l'ouvrage est que nul ne veut faire une tromperie au Comte, mais seulement l'empêcher d'en faire à tout le monde. C'est la pureté des motifs qui sauve ici les moyens du reproche ; et de cela seul que la Comtesse ne veut que ramener son mari, toutes les confusions qu'il éprouve sont certainement très morales, aucune n'est avilissante.

Pour que cette vérité vous frappe davantage, l'auteur oppose à ce mari peu délicat, la plus vertueuse des femmes par goût et par principes.

Abandonnée d'un époux trop aimé, quand l'expose-t-on à vos regards ? Dans le moment critique où sa bienveillance pour un aimable enfant, son filleul, peut devenir un goût dangereux, si elle permet au ressentiment qui l'appuie de

1. *à votre tour* : acte V, sc. 14.

prendre trop d'empire sur elle. C'est pour mieux faire ressortir l'amour vrai du devoir, que l'auteur la met un moment aux prises avec un goût naissant qui le combat. Oh ! combien on s'est étayé de ce léger mouvement dramatique pour nous accuser d'indécence ! On accorde à la tragédie que toutes les reines, les princesses, aient des passions bien allumées qu'elles combattent plus ou moins ; et l'on ne souffre pas que, dans la comédie, une femme ordinaire puisse lutter contre la moindre faiblesse ! Ô grande *influence de l'affiche !* jugement sûr et conséquent ! Avec la différence du genre, on blâme ici ce qu'on approuvait là. Et cependant, en ces deux cas, c'est toujours le même principe : point de vertu sans sacrifice.

J'ose en appeler à vous, jeunes infortunées que votre malheur attache à des Almaviva ! Distingueriez-vous toujours votre vertu de vos chagrins, si quelque intérêt[1] importun, tendant trop à les dissiper, ne vous avertissait enfin qu'il est temps de combattre pour elle ? Le chagrin de perdre un mari n'est pas ici ce qui nous touche, un regret aussi personnel est trop loin d'être une vertu. Ce qui nous plaît dans la Comtesse, c'est de la voir lutter franchement contre un goût naissant qu'elle blâme, et des ressentiments légitimes. Les efforts qu'elle fait alors pour ramener son infidèle époux, mettant dans le plus heureux jour les deux sacrifices pénibles de son goût et de sa colère, on n'a nul besoin d'y penser pour applaudir à son triomphe ; elle est un modèle de vertu, l'exemple de son sexe et l'amour du nôtre.

Si cette métaphysique[2] de l'honnêteté des scènes, si ce principe avoué de toute décence théâtrale n'a point frappé nos juges à la représentation, c'est vainement que j'en étendrais ici le développement, les conséquences ; un tribunal d'iniquité n'écoute point les défenses de l'accusé qu'il est chargé de perdre, et ma Comtesse n'est point traduite au parlement de la nation : c'est une commission qui la juge.

---

1. *intérêt* : sentiment voisin de l'amour, dont il se rapproche plus par le désir que par la tendresse.
2. *métaphysique* : analyse particulièrement subtile.

On a vu la légère esquisse de son aimable caractère dans la charmante pièce d'*Heureusement*[1]. Le goût naissant que la jeune femme éprouve pour son petit cousin l'officier, n'y parut blâmable à personne, quoique la tournure des scènes pût laisser à penser que la soirée eût fini d'autre manière, si l'époux ne fût pas rentré, comme dit l'auteur, *heureusement*. Heureusement aussi l'on n'avait pas le projet de calomnier cet auteur : chacun se livra de bonne foi à ce doux intérêt qu'inspire une jeune femme honnête et sensible, qui réprime ses premiers goûts ; et notez que, dans cette pièce, l'époux ne paraît qu'un peu sot ; dans la mienne, il est infidèle : ma Comtesse a plus de mérite.

Aussi, dans l'ouvrage que je défends, le plus véritable intérêt se porte-t-il sur la Comtesse ; le reste est dans le même esprit.

Pourquoi Suzanne la camariste, spirituelle, adroite et rieuse, a-t-elle aussi le droit de nous intéresser ? C'est qu'attaquée par un séducteur puissant, avec plus d'avantage qu'il n'en faudrait pour vaincre une fille de son état, elle n'hésite pas à confier les intentions du Comte aux deux personnes les plus intéressées à bien surveiller sa conduite : sa maîtresse et son fiancé. C'est que, dans tout son rôle, presque le plus long de la pièce, il n'y a pas une phrase, un mot qui ne respire la sagesse et l'attachement à ses devoirs : la seule ruse qu'elle se permette est en faveur de sa maîtresse, à qui son dévouement est cher, et dont tous les vœux sont honnêtes.

Pourquoi, dans ses libertés sur son maître, Figaro m'amuse-t-il au lieu de m'indigner ? C'est que, l'opposé des valets, il n'est pas, et vous le savez, le malhonnête homme de la pièce : en le voyant forcé, par son état, de repousser l'insulte avec adresse, on lui pardonne tout, dès qu'on sait qu'il ne ruse avec son seigneur que pour garantir ce qu'il aime et sauver sa propriété.

Donc, hors le Comte et ses agents, chacun fait dans la pièce à peu près ce qu'il doit. Si vous les croyez malhon-

---

1. *Heureusement* : pièce de Rochon de Chabannes, de 1762, qui inspira à Beaumarchais les scènes entre la Comtesse et Chérubin.

nêtes parce qu'ils disent du mal les uns des autres, c'est une règle très fautive. Voyez nos honnêtes gens du siècle : on passe la vie à ne faire autre chose ! Il est même tellement reçu de déchirer sans pitié les absents, que moi, qui les défends toujours, j'entends murmurer très souvent : « Quel diable d'homme, et qu'il est contrariant ! il dit du bien de tout le monde ! »

Est-ce mon page, enfin, qui vous scandalise, et l'immoralité qu'on reproche au fond de l'ouvrage serait-elle dans l'accessoire ? Ô censeurs délicats, beaux esprits sans fatigue, inquisiteurs pour la morale, qui condamnez en un clin d'œil les réflexions de cinq années, soyez justes une fois, sans tirer à conséquence. Un enfant de treize ans, aux premiers battements du cœur, cherchant tout sans rien démêler, idolâtre, ainsi qu'on l'est à cet âge heureux, d'un objet céleste pour lui, dont le hasard fit sa marraine, est-il un sujet de scandale ? Aimé de tout le monde au château, vif, espiègle et brûlant comme tous les enfants spirituels, par son agitation extrême, il dérange dix fois sans le vouloir les coupables projets du Comte. Jeune adepte de la nature[1], tout ce qu'il voit a droit de l'agiter : peut-être il n'est plus un enfant, mais il n'est pas encore un homme ; et c'est le moment que j'ai choisi pour qu'il obtînt de l'intérêt, sans forcer personne à rougir. Ce qu'il éprouve innocemment, il l'inspire partout de même. Direz-vous qu'on l'aime d'amour ? Censeurs, ce n'est pas là le mot. Vous êtes trop éclairés pour ignorer que l'amour, même le plus pur, a un motif intéressé : on ne l'aime donc pas encore ; on sent qu'un jour on l'aimera. Et c'est ce que l'auteur a mis avec gaieté dans la bouche de Suzanne, quand elle dit à cet enfant : *Oh ! dans trois ou quatre ans, je prédis que vous serez le plus grand petit vaurien*[2]...

Pour lui imprimer plus fortement le caractère de l'enfance, nous le faisons exprès tutoyer par Figaro. Supposez-lui deux ans de plus, quel valet dans le château prendrait ces libertés ? Voyez-le à la fin de son rôle ; à peine a-t-il un

---

1. *adepte de la nature* : qui suit les maximes de Condillac, Diderot ou Rousseau. La « nature » est l'idée de référence de tous les philosophes.
2. *vaurien* : acte I, sc. 7.

habit d'officier, qu'il porte la main à l'épée aux premières railleries du Comte, sur le quiproquo d'un soufflet. Il sera fier, notre étourdi ! mais c'est un enfant, rien de plus. N'ai-je pas vu nos dames, dans les loges, aimer mon page à la folie ? Que lui voulaient-elles ? Hélas ! rien : c'était de l'intérêt aussi ; mais, comme celui de la Comtesse, un pur et naïf intérêt : un intérêt... sans intérêt.

Mais est-ce la personne du page, ou la conscience du seigneur, qui fait le tourment du dernier toutes les fois que l'auteur les condamne à se rencontrer dans la pièce ? Fixez ce léger aperçu, il peut vous mettre sur la voie ; ou plutôt apprenez de lui que cet enfant n'est amené que pour ajouter à la moralité de l'ouvrage, en vous montrant que l'homme le plus absolu chez lui, dès qu'il suit un projet coupable, peut être mis au désespoir par l'être le moins important, par celui qui redoute le plus de se rencontrer sur sa route.

Quand mon page aura dix-huit ans, avec le caractère vif et bouillant que je lui ai donné, je serai coupable à mon tour si je le montre sur la scène. Mais à treize ans, qu'inspire-t-il ? Quelque chose de sensible et doux, qui n'est amitié ni amour, et qui tient un peu de tous deux.

J'aurais de la peine à faire croire à l'innocence de ces impressions, si nous vivions dans un siècle moins chaste, dans un de ces siècles de calcul, où, voulant tout prématuré comme les fruits de leurs serres chaudes, les Grands mariaient leurs enfants à douze ans, et faisaient plier la nature, la décence et le goût aux plus sordides convenances, en se hâtant surtout d'arracher de ces êtres non formés des enfants encore moins formables, dont le bonheur n'occupait personne, et qui n'étaient que le prétexte d'un certain trafic d'avantages qui n'avait nul rapport à eux, mais uniquement à leur nom. Heureusement nous en sommes bien loin[1] : et le caractère de mon page, sans conséquence pour lui-même, en a une relative au Comte, que le moraliste aperçoit, mais qui n'a pas encore frappé le grand commun de nos jugeurs.

---

1. *bien loin* : tout le passage est ironique.

Ainsi, dans cet ouvrage, chaque rôle important a quelque but moral. Le seul qui semble y déroger est le rôle de Marceline.

Coupable d'un ancien égarement dont son Figaro fut le fruit, elle devrait, dit-on, se voir au moins punie par la confusion de sa faute, lorsqu'elle reconnaît son fils. L'auteur eût pu en tirer une moralité plus profonde : dans les mœurs qu'il veut corriger, la faute d'une jeune fille séduite est celle des hommes et non la sienne. Pourquoi donc ne l'a-t-il pas fait ?

Il l'a fait, censeurs raisonnables ! Étudiez la scène suivante, qui faisait le nerf du troisième acte, et que les comédiens m'ont prié de retrancher[1], craignant qu'un morceau si sévère n'obscurcît la gaieté de l'action.

Quand Molière a bien humilié la coquette ou coquine du *Misanthrope* par la lecture publique de ses lettres à tous ses amants[2], il la laisse avilie sous les coups qu'il lui a portés : il a raison ; qu'en ferait-il ? Vicieuse par goût et par choix, veuve aguerrie, femme de Cour, sans aucune excuse d'erreur, et fléau d'un fort honnête homme, il l'abandonne à nos mépris, et telle est sa moralité. Quant à moi, saisissant l'aveu naïf de Marceline au moment de la reconnaissance, je montrais cette femme humiliée, et Bartholo qui la refuse, et Figaro, leur fils commun, dirigeant l'attention publique sur les vrais fauteurs du désordre où l'on entraîne sans pitié toutes les jeunes filles du peuple douées d'une jolie figure.

Telle est la marche de la scène.

BRID'OISON, *parlant de Figaro, qui vient de reconnaître sa mère en Marceline.* C'est clair : i-il ne l'épousera pas.

BARTHOLO. Ni moi non plus.

MARCELINE. Ni vous ! et votre fils ? Vous m'aviez juré...

BARTHOLO. J'étais fou. Si pareils souvenirs engageaient, on serait tenu d'épouser tout le monde.

---

1. *retrancher* : la scène 16 du troisième acte avait été amputée par les comédiens, lors des premières représentations. Beaumarchais en rétablit l'intégralité dès la première édition.
2. *à tous ses amants* : Molière, *Le Misanthrope,* acte V, sc. 4.

BRID'OISON. E-et si l'on y regardait de si près, pe-ersonne n'épouserait personne.

BARTHOLO. Des fautes si connues ! une jeunesse déplorable !

MARCELINE, *s'échauffant par degrés.* Oui, déplorable, et plus qu'on ne croit ! Je n'entends pas nier mes fautes ; ce jour les a trop bien prouvées ! Mais qu'il est dur de les expier après trente ans d'une vie modeste ! J'étais née, moi, pour être sage, et je le suis devenue sitôt qu'on m'a permis d'user de ma raison. Mais dans l'âge des illusions, de l'inexpérience et des besoins, où les séducteurs nous assiègent pendant que la misère nous poignarde, que peut opposer une enfant à tant d'ennemis rassemblés ? Tel nous juge ici sévèrement, qui peut-être en sa vie a perdu dix infortunées !

FIGARO. Les plus coupables sont les moins généreux, c'est la règle.

MARCELINE, *vivement.* Hommes plus qu'ingrats, qui flétrissez par le mépris les jouets de vos passions, vos victimes, c'est vous qu'il faut punir des erreurs de notre jeunesse : vous et vos magistrats si vains du droit de nous juger, et qui nous laissent enlever, par leur coupable négligence, tout honnête moyen de subsister ! Est-il un seul état pour les malheureuses filles ? Elles avaient un droit naturel à toute la parure des femmes ; on y laisse former mille ouvriers de l'autre sexe.

FIGARO. Ils font broder jusqu'aux soldats !

MARCELINE, *exaltée.* Dans les rangs même plus élevés, les femmes n'obtiennent de vous qu'une considération dérisoire. Leurrées de respects apparents, dans une servitude réelle ; traitées en mineures pour nos biens, punies en majeures pour nos fautes : ah ! sous tous les aspects, votre conduite avec nous fait horreur ou pitié.

FIGARO. Elle a raison.

LE COMTE, *à part.* Que trop raison.

BRID'OISON. Elle a, mon-on Dieu, raison.

MARCELINE. Mais que nous font, mon fils, les refus d'un homme injuste ? Ne regarde pas d'où tu viens, vois où tu vas ; cela seul importe à chacun. Dans quelques mois ta fiancée ne dépendra plus que d'elle-même ; elle t'accepte-ra, j'en réponds : vis entre une épouse, une mère tendres, qui te chériront à qui mieux mieux. Sois indulgent pour elles, heureux pour toi, mon fils, gai, libre et bon pour tout le monde, il ne manquera rien à ta mère.

FIGARO.   Tu parles d'or, maman, et je me tiens à ton avis. Qu'on est sot, en effet ! Il y a des mille, mille ans que le monde roule, et dans cet océan de durée, où j'ai par hasard attrapé quelques chétifs trente ans qui ne reviendront plus, j'irais me tourmenter pour savoir à qui je les dois ! Tant pis pour qui s'en inquiète. Passer ainsi la vie à chamailler, c'est peser sur le collier sans relâche, comme les malheureux chevaux de la remonte des fleuves, qui ne reposent pas, même quand ils s'arrêtent, et qui tirent tou-jours, quoiqu'ils cessent de marcher. Nous attendrons.

J'ai bien regretté ce morceau ; et maintenant que la pièce est connue, si les comédiens avaient le courage de le resti-tuer à ma prière, je pense que le public leur en saurait beaucoup de gré. Ils n'auraient plus même à répondre, comme je fus forcé de le faire à certains censeurs du beau monde, qui me reprochaient à la lecture, de les intéresser pour une femme de mauvaises mœurs : – Non, messieurs, je n'en parle pas pour excuser ses mœurs, mais pour vous faire rougir des vôtres sur le point le plus destructeur de toute honnêteté publique, *la corruption des jeunes personnes* ; et j'avais raison de le dire, que vous trouvez ma pièce trop gaie, parce qu'elle est souvent trop sévère. Il n'y a que façon de s'entendre.

– Mais votre Figaro est un soleil tournant[1], qui brûle, en jaillissant, les manchettes de tout le monde. – Tout le monde est exagéré. Qu'on me sache gré du moins s'il ne brûle pas aussi les doigts de ceux qui croient s'y recon-naître : au temps qui court, on a beau jeu sur cette matière au théâtre. M'est-il permis de composer en auteur qui sort du collège ? de toujours faire rire des enfants, sans jamais

---

1. *soleil tournant* : pièce de feu d'artifice.

rien dire à des hommes ? Et ne devez-vous pas me passer un peu de morale en faveur de ma gaieté, comme on passe aux Français un peu de folie en faveur de leur raison ?

Si je n'ai versé sur nos sottises qu'un peu de critique badine, ce n'est pas que je ne sache en former de plus sévères : quiconque a dit tout ce qu'il sait dans son ouvrage, y a mis plus que moi dans le mien. Mais je garde une foule d'idées qui me pressent pour un des sujets les plus moraux du théâtre, aujourd'hui sur mon chantier : *La Mère coupable*[1], et si le dégoût dont on m'abreuve me permet jamais de l'achever, mon projet étant d'y faire verser des larmes à toutes les femmes sensibles, j'élèverai mon langage à la hauteur de mes situations ; j'y prodiguerai les traits de la plus austère morale, et je tonnerai fortement sur les vices que j'ai trop ménagés. Apprêtez-vous donc bien, messieurs, à me tourmenter de nouveau : ma poitrine a déjà grondé ; j'ai noirci beaucoup de papier au service de votre colère.

Et vous, honnêtes indifférents qui jouissez de tout sans prendre parti sur rien ; jeunes personnes modestes et timides, qui vous plaisez à ma *Folle journée* (et je n'entreprends sa défense que pour justifier votre goût), lorsque vous verrez dans le monde un de ces hommes tranchants critiquer vaguement la pièce, tout blâmer sans rien désigner, surtout la trouver indécente, examinez bien cet homme-là, sachez son rang, son état, son caractère, et vous connaîtrez sur-le-champ le mot qui l'a blessé dans l'ouvrage.

On sent bien que je ne parle pas de ces écumeurs littéraires[2] qui vendent leurs bulletins ou leurs affiches à tant de liards le paragraphe. Ceux-là, comme l'abbé Bazile, peuvent calomnier ; *ils médiraient*[3], qu'on ne les croirait pas.

Je parle moins encore de ces libellistes honteux qui n'ont trouvé d'autre moyen de satisfaire leur rage, l'assassinat

---

1. *La Mère coupable* : drame• qui achève la trilogie de Figaro (1792).
2. *écumeurs littéraires* : plagiaires.
3. *ils médiraient...* : *Le Barbier de Séville*, acte II, sc. 9.

étant trop dangereux, que de lancer, du cintre de nos salles, des vers infâmes contre l'auteur, pendant que l'on jouait sa pièce[1]. Ils savent que je les connais ; si j'avais eu dessein de les nommer, ç'aurait été au ministère public ; leur supplice est de l'avoir craint, il suffit à mon ressentiment. Mais on n'imaginera jamais jusqu'où ils ont osé élever les soupçons du public sur une aussi lâche épigramme ! semblables à ces vils charlatans du Pont-Neuf, qui, pour accréditer leurs drogues, farcissent d'ordres[2], de cordons, le tableau qui leur sert d'enseigne.

Non, je cite nos importants, qui, blessés, on ne sait pourquoi, des critiques semées dans l'ouvrage, se chargent d'en dire du mal, sans cesser de venir aux noces.

C'est un plaisir assez piquant de les voir d'en bas au spectacle, dans le très plaisant embarras de n'oser montrer ni satisfaction ni colère ; s'avançant sur le bord des loges, prêts à se moquer de l'auteur, et se retirant aussitôt pour celer un peu de grimace ; emportés par un mot de la scène et soudainement rembrunis par le pinceau du moraliste, au plus léger trait de gaieté jouer tristement les étonnés, prendre un air gauche en faisant les pudiques, et regardant les femmes dans les yeux, comme pour leur reprocher de soutenir un tel scandale ; puis, aux grands applaudissements, lancer sur le public un regard méprisant, dont il est écrasé ; toujours prêts à lui dire, comme ce courtisan dont parle Molière, lequel, outré du succès de *L'École des femmes*, criait des balcons au public : *Ris donc, public, ris donc*[3] ! En vérité, c'est un plaisir, et j'en ai joui bien des fois.

Celui-là m'en rappelle un autre. Le premier jour de *La Folle journée*, on s'échauffait dans le foyer (même d'honnêtes plébéiens) sur ce qu'ils nommaient spirituellement

---

1. *sa pièce* : lors de la cinquième représentation, les ennemis, jaloux du succès, lâchaient depuis les loges sur le parterre des vers de mirliton : « Et quant à Figaro, le drôle à son patron/Si scandaleusement ressemble !/Il est si frappant qu'il fait peur./Mais pour voir à la fois tous les vices ensemble,/Le parterre en chorus a demandé l'auteur. »
2. *d'ordres* : de décorations.
3. *ris donc* : Molière, *Critique de l'École des femmes*, sc. 5.

mon audace. Un petit vieillard sec et brusque, impatienté de tous ces cris, frappe le plancher de sa canne, et dit en s'en allant : *Nos Français sont comme les enfants, qui braillent quand on les éberne*[1]. Il avait du sens, ce vieillard ! Peut-être on pouvait mieux parler, mais pour mieux penser, j'en défie.

Avec cette intention de tout blâmer, on conçoit que les traits les plus sensés ont été pris en mauvaise part. N'ai-je pas entendu vingt fois un murmure descendre des loges à cette réponse de Figaro :

LE COMTE. *Une réputation détestable !*

FIGARO. *Et si je vaux mieux qu'elle ! Y a-t-il beaucoup de seigneurs qui puissent en dire autant*[2] *?*

Je dis, moi, qu'il n'y en a point, qu'il ne saurait y en avoir, à moins d'une exception bien rare. Un homme obscur ou peu connu peut valoir mieux que sa réputation, qui n'est que l'opinion d'autrui. Mais de même qu'un sot en place en paraît une fois plus sot, parce qu'il ne peut plus rien cacher, de même un grand seigneur, l'homme élevé en dignités, que la fortune et sa naissance ont placé sur le grand théâtre, et qui en entrant dans le monde, eut toutes les préventions pour lui, vaut presque toujours moins que sa réputation, s'il parvient à la rendre mauvaise. Une assertion si simple et si loin du sarcasme devait-elle exciter le murmure ? Si son application paraît fâcheuse aux Grands peu soigneux de leur gloire, en quel sens fait-elle épigramme sur ceux qui méritent nos respects ? Et quelle maxime plus juste au théâtre peut servir de frein aux puissants, et tenir lieu de leçon à ceux qui n'en reçoivent point d'autres ?

Non qu'il faille oublier (a dit un écrivain sévère, et je me plais à le citer parce que je suis de son avis), « non qu'il faille oublier, dit-il, ce qu'on doit aux rangs élevés : il est juste, au contraire, que l'avantage de la naissance soit le moins contesté de tous, parce que ce bienfait gratuit de

---

1. *éberner :* ou ébrener, essuyer les fesses.
2. *en dire autant :* acte III, sc. 5.

l'hérédité, relatif aux exploits, vertus ou qualités des aïeux de qui le reçut, ne peut aucunement blesser l'amour-propre de ceux auxquels il fut refusé ; parce que, dans une monarchie, si l'on ôtait les rangs intermédiaires, il y aurait trop loin du monarque aux sujets ; bientôt on n'y verrait qu'un despote et des esclaves : le maintien d'une échelle graduée du laboureur au potentat intéresse également les hommes de tous les rangs, et peut-être est le plus ferme appui de la constitution monarchique. »

Mais quel auteur parlait ainsi ? qui faisait cette profession de foi sur la noblesse, dont on me suppose si loin ? C'était PIERRE-AUGUSTIN CARON DE BEAUMARCHAIS, plaidant par écrit au Parlement[1] d'Aix, en 1778, une grande et sévère question qui décida bientôt de l'honneur d'un noble[2] et du sien. Dans l'ouvrage que je défends, on n'attaque point les états, mais les abus de chaque état : les gens seuls qui s'en rendent coupables ont intérêt à le trouver mauvais. Voilà les rumeurs expliquées : mais quoi donc ! les abus sont-ils devenus si sacrés, qu'on n'en puisse attaquer aucun sans lui trouver vingt défenseurs ?

Un avocat célèbre, un magistrat respectable, iront-ils donc s'approprier le plaidoyer d'un Bartholo, le jugement d'un Brid'oison ? Ce mot de Figaro sur l'indigne abus des plaidoiries de nos jours (*C'est dégrader le plus noble institut*[3]) a bien montré le cas que je fais du noble métier d'avocat ; et mon respect pour la magistrature ne sera pas plus suspecté quand on saura dans quelle école j'en ai recherché la leçon, quand on lira le morceau suivant, aussi tiré d'un moraliste, lequel parlant des magistrats, s'exprime en ces termes formels :

« Quel homme aisé voudrait, pour le plus modique honoraire, faire le métier cruel de se lever à quatre heures, pour aller au Palais tous les jours s'occuper, sous des formes prescrites, d'intérêts qui ne sont jamais les siens ? d'éprouver sans cesse l'ennui de l'importunité, le dégoût des solli-

---

1. *parlement* : cour de justice, qui jugeait en appel.
2. *un noble* : le comte de La Blache.
3. *le plus noble institut* : acte III, sc. 15.

citations, le bavardage des plaideurs, la monotonie des audiences, la fatigue des délibérations, et la contention d'esprit nécessaire aux prononcés des arrêts, s'il ne se croyait pas payé de cette vie laborieuse et pénible par l'estime et la considération publiques ? Et cette estime est-elle autre chose qu'un jugement, qui n'est même aussi flatteur pour les bons magistrats qu'en raison de sa rigueur excessive contre les mauvais ? »

Mais quel écrivain m'instruisait ainsi par ses leçons ? Vous allez croire encore que c'est PIERRE-AUGUSTIN ; vous l'avez dit : c'est lui, en 1773, dans son quatrième Mémoire[1], en défendant jusqu'à la mort sa triste existence, attaquée par un soi-disant magistrat. Je respecte donc hautement ce que chacun doit honorer, et je blâme ce qui peut nuire.

– Mais dans cette Folle journée, au lieu de saper les abus, vous vous donnez des libertés très répréhensibles au théâtre ; votre monologue surtout contient, sur les gens disgraciés, des traits qui passent la licence ! – Eh ! croyez-vous, messieurs, que j'eusse un talisman pour tromper, séduire, enchaîner la censure et l'autorité, quand je leur soumis mon ouvrage ? que je n'aie pas dû justifier ce que j'avais osé écrire ? Que fais-je dire à Figaro, parlant à l'homme déplacé ? *Que les sottises imprimées n'ont d'importance qu'aux lieux où l'on en gêne le cours.* Est-ce donc là une vérité d'une conséquence dangereuse ? Au lieu de ces inquisitions puériles et fatigantes, et qui seules donnent de l'importance à ce qui n'en aurait jamais, si, comme en Angleterre, on était assez sage ici pour traiter les sottises avec ce mépris qui les tue, loin de sortir du vil fumier qui les enfante, elles y pourriraient en germant, et ne se propageraient point. Ce qui multiplie les libelles est la faiblesse de les craindre ; ce qui fait vendre les sottises est la sottise de les défendre.

Et comment conclut Figaro ? *Que sans la liberté de blâmer, il n'est point d'éloge flatteur; et qu'il n'y a que les petits hommes qui redoutent les petits écrits*[2]. Sont-ce là des har-

---

1. *quatrième Mémoire* : contre le conseiller Goezman.
2. *les petits écrits* : acte V, sc. 3.

diesses coupables, ou bien des aiguillons de gloire ? des moralités insidieuses, ou des maximes réfléchies, aussi justes qu'encourageantes ?

Supposez-les le fruit des souvenirs. Lorsque, satisfait du présent, l'auteur veille pour l'avenir, dans la critique du passé, qui peut avoir droit de s'en plaindre ? Et si, ne désignant ni temps, ni lieu, ni personnes, il ouvre la voie au théâtre à des réformes désirables, n'est-ce pas aller à son but ?

La Folle journée explique donc comment, dans un temps prospère, sous un roi juste et des ministres modérés, l'écrivain peut tonner sur les oppresseurs, sans craindre de blesser personne. C'est pendant le règne d'un bon prince qu'on écrit sans danger l'histoire des méchants rois ; et plus le gouvernement est sage, est éclairé, moins la liberté de dire est en presse[1] : chacun y faisant son devoir, on n'y craint pas les allusions ; nul homme en place ne redoutant ce qu'il est forcé d'estimer, on n'affecte point alors d'opprimer chez nous cette même littérature qui fait notre gloire au-dehors, et nous y donne une sorte de primauté que nous ne pouvons tirer d'ailleurs.

En effet, à quel titre y prétendrions-nous ? Chaque peuple tient à son culte et chérit son gouvernement. Nous ne sommes pas restés plus braves que ceux qui nous ont battus à leur tour. Nos mœurs plus douces, mais non meilleures, n'ont rien qui nous élève au-dessus d'eux. Notre littérature seule, estimée de toutes les nations, étend l'empire de la langue française et nous obtient de l'Europe entière une prédilection avouée qui justifie, en l'honorant, la protection que le gouvernement lui accorde.

Et comme chacun cherche toujours le seul avantage qui lui manque, c'est alors qu'on peut voir dans nos académies l'homme de la Cour siéger avec les gens de lettres ; les talents personnels et la considération héritée se disputer ce noble objet, et les archives académiques se remplir presque également de papiers et de parchemins.

---

1. *en presse* : opprimée.

Revenons à *La Folle journée*.

Un monsieur de beaucoup d'esprit, mais qui l'économise un peu trop, me disait un soir au spectacle : – Expliquez-moi donc, je vous prie, pourquoi dans votre pièce on trouve autant de phrases négligées qui ne sont pas de votre style ? – De mon style, monsieur ? Si par malheur j'en avais un, je m'efforcerais de l'oublier quand je fais une comédie, ne connaissant rien d'insipide au théâtre comme ces fades camaïeux où tout est bleu, où tout est rose, où tout est l'auteur, quel qu'il soit.

Lorsque mon sujet me saisit, j'évoque tous mes personnages et les mets en situation. – Songe à toi, Figaro, ton maître va te deviner. Sauvez-vous vite, Chérubin, c'est le Comte que vous touchez. – Ah ! Comtesse, quelle imprudence avec un époux si violent ! – Ce qu'ils diront, je n'en sais rien, c'est ce qu'ils feront qui m'occupe. Puis, quand ils sont bien animés, j'écris sous leur dictée rapide, sûr qu'ils ne me tromperont pas ; que je reconnaîtrai Bazile, lequel n'a pas l'esprit de Figaro, qui n'a pas le ton noble du Comte, qui n'a pas la sensibilité de la Comtesse, qui n'a pas la gaieté de Suzanne, qui n'a pas l'espièglerie du page, et surtout aucun d'eux la sublimité de Brid'oison. Chacun y parle son langage : eh ! que le dieu du naturel les préserve d'en parler d'autre ! Ne nous attachons donc qu'à l'examen de leurs idées, et non à rechercher si j'ai dû leur prêter mon style.

Quelques malveillants ont voulu jeter de la défaveur sur cette phrase de Figaro : *Sommes-nous des soldats qui tuent et se font tuer pour des intérêts qu'ils ignorent ? Je veux savoir, moi, pourquoi je me fâche*[1] ! A travers le nuage d'une conception indigeste, ils ont feint d'apercevoir *que je répands une lumière décourageante sur l'état pénible du soldat ; et il y a des choses qu'il ne faut jamais dire*. Voilà dans toute sa force l'argument de la méchanceté ; reste à en prouver la bêtise.

Si, comparant la dureté du service à la modicité de la paye, ou discutant tel autre inconvénient de la guerre et comptant la gloire pour rien, je versais de la défaveur sur

---

1. *je me fâche* : acte V, sc. 12.

ce plus noble des affreux métiers, on me demanderait justement compte d'un mot indiscrètement échappé. Mais du soldat au colonel, au général exclusivement, quel imbécile homme de guerre a jamais eu la prétention qu'il dût pénétrer les secrets du cabinet, pour lesquels il fait la campagne ? C'est de cela seul qu'il s'agit dans la phrase de Figaro. Que ce fou-là se montre, s'il existe ; nous l'enverrons étudier sous le philosophe Babouc[1], lequel éclaircit disertement ce point de discipline militaire.

En raisonnant sur l'usage que l'homme fait de sa liberté dans les occasions difficiles, Figaro pouvait également opposer à sa situation tout état qui exige une obéissance implicite, et le cénobite[2] zélé dont le devoir est de tout croire sans jamais rien examiner, comme le guerrier valeureux, dont la gloire est de tout affronter sur des ordres non motivés, *de tuer et se faire tuer pour des intérêts qu'il ignore.* Le mot de Figaro ne dit donc rien, sinon qu'un homme libre de ses actions doit agir sur d'autres principes que ceux dont le devoir est d'obéir aveuglément.

Qu'aurait-ce été, bon Dieu ! si j'avais fait usage d'un mot qu'on attribue au grand Condé, et que j'entends louer à outrance par ces mêmes logiciens qui déraisonnent sur ma phrase ? À les croire, le grand Condé montra la plus noble présence d'esprit lorsque, arrêtant Louis XIV prêt à pousser son cheval dans le Rhin, il dit à ce monarque : *Sire, avez-vous besoin du bâton de maréchal ?*

Heureusement on ne prouve nulle part que ce grand homme ait dit cette grande sottise. C'eût été dire au roi, devant toute son armée : « Vous moquez-vous donc, Sire, de vous exposer dans un fleuve ? Pour courir de pareils dangers, il faut avoir besoin d'avancement ou de fortune ! »

Ainsi l'homme le plus vaillant, le plus grand général du siècle aurait compté pour rien l'honneur, le patriotisme et la gloire ! Un misérable calcul d'intérêt eût été, selon lui, le seul principe de la bravoure ! Il eût dit là un affreux mot, et

---

1. *le philosophe Babouc* : dans le conte de Voltaire, *Le Monde comme il va.*
2. *cénobite* : moine vivant en communauté. Exemple même de l'austérité morale.

si j'en avais pris le sens pour l'enfermer dans quelque trait, je mériterais le reproche qu'on fait gratuitement au mien.

Laissons donc les cerveaux fumeux louer ou blâmer au hasard, sans se rendre compte de rien ; s'extasier sur une sottise qui n'a pu jamais être dite, et proscrire un mot juste et simple, qui ne montre que du bon sens.

Un autre reproche assez fort, mais dont je n'ai pu me laver, est d'avoir assigné pour retraite à la Comtesse un certain couvent d'Ursulines[1]. *Ursulines !* a dit un seigneur, joignant les mains avec éclat. *Ursulines !* a dit une dame, en se renversant de surprise sur un jeune Anglais de sa loge. *Ursulines !* ah ! milord ! si vous entendiez le français !... – Je sens, je sens beaucoup, madame, dit le jeune homme en rougissant. – C'est qu'on n'a jamais mis au théâtre aucune femme aux *Ursulines !* Abbé, parlez-nous donc ! L'abbé (toujours appuyée sur l'Anglais), comment trouvez-vous *Ursulines ?* – Fort indécent, répond l'abbé, sans cesser de lorgner Suzanne. Et tout le beau monde a répété : *Ursulines est fort indécent.* Pauvre auteur ! on te croit jugé, quand chacun songe à son affaire. En vain j'essayais d'établir que, dans l'événement de la scène, moins la Comtesse a dessein de se cloîtrer, plus elle doit le feindre et faire croire à son époux que sa retraite est bien choisie : ils ont proscrit mes *Ursulines !*

Dans le plus fort de la rumeur, moi, bon homme, j'avais été jusqu'à prier une des actrices qui font le charme de ma pièce de demander aux mécontents à quel autre couvent de filles ils estimaient qu'il fût *décent* que l'on fît entrer la Comtesse ? À moi, cela m'était égal ; je l'aurais mise où l'on aurait voulu : aux *Augustines,* aux *Célestines,* aux *Clairettes,* aux *Visitandines,* même aux *Petites Cordelières,* tant je tiens peu aux *Ursulines.* Mais on agit si durement !

Enfin, le bruit croissant toujours, pour arranger l'affaire avec douceur, j'ai laissé le mot *Ursulines* à la place où je l'avais mis : chacun alors content de soi, de tout l'esprit qu'il avait montré, s'est apaisé sur *Ursulines,* et l'on a parlé d'autre chose.

---

1. *Ursulines* : couvent fondé au XVIIᵉ siècle pour l'éducation des jeunes filles. Au XVIIIᵉ siècle, il recevait des femmes répudiées par leur mari, souvent pour adultère. Le couvent passait de ce fait pour une maison de rendez-vous, et avait acquis une réputation scandaleuse.

Je ne suis point, comme l'on voit, l'ennemi de mes ennemis. En disant bien du mal de moi, ils n'en ont point fait à ma pièce ; et s'ils sentaient seulement autant de joie à la déchirer que j'eus de plaisir à la faire, il n'y aurait personne d'affligé. Le malheur est qu'ils ne rient point ; et ils ne rient point à ma pièce, parce qu'on ne rit point à la leur. Je connais plusieurs amateurs qui sont même beaucoup maigris depuis le succès du *Mariage* : excusons donc l'effet de leur colère.

À des moralités d'ensemble et de détail, répandues dans les flots d'une inaltérable gaieté ; à un dialogue assez vif, dont la facilité nous cache le travail, si l'auteur a joint une intrigue aisément filée, où l'art se dérobe sous l'art, qui se noue et se dénoue sans cesse, à travers une foule de situations comiques, de tableaux piquants et variés qui soutiennent, sans la fatiguer, l'attention du public pendant les trois heures et demie que dure le même spectacle (essai que nul homme de lettres n'avait encore osé tenter !), que reste-t-il à faire à de pauvres méchants que tout cela irrite ? Attaquer, poursuivre l'auteur par des injures verbales, manuscrites, imprimées : c'est ce qu'on a fait sans relâche. Ils ont même épuisé jusqu'à la calomnie, pour tâcher de me perdre dans l'esprit de tout ce qui influe en France sur le repos d'un citoyen. Heureusement que mon ouvrage est sous les yeux de la nation, qui depuis dix grands mois le voit, le juge et l'apprécie. Le laisser jouer tant qu'il fera plaisir est la seule vengeance que je me sois permise. Je n'écris point ceci pour les lecteurs actuels : le récit d'un mal trop connu touche peu ; mais dans quatre-vingts ans il portera son fruit. Les auteurs de ce temps-là compareront leur sort au nôtre, et nos enfants sauront à quel prix on pouvait amuser leurs pères.

Allons au fait ; ce n'est pas tout cela qui blesse. Le vrai motif qui se cache, et qui dans les replis du cœur produit tous les autres reproches, est renfermé dans ce quatrain :

> *Pourquoi ce Figaro qu'on va tant écouter*
> *Est-il avec fureur déchiré par les sots ?*
> *Recevoir, prendre et demander,*
> *Voilà le secret en trois mots[1] !*

---

1. *en trois mots* : citation des mots que prononce Figaro, acte II, sc. 2.

En effet, Figaro parlant du métier de courtisan, le définit dans ces termes sévères. Je ne puis le nier, je l'ai dit. Mais reviendrai-je sur ce point ? Si c'est un mal, le remède serait pire : il faudrait poser méthodiquement ce que je n'ai fait qu'indiquer ; revenir à montrer qu'il n'y a point de synonyme, en français entre *l'homme de la Cour, l'homme de Cour, et le courtisan par métier.*

Il faudrait répéter qu'*homme de la Cour* peint seulement un noble état ; qu'il s'entend de l'homme de qualité, vivant avec la noblesse et l'éclat que son rang lui impose ; que si cet *homme de la Cour* aime le bien par goût, sans intérêt, si, loin de jamais nuire à personne, il se fait estimer de ses maîtres, aimer de ses égaux et respecter des autres ; alors cette acceptation reçoit un nouveau lustre, et j'en connais plus d'un que je nommerais avec plaisir, s'il en était question.

Il faudrait montrer qu'*homme de Cour,* en bon français, est moins l'énoncé d'un état que le résumé d'un caractère adroit, liant, mais réservé ; pressant la main de tout le monde en glissant chemin à travers ; menant finement son intrigue avec l'air de toujours servir ; ne se faisant point d'ennemis, mais donnant près d'un fossé, dans l'occasion, de l'épaule au meilleur ami, pour assurer sa chute et le remplacer sur la crête ; laissant à part tout préjugé qui pourrait ralentir sa marche ; souriant à ce qui lui déplaît, et critiquant ce qu'il approuve, selon les hommes qui l'écoutent ; dans les liaisons utiles de sa femme ou de sa maîtresse, ne voyant que ce qu'il doit voir, enfin...

> *Prenant tout, pour le faire court,*
> *En véritable* homme de Cour[1].

La Fontaine.

Cette acception n'est pas aussi défavorable que celle du *courtisan par métier,* et c'est l'homme dont parle Figaro.

Mais quand j'étendrais la définition de ce dernier ; quand parcourant tous les possibles, je le montrerais avec son maintien équivoque, haut et bas à la fois ; rampant avec orgueil, ayant toutes les prétentions sans en justifier une ;

---

1. *homme de Cour* : vers du conte de La Fontaine intitulé *Joconde* (v. 242-243).

se donnant l'air du *protègement* pour se faire chef de parti ; dénigrant tous les concurrents qui balanceraient son crédit ; faisant un métier lucratif de ce qui ne devrait qu'honorer ; vendant ses maîtresses à son maître ; lui faisant payer ses plaisirs, etc., etc., et quatre pages d'etc., il faudrait toujours revenir au distique de Figaro :

> *Recevoir, prendre et demander,*
> *Voilà le secret en trois mots.*

Pour ceux-ci, je n'en connais point ; il y en eut, dit-on, sous Henri III, sous d'autres rois encore ; mais c'est l'affaire de l'historien, et, quant à moi, je suis d'avis que les vicieux du siècle en sont comme les saints ; qu'il faut cent ans pour les canoniser. Mais puisque j'ai promis la critique de ma pièce, il faut enfin que je la donne.

En général son grand défaut est *que je ne l'ai point faite en observant le monde ; qu'elle ne peint rien de ce qui existe, et ne rappelle jamais l'image de la société où l'on vit ; que ses mœurs, basses et corrompues, n'ont pas même le mérite d'être vraies.* Et c'est ce qu'on lisait dernièrement dans un beau discours[1] imprimé, composé par un homme de bien, auquel il n'a manqué qu'un peu d'esprit pour être un écrivain médiocre. Mais médiocre ou non, moi qui ne fis jamais usage de cette allure oblique et torse avec laquelle un sbire, qui n'a pas l'air de vous regarder, vous donne du stylet au flanc, je suis de l'avis de celui-ci. Je conviens qu'à la vérité la génération passée ressemblait beaucoup à ma pièce ; que la génération future lui ressemblera beaucoup aussi ; mais que pour la génération présente, elle ne lui ressemble aucunement ; que je n'ai jamais rencontré ni mari suborneur, ni seigneur libertin, ni courtisan avide, ni juge ignorant ou passionné, ni avocat injuriant, ni gens médiocres avancés, ni traducteur bassement jaloux. Et que si des âmes pures, qui ne s'y reconnaissent point du tout, s'irritent contre ma pièce et la déchirent sans relâche, c'est uniquement par respect pour leurs grands-pères et sensibilité pour leurs petits-enfants. J'espère, après cette déclaration, qu'on me laissera bien tranquille : ET J'AI FINI.

---

1. *beau discours* : celui que prononça le censeur Suard, le 15 juin 1784.

Compréhension

1. Quel est le mouvement de ce texte ? Distinguez les thèmes successivement abordés.

2. Dans quel but a été écrite cette préface ? Relevez quelques aspects révélateurs du talent de pamphlétaire et de polémiste de Beaumarchais. Quels reproches faits à sa pièce lui ont été particulièrement sensibles ? Après lecture de la pièce, les jugez-vous mérités ? L'auteur soutient avec force que son intrigue est « morale » : qu'en pensez-vous ?

3. Quels sont les buts que s'est proposés l'auteur en écrivant Le Mariage de Figaro ?

4. Montrez qu'en dressant la liste des reproches faits à sa pièce, Beaumarchais donne celle des thèmes qu'a visés sa satire dans le Mariage. Cette comédie est-elle une pièce à thèse ? Une œuvre engagée ? Relevez les formules les plus frappantes à cet égard.

5. Partagez-vous l'analyse présentée ici de l'intrigue de sa pièce ? Selon Beaumarchais, quelles volontés contraires l'action met-elle aux prises ? Des trois titres successifs, auquel va votre préférence ? Pourquoi ?

Écriture

6. « J'entreprends de frayer un nouveau sentier à cet art », déclare ici l'auteur. Quels sont les principes essentiels d'écriture et de composition théâtrales dont Beaumarchais se réclame ? Rappelez les principales maximes qu'il donne ici de son art. Quelle est leur nouveauté ? Après lecture de la pièce, vous pourrez vous demander si l'auteur a réussi dans cette voie.

CARACTÈRES ET HABILLEMENTS
DE LA PIÈCE

LE COMTE ALMAVIVA   doit être joué très noblement, mais avec grâce et liberté. La corruption du cœur ne doit rien ôter au *bon ton* de ses manières. Dans les mœurs *de ce temps-là* les Grands traitaient en badinant toute entreprise sur les femmes. Ce rôle est d'autant plus pénible à bien rendre, que le personnage est toujours sacrifié. Mais joué par un comédien excellent (M. Molé[1]), il a fait ressortir tous les rôles, et assuré le succès de la pièce.

Son vêtement des premier et second actes est un habit de chasse avec des bottines à mi-jambe, de l'ancien costume espagnol. Du troisième acte jusqu'à la fin, un habit superbe de ce costume.

LA COMTESSE,   agitée de deux sentiments contraires, ne doit montrer qu'une sensibilité réprimée, ou une colère très modérée ; rien surtout qui dégrade, aux yeux du spectateur, son caractère aimable et vertueux. Ce rôle, un des plus difficiles de la pièce, a fait infiniment d'honneur au grand talent de mademoiselle Saint-Val cadette[2].

Son vêtement des premier, second et quatrième actes est une lévite[3] commode et nul ornement sur la tête : elle est chez elle, et censée incommodée. Au cinquième acte, elle a l'habillement et la haute coiffure de Suzanne.

FIGARO.   L'on ne peut trop recommander à l'acteur qui jouera ce rôle de bien se pénétrer de son esprit, comme l'a fait M. Dazincourt[4]. S'il y voyait autre chose que de la raison assaisonnée de gaieté et de saillies, surtout s'il y met-

---

1. *Molé* : doué d'une belle prestance physique, il jouait les « pères nobles ».
2. *mademoiselle Saint-Val cadette* : surnom de Marie-Blanche Alzian de Roquefort. Emploi de tragédienne, ou de « grande coquette » dans la comédie. Nulle connotation péjorative dans ce terme de métier. Voici la définition qu'en donne Littré : « comédienne qui joue les grands rôles de femme dans la comédie de caractères ».
3. *lévite* : longue robe d'intérieur.
4. *Dazincourt* : il jouait les « valets de bonne compagnie ».

tait la moindre charge, il avilirait un rôle que le premier comique du théâtre, M. Préville[1], a jugé devoir honorer le talent de tout comédien qui saurait en saisir les nuances multipliées, et pourrait s'élever à son entière conception.
Son vêtement comme dans *Le Barbier de Séville*.

SUZANNE.   Jeune personne adroite, spirituelle et rieuse, mais non de cette gaieté presque effrontée de nos soubrettes corruptrices ; son joli caractère est dessiné dans la préface, et c'est là que l'actrice qui n'a point vu mademoiselle Contat[2] doit l'étudier pour le bien rendre.
Son vêtement des quatre premiers actes est un juste[3] blanc à basquines, très élégant, la jupe de même, avec une toque, appelée depuis par nos marchandes *à la Suzanne*[4]. Dans la fête du quatrième acte, le Comte pose sur la tête une toque à long voile, à hautes plumes et à rubans blancs. Elle porte au cinquième acte la lévite de sa maîtresse, et nul ornement sur la tête.

MARCELINE   est une femme d'esprit, née un peu vive, mais dont les fautes et l'expérience ont réformé le caractère. Si l'actrice qui le joue s'élève avec une fierté bien placée à la hauteur très morale qui suit la reconnaissance du troisième acte, elle ajoutera beaucoup à l'intérêt de l'ouvrage.
Son vêtement est celui des duègnes[5] espagnoles, d'une couleur modeste, un bonnet noir sur la tête.

ANTONIO ne doit montrer qu'une demi-ivresse, qui se dissipe par degrés ; de sorte qu'au cinquième acte on ne s'en

---

1. *Préville* : le plus grand acteur comique du siècle, doyen de la Comédie-Française depuis 1778, trop âgé pour jouer Figaro.
2. *Louise Contat* : elle tenait l'emploi• « d'ingénue• ». Agnès, dans *L'École des femmes* de Molière est le modèle de cet « emploi ». Mais, s'il est vrai que Suzanne doit être jouée par une « ingénue », on n'aura garde d'oublier les adjectifs qu'il lui accole ici d'« adroite, spirituelle et rieuse » : l'innocence de Suzanne est relative.
3. *juste* : sorte de chemisier ajusté au corps, et prolongé à la taille par de courtes basques ; vêtement de paysanne.
4. *à la Suzanne* : voilà qui en dit long sur le succès de Beaumarchais !
5. *la duègne* : c'est encore un emploi, celui de la dame de compagnie dans la comédie espagnole. Son costume est conventionnel, comme celui de tous les emplois. Marceline est un exemple si typique de cet emploi que c'est elle que cite Littré.

aperçoive presque plus. Son vêtement est celui d'un paysan espagnol, où les manches pendent par-derrière ; un chapeau et des souliers blancs.

FANCHETTE   est une enfant de douze ans, très naïve[1]. Son petit habit est un juste brun avec des ganses et des boutons d'argent, la jupe de couleur tranchante, et une toque noire à plumes sur la tête. Il sera celui des autres paysannes de la noce.

CHÉRUBIN.   Ce rôle ne peut être joué, comme il l'a été, que par une jeune et très jolie femme[2], nous n'avons point à nos théâtres de très jeune homme assez formé pour en bien sentir les finesses. Timide à l'excès devant la Comtesse, ailleurs un charmant polisson ; un désir inquiet et vague est le fond de son caractère. Il s'élance à la puberté, mais sans projet, sans connaissances, et tout entier à chaque événement ; enfin il est ce que toute mère, au fond du cœur, voudrait peut-être que fût son fils, quoiqu'elle dût beaucoup en souffrir.

Son riche vêtement, aux premier et second actes, est celui d'un page de Cour espagnol, blanc et brodé d'argent ; le léger manteau bleu sur l'épaule, et un chapeau chargé de plumes. Au quatrième acte, il a le corset, la jupe et la toque des jeunes paysannes qui l'amènent. Au cinquième acte, un habit uniforme d'officier, une cocarde et une épée.

BARTHOLO[3].   Le caractère et l'habit comme dans *Le Barbier de Séville* ; il n'est ici qu'un rôle secondaire.

BAZILE[4].   Caractère et vêtement comme dans *Le Barbier de Séville* ; il n'est aussi qu'un rôle secondaire.

---

1. *très naïve* : donc autre emploi « d'ingénue ».
2. *une jeune et très jolie femme* : Mlle Olivier créa le rôle. Il n'y a pas au théâtre d'emploi masculin « d'ingénu », et Chérubin est trop jeune pour être joué par un jeune premier. D'où le recours traditionnel à une femme pour tenir ce rôle. Au XXe siècle, toutefois, il a souvent été tenu par des hommes.
3. *Bartholo* : son rôle correspond à l'emploi de « barbon• » ou « ganache » (vieillard jaloux et ridicule, traditionnel dans la comédie italienne, *cf.* le personnage de Pantalon). Ce doit être une rondeur, pour faire contraste avec Bazile.
4. *Bazile* : typique de l'emploi de « traître » ; il doit être de préférence un « sec ».

BRID'OISON[1] doit avoir cette bonne et franche assurance des bêtes qui n'ont plus leur timidité. Son bégaiement n'est qu'une grâce de plus, qui doit être à peine sentie ; et l'acteur se tromperait lourdement et jouerait à contre-sens, s'il y cherchait le plaisant de son rôle. Il est tout entier dans l'opposition de la gravité de son état au ridicule du caractère ; et moins l'acteur le chargera, plus il montrera de vrai talent.

Son habit est une robe de juge espagnol moins ample que celle de nos procureurs, presque une soutane ; une grosse perruque, une gonille ou rabat espagnol au cou, et une longue baguette blanche à la main.

DOUBLE-MAIN. Vêtu comme le juge ; mais la baguette blanche plus courte.

L'HUISSIER ou ALGUAZIL[2]. Habit, manteau, épée de Crispin[3], mais portée à son côté sans ceinture de cuir. Point de bottines, une chaussure noire, une perruque blanche naissante et longue, à mille boucles, une courte baguette blanche.

GRIPE-SOLEIL. Habit de paysan, les manches pendantes, veste de couleur tranchée, chapeau blanc.

UNE JEUNE BERGÈRE. Son vêtement comme celui de Fanchette.

PÉDRILLE. En veste, gilet, ceinture, fouet, et bottes de poste, une résille sur la tête, chapeau de courrier.

PERSONNAGES MUETS, les uns en habits de juges, d'autres en habits de paysans, les autres en habits de livrée.

---

1. *Brid'oison* : à la création, le rôle fut joué par Préville (*cf.* note 1, p. 46).
2. *alguazil* : sorte d'officier de justice.
3. *Crispin* : valet de comédie à l'italienne. Son costume conventionnel comportait parfois une longue épée, dite « à la Crispin ».

PLACEMENT DES ACTEURS[1]

Pour faciliter les jeux du théâtre, on a eu l'attention d'écrire au commencement de chaque scène le nom des personnages dans l'ordre où le spectateur les voit. S'ils font quelque mouvement grave dans la scène, il est désigné par un nouvel ordre de noms, écrit en marge à l'instant qu'il arrive. Il est important de conserver les bonnes positions théâtrales ; le relâchement dans la tradition donnée par les premiers acteurs en produit bientôt un total dans le jeu des pièces, qui finit par assimiler les troupes négligentes aux plus faibles comédiens de société.

---

1. « À part Molière, jamais un auteur dramatique n'avait été aussi attentif à la représentation de son œuvre : l'écrivain est en lui soutenu par l'homme pratique, qui sait que tout le succès d'une affaire de quelque ordre qu'elle soit, dépend du détail de sa mise en œuvre, plus encore que de l'intelligence qui l'a conçue. » écrit Philippe Van Tieghem. Beaumarchais a toujours considéré qu'il revenait au poète seul d'avoir le premier rôle dans tout l'ordonnancement d'un spectacle de théâtre. Aussi s'efforce-t-il de tout régler. Rien ne lui aurait paru scandaleux comme la façon dont les metteurs en scène d'aujourd'hui prétendent éclipser l'auteur plutôt que le servir.

PERSONNAGES

LE COMTE ALMAVIVA, grand corrégidor[1] d'Andalousie.

LA COMTESSE, sa femme.

FIGARO, valet de chambre du Comte et concierge du château.

SUZANNE, première camariste• de la Comtesse et fiancée de Figaro.

MARCELINE, femme de charge[2].

ANTONIO, jardinier du château, oncle de Suzanne et père de Fanchette.

FANCHETTE, fille d'Antonio.

CHÉRUBIN, premier page du Comte.

BARTHOLO, médecin de Séville.

BAZILE, maître de clavecin de la Comtesse.

DON GUSMAN BRID'OISON, lieutenant du siège[3].

DOUBLE-MAIN, greffier, secrétaire de don Gusman.

UN HUISSIER AUDIENCIER.

GRIPE-SOLEIL, jeune pastoureau.

UNE JEUNE BERGÈRE.

PÉDRILLE, piqueur du Comte.

PERSONNAGES MUETS

TROUPE DE VALETS.

TROUPE DE PAYSANNES.

TROUPE DE PAYSANS.

La scène est au château d'Aguas-Frescas[4], à trois lieues de Séville.

---

1. *corrégidor* : en Espagne, premier officier de justice d'une ville ou d'une province.
2. *femme de charge* : sous-intendante.
3. *lieutenant du siège* : président du tribunal local.
4. *Aguas-Frescas* : Les Eaux-Fraîches.

ACTE PREMIER[1]

Le théâtre représente une chambre à demi démeublée ; un grand fauteuil de malade est au milieu. Figaro, avec une toise[2], mesure le plancher. Suzanne attache à sa tête, devant une glace, le petit bouquet de fleurs d'orange, appelé chapeau de la mariée.

SCÈNE 1. Figaro, Suzanne

FIGARO.   Dix-neuf pieds sur vingt-six.

SUZANNE.   Tiens, Figaro, voilà mon petit chapeau : le trouves-tu mieux ainsi ?

FIGARO *lui prend les mains.*   Sans comparaison, ma char-
5 mante. Oh ! que ce joli bouquet virginal, élevé sur la tête d'une belle fille, est doux, le matin des noces, à l'œil amoureux d'un époux !...

SUZANNE *se retire.*   Que mesures-tu donc là, mon fils[3] ?

FIGARO.   Je regarde, ma petite Suzanne, si ce beau lit que
10 Monseigneur nous donne aura bonne grâce ici.

SUZANNE.   Dans cette chambre ?

FIGARO.   Il nous la cède.

SUZANNE.   Et moi, je n'en veux point.

FIGARO.   Pourquoi ?

15 SUZANNE.   Je n'en veux point.

FIGARO.   Mais encore ?

SUZANNE.   Elle me déplaît.

FIGARO.   On dit une raison.

---

1. Nous donnons ici le texte de l'édition originale, publiée en 1785 par Beaumarchais lui-même, à Paris et à Kehl. De nombreux passages figurent en manuscrit, que l'auteur a supprimés en vue des premières représentations et n'a point rétablis dans son édition, à l'exception du plaidoyer de Marceline (III, 16).
2. *toise* : règle servant à mesurer, et unité de longueur valant six pieds, soit 0,324 m x 6 = 1,944 m. La chambre mesure donc 6 mètres sur 8.
3. *mon fils* : familier, « mon ami » ; se dit sur un ton protecteur.

SUZANNE.   Si je n'en veux pas dire ?

20   FIGARO.   Oh ! quand elles sont sûres de nous !

SUZANNE.   Prouver que j'ai raison serait accorder que je puis avoir tort. Es-tu mon serviteur[1], ou non ?

FIGARO.   Tu prends de l'humeur contre la chambre du château la plus commode, et qui tient le milieu des deux
25   appartements. La nuit, si madame est incommodée, elle sonnera de son côté ; zeste[2], en deux pas tu es chez elle. Monseigneur veut-il quelque chose : il n'a qu'à tinter du sien ; crac, en trois sauts me voilà rendu.

SUZANNE.   Fort bien ! Mais quand il aura *tinté* le matin,
30   pour te donner quelque bonne et longue commission, zeste, en deux pas, il est à ma porte, et crac, en trois sauts...

FIGARO.   Qu'entendez-vous par ces paroles ?

SUZANNE.   Il faudrait m'écouter tranquillement.

35   FIGARO.   Eh, qu'est-ce qu'il y a ? bon Dieu !

SUZANNE.   Il y a, mon ami, que, las de courtiser les beautés des environs, monsieur le comte Almaviva veut rentrer au château, mais non pas chez sa femme ; c'est sur la tienne, entends-tu, qu'il a jeté ses vues, auxquelles il espère
40   que ce logement ne nuira pas[3]. Et c'est ce que le loyal[4] Bazile, honnête[4] agent de ses plaisirs, et mon noble[4] maître à chanter, me répète chaque jour, en me donnant leçon.

FIGARO.   Bazile ! ô mon mignon, si jamais volée de bois
45   vert, appliquée sur une échine, a dûment redressé la moelle épinière à quelqu'un...

SUZANNE.   Tu croyais, bon garçon, que cette dot qu'on me donne était pour les beaux yeux de ton mérite ?

---

1. *mon serviteur* : ironique ; « mon chevalier servant ».
2. *zeste* : on dit de même « zou » ; interjection familière qui s'accompagne d'un geste vif soulignant la promptitude de l'action.
3. *ne nuira pas* : litote ; servira au mieux.
4. *loyal... honnête... noble* : adjectifs ironiques ; Bazile est connu, par la comédie précédente du *Barbier de Séville,* comme un homme sans scrupules. C'est lui qui, dans une tirade fameuse, fait l'éloge de « la calomnie ».

FIGARO.   J'avais assez fait[1] pour l'espérer.

50   SUZANNE.   Que les gens d'esprit sont bêtes !

FIGARO.   On le dit.

SUZANNE.   Mais c'est qu'on ne veut pas le croire.

FIGARO.   On a tort.

SUZANNE.   Apprends qu'il la destine à obtenir de moi
55   secrètement, certain quart d'heure, seul à seule, qu'un
ancien droit du seigneur[2]... Tu sais s'il était triste[3] !

FIGARO.   Je le sais tellement, que si monsieur le Comte,
en se mariant, n'eût pas aboli ce droit honteux, jamais je
ne t'eusse épousée dans ses domaines.

60   SUZANNE.   Eh bien, s'il l'a détruit, il s'en repent ; et c'est
de ta fiancée qu'il veut le racheter en secret aujourd'hui.

FIGARO, *se frottant la tête.*   Ma tête s'amollit de surprise, et
mon front fertilisé[4]...

SUZANNE.   Ne le frotte donc pas !

65   FIGARO.   Quel danger ?

SUZANNE, *riant.*   S'il y venait un petit bouton, des gens
superstitieux...

FIGARO.   Tu ris, friponne ! Ah ! s'il y avait moyen d'attra-
per ce grand trompeur, de le faire donner dans un bon
70   piège, et d'empocher son or !

SUZANNE.   De l'intrigue et de l'argent, te voilà dans ta
sphère.

FIGARO.   Ce n'est pas la honte qui me retient.

SUZANNE.   La crainte ?

75   FIGARO.   Ce n'est rien d'entreprendre une chose dangereuse, mais d'échapper au péril en la menant à bien : car

---

1. *j'avais assez fait* : dans le *Barbier,* en permettant au Comte d'épouser
Rosine, qui devint ainsi Comtesse Almaviva.
2. *droit du seigneur* : droit en vertu duquel le seigneur aurait prétendu-
ment bénéficié du privilège d'obtenir les faveurs des nouvelles mariées,
avant leur époux, au soir de leurs noces.
3. *triste* : affligeant.
4. *fertilisé* : Figaro se frotte le front : il craint d'y sentir germer ces cornes
qu'on attribue aux maris trompés...

d'entrer chez quelqu'un la nuit, de lui souffler sa femme, et d'y recevoir cent coups de fouet pour la peine, il n'est rien plus aisé ; mille sots coquins l'ont fait. Mais... (*On*
80 *sonne de l'intérieur.*)

SUZANNE.   Voilà madame éveillée ; elle m'a bien recommandé d'être la première à lui parler le matin de mes noces.

FIGARO.   Y a-t-il encore quelque chose là-dessous ?

85 SUZANNE.   Le berger dit que cela porte bonheur aux épouses délaissées. Adieu, mon petit Fi, Fi, Figaro ; rêve à notre affaire.

FIGARO.   Pour m'ouvrir l'esprit, donne un petit baiser.

SUZANNE.   A mon amant[1] aujourd'hui ? Je t'en souhaite !
90 Et qu'en dirait demain mon mari ? (*Figaro l'embrasse.*)

SUZANNE.   Hé bien ! hé bien !

FIGARO.   C'est que tu n'as pas d'idée de mon amour.

SUZANNE, *se défripant.*   Quand cesserez-vous, importun, de m'en parler du matin au soir ?

95 FIGARO, *mystérieusement.*   Quand je pourrai te le prouver du soir jusqu'au matin. (*On sonne une seconde fois.*)

SUZANNE, *de loin, les doigts unis sur sa bouche.*   Voilà votre baiser, monsieur ; je n'ai plus rien à vous[2].

FIGARO *court après elle.*   Oh ! Mais ce n'est pas ainsi que
100 vous l'avez reçu.

---

1. *amant* : personne aimée. Figaro n'est encore que cela, les noces étant pour le soir même.
2. *je n'ai plus rien à vous* : je vous ai rendu tout ce que je vous devais.

Questions

Compréhension

1. *Que nous apprend cette scène sur les personnages, sur leur situation, et leurs objectifs ?*

2. *Quels indices• possédons-nous du caractère des cinq personnages ici mentionnés ou présents ?*

3. *Quels sont, notamment, les enjeux ici déterminés ?*

4. *Examinez la vraisemblance des trois points suivants. Comment se fait-il : que Suzanne ne prévienne Figaro des intentions du Comte que le matin même de leur mariage ? que Figaro soit assez naïf pour n'avoir pas deviné les desseins de son maître ? qu'enfin il ne soit pas ici question de la promesse d'épouser Marceline à défaut de remboursement ?*

Écriture

5. *A quels signes pouvons-nous reconnaître que nous sommes dans une comédie ?*

6. *Quelles sont les indications de temps ? A quel moment sommes-nous ? Montrez que le temps constitue à la fois une ressource et une menace pour tous les personnages. Justifiez le titre véritable de la pièce. A quelle règle Beaumarchais se réfère-t-il ici ? Est-elle pour lui une gêne ou un stratagème dramaturgique ?*

7. *Relevez les différents procédés qui servent à enchaîner les répliques. Soyez attentif en particulier à la nature des interruptions.*

Mise en scène

8. *Quelle est ici l'importance du décor et des accessoires ? Que symbolise, notamment, cette pièce « à demi démeublée », et dont Figaro prend les mesures ? Quel meuble manque-t-il ? Qui a la maîtrise véritable de cet espace ? A quoi voit-on qu'il constitue par lui-même un enjeu de pouvoir, donc un enjeu dramatique ?*

9. *Regardez la photo p. 57. Quel genre de personnage évoque ici le costume de Figaro. Qu'en pensez-vous ?*

SCÈNE 2. FIGARO, *seul*

La charmante fille ! toujours riante, verdissante[1], pleine
de gaieté, d'esprit, d'amour et de délices ! mais sage !
(Il marche vivement en se frottant les mains.) Ah !
Monseigneur ! mon cher Monseigneur ! vous voulez m'en
5 donner[2]... à garder ? Je cherchais aussi pourquoi m'ayant
nommé[3] concierge, il m'emmène à son ambassade, et
m'établit courrier de dépêches. J'entends, monsieur le
Comte ; trois promotions à la fois : vous, compagnon
ministre ; moi, casse-cou politique, et Suzon, dame du
10 lieu, l'ambassadrice de poche, et puis, fouette courrier !
Pendant que je galoperais d'un côté, vous feriez faire de
l'autre à ma belle un joli chemin ! Me crottant[4], m'échi-
nant pour la gloire de votre famille ; vous, daignant
concourir à l'accroissement de la mienne ! Quelle douce
15 réciprocité ! Mais, Monseigneur, il y a de l'abus. Faire à
Londres, en même temps, les affaires de votre maître et
celles de votre valet ! représenter à la fois le Roi et moi
dans une Cour étrangère, c'est trop de moitié, c'est trop. –
Pour toi, Bazile ! fripon mon cadet[5] ! je veux t'apprendre à
20 clocher devant les boiteux[6] ; je veux... Non, dissimulons
avec eux, pour les enferrer l'un par l'autre. Attention sur
la journée, monsieur Figaro ! D'abord avancer l'heure de
votre petite fête, pour épouser plus sûrement ; écarter une
Marceline qui de vous est friande en diable ; empocher
25 l'or et les présents ; donner le change[7] aux petites passions de monsieur le Comte ; étriller rondement monsieur
du Bazile, et...

---

1. *verdissante* : Suzanne est jeune et vierge...
2. *m'en donner... à garder* : me duper.
3. *m'ayant nommé* : valeur concessive, bien qu'il m'ait nommé.
4. *me crottant* : moi, me crottant.
5. *fripon mon cadet* : familier et ironique, Bazile étant plus âgé.
6. *clocher devant les boiteux* : jouer au plus fin.
7. *donner le change* : métaphore empruntée à la vénerie. Il s'agit de la
manœuvre par laquelle un animal, harassé par la poursuite des chiens, les
égare sur les traces d'un autre gibier.

Compréhension

1. En quoi est-il utile que Figaro demeure seul un instant ?

Écriture

2. « La charmante fille... » : le manuscrit de la Bibliothèque Nationale porte cette variante : « la jolie petite Suzanne... à désuzaniser ! ». Quelle était l'utilité de ce mot ? Pourquoi l'auteur l'a-t-il biffé ?

3. Quels interlocuteurs imaginaires sont ici successivement interpellés ? Analysez les changements de ton qui marquent la progression du monologue.

Suzanne (D. Valadie) et Figaro (P. Chesnais), Compagnie Jacques Weber, Théâtre de Paris, 1980.

SCÈNE 3. MARCELINE, BARTHOLO, FIGARO

FIGARO *s'interrompt.* Héééé[1], voilà le gros docteur : la fête sera complète. Hé ! bonjour, cher docteur de mon cœur ! Est-ce ma noce avec Suzon qui vous attire au château ?

BARTHOLO, *avec dédain.* Ah ! mon cher monsieur, point du tout.

5

FIGARO. Cela serait bien généreux !

BARTHOLO. Certainement, et par trop sot.

FIGARO. Moi qui eus le malheur de troubler la vôtre[2] !

BARTHOLO. Avez-vous autre chose à nous dire ?

10 FIGARO. On n'aura pas pris soin de votre mule[3].

BARTHOLO, *en colère.* Bavard enragé ! laissez-nous.

FIGARO. Vous vous fâchez, docteur ? Les gens de votre état sont bien durs ! Pas plus de pitié des pauvres animaux... en vérité... que si c'était des hommes ! Adieu, 15 Marceline : avez-vous toujours envie de plaider contre moi ?

Pour n'aimer pas[4], faut-il qu'on se haïsse ?

Je m'en rapporte au docteur.

BARTHOLO. Qu'est-ce que c'est ?

20 FIGARO. Elle vous le contera de reste. *(Il sort.)*

---

1. *Héééé* : enchaînement comique, par la répétition de la sonorité du dernier mot laissé en suspens.
2. *troubler la vôtre* : Figaro, dans *Le Barbier de Séville,* avait empêché Bartholo, tuteur abusif, d'épouser Rosine, alors sa pupille. Grâce à son stratagème, celle-ci avait pu devenir Comtesse Almaviva.
3. *votre mule* : autre allusion au *Barbier* (II, 4). Figaro, à la fois barbier, chirurgien et vétérinaire, avait appliqué un cataplasme sur les yeux de la mule aveugle de Bartholo.
4. *pour n'aimer pas...* : vers d'une comédie de Voltaire, *Nanine ou le préjugé vaincu* (III, 6). Cette comédie, alors à la mode, était présente à tous les esprits.

SCÈNE 4. MARCELINE, BARTHOLO

BARTHOLO *le regarde aller.* Ce drôle est toujours le même ! Et à moins qu'on ne l'écorche vif, je prédis qu'il mourra dans la peau du plus fier insolent...

MARCELINE *le retourne.* Enfin, vous voilà donc, éternel
5 docteur ! toujours si grave et compassé, qu'on pourrait mourir en attendant vos secours, comme on s'est marié jadis, malgré vos précautions[1].

BARTHOLO. Toujours amère et provocante ! Hé bien, qui[2] rend donc ma présence au château si nécessaire ?
10 Monsieur le Comte a-t-il eu quelque accident ?

MARCELINE. Non, docteur.

BARTHOLO. La Rosine, sa trompeuse Comtesse, est-elle incommodée, Dieu merci ?

MARCELINE. Elle languit[3].

15 BARTHOLO. Et de quoi ?

MARCELINE. Son mari la néglige.

BARTHOLO, *avec joie.* Ah ! le digne époux qui me venge !

MARCELINE. On ne sait comment définir le Comte ; il est jaloux et libertin[4].

20 BARTHOLO. Libertin par ennui, jaloux par vanité ; cela va sans dire.

MARCELINE. Aujourd'hui, par exemple, il marie notre Suzanne à son Figaro, qu'il comble en faveur de cette union...

25 BARTHOLO. Que Son Excellence a rendue nécessaire !

MARCELINE. Pas tout à fait ; mais dont Son Excellence

---

1. *précautions* : dans *Le Barbier de Séville,* toutes les précautions de Bartholo pour éviter que Rosine ne tombe amoureuse du Comte, déjouées par les ruses de Figaro, s'étaient avérées vaines, d'où le sous-titre : *Le Barbier de Séville ou la Précaution inutile.*
2. *qui* : qu'est-ce qui.
3. *elle languit* : elle souffre de « langueur• ». Ce terme de la médecine d'alors désignait une sorte de mélancolie, propre aux femmes délaissées.
4. *jaloux et libertin•* : ces deux adjectifs sont une clé de l'intrigue et de la moralité de la pièce.

voudrait égayer en secret l'événement avec l'épousée...

BARTHOLO.   De monsieur Figaro ? C'est un marché qu'on peut conclure avec lui.

30 MARCELINE.   Bazile assure que non[1].

BARTHOLO.   Cet autre maraud loge ici ? C'est une caverne[2] ! Hé ! qu'y fait-il ?

MARCELINE.   Tout le mal dont il est capable. Mais le pis que j'y trouve est cette ennuyeuse passion qu'il a pour 35 moi depuis si longtemps.

BARTHOLO.   Je me serais débarrassé vingt fois de sa poursuite.

MARCELINE.   De quelle manière ?

BARTHOLO.   En l'épousant.

40 MARCELINE.   Railleur fade et cruel, que ne vous débarrassez-vous de la mienne à ce prix ? Ne le devez-vous pas ? Où est le souvenir de vos engagements ? Qu'est devenu celui de notre petit Emmanuel, ce fruit d'un amour oublié, qui devait nous conduire à des noces ?

45 BARTHOLO, *ôtant son chapeau.*   Est-ce pour écouter ces sornettes que vous m'avez fait venir de Séville ? Et cet accès d'hymen[3] qui vous reprend si vif...

MARCELINE.   Eh bien ! n'en parlons plus. Mais, si rien n'a pu vous porter à la justice de m'épouser, aidez-moi donc 50 du moins à en épouser un autre.

BARTHOLO.   Ah ! volontiers : parlons. Mais quel mortel abandonné du ciel et des femmes ?...

MARCELINE.   Eh ! qui pourrait-ce être, docteur, sinon le beau, le gai, l'aimable Figaro ?

55 BARTHOLO.   Ce fripon-là ?

MARCELINE.   Jamais fâché, toujours en belle humeur ;

---

1. *assure que non :* Figaro, comme tous les valets de comédie, ne peut qu'être intéressé. Mais il y a des limites...
2. *caverne :* repaire de brigands.
3. *accès d'hymen :* humour médical, conforme à l'état de Bartholo.

donnant le présent à la joie, et s'inquiétant de l'avenir tout aussi peu que du passé ; sémillant, généreux ! généreux...

BARTHOLO.   Comme un voleur.

60 MARCELINE.   Comme un seigneur. Charmant enfin : mais c'est le plus grand monstre !

BARTHOLO.   Et sa Suzanne ?

MARCELINE.   Elle ne l'aurait pas, la rusée, si vous vouliez m'aider, mon petit docteur, à faire valoir un engagement
65 que j'ai de lui.

BARTHOLO.   Le jour de son mariage ?

MARCELINE.   On en rompt de plus avancés : et, si je ne craignais d'éventer un petit secret des femmes !...

BARTHOLO.   En ont-elles pour le médecin du corps ?

70 MARCELINE.   Ah ! vous savez que je n'en ai pas pour vous. Mon sexe est ardent, mais timide : un certain charme a beau nous attirer vers le plaisir, la femme la plus aventurée sent en elle une voix qui lui dit : Sois belle, si tu peux, sage si tu veux ; mais sois considérée, il le faut. Or,
75 puisqu'il faut être au moins considérée, que toute femme en sent l'importance, effrayons d'abord la Suzanne sur la divulgation des offres qu'on lui fait.

BARTHOLO.   Où cela mènera-t-il ?

MARCELINE.   Que, la honte la prenant au collet, elle
80 continuera de refuser le Comte, lequel, pour se venger, appuiera l'opposition que j'ai faite à son mariage : alors le mien devient certain.

BARTHOLO.   Elle a raison. Parbleu ! c'est un bon tour que de faire épouser ma vieille gouvernante au coquin qui fit
85 enlever ma jeune maîtresse.

MARCELINE, *vite*.   Et qui croit ajouter à ses plaisirs en trompant mes espérances.

BARTHOLO, *vite*.   Et qui m'a volé dans le temps cent écus que j'ai sur le cœur.

90 MARCELINE.   Ah ! quelle volupté !...

BARTHOLO.   De punir un scélérat...

MARCELINE.   De l'épouser, docteur, de l'épouser !

Compréhension

1. L'entrée de Marceline et de Bartholo est-elle vraisemblable en ces lieux et à ce moment ? Comment l'auteur la justifie-t-il ?

2. Analysez avec soin la portée des deux adjectifs attribués au Comte : « jaloux et libertin ». Montrez qu'ils définissent exactement le principe sur lequel Beaumarchais a construit son personnage, et qu'ils constituent les ressorts essentiels de l'intrigue.

3. Quelles expressions de Marceline, vers la fin de la scène, annoncent bien des péripéties• futures ? Et, notamment, quel est le troisième enjeu de l'action qui se dessine ici ?

4. L'exposition• est-elle à présent terminée ?

5. « sois considérée, il le faut... » : montrez que cette maxime, appliquée à Suzanne, détermine pour une part l'action de la fiancée de Figaro.

Écriture

6. Le portrait de Figaro par Marceline : quelle est son utilité ? sa justesse ? sa vraisemblance ?

7. La vraisemblance est toujours délicate à observer dans l'exposition. L'un des procédés les plus fréquents consiste à informer les spectateurs indirectement, par le biais des sous-entendus. Comment Beaumarchais utilise-t-il les propriétés de l'implicite ?

8. L'exposition doit susciter l'intérêt, c'est-à-dire indiquer le ton, ici celui de la comédie, esquisser les thèmes de la satire, et surtout lancer l'action. Comment Beaumarchais s'acquitte-t-il de ces exigences ?

9. Numérotez les répliques de cette scène. Observez l'enchaînement de certaines répliques de Marceline entre elles : quels mots et quels thèmes unissent la réplique 2 aux répliques 4 et 6 ? Quels termes, quels liens syntaxiques et logiques relient la réplique 10 aux répliques 12 et 14 ? Par quels procédés linguistiques s'enchaînent les répliques des deux personnages : de 2 à 8, de 10 à 11, de 12 à 14, de 28 à 30, 37 à 38, 39 à 44 ? Quelles difficultés l'auteur essaie-t-il de résoudre ? Y réussit-il ?

SCÈNE 5. Marceline, Bartholo, Suzanne

Suzanne, *un bonnet de femme avec un large ruban dans la main, une robe de femme sur le bras.* L'épouser, l'épouser ! Qui donc ? Mon Figaro ?

Marceline, *aigrement.* Pourquoi non ? Vous l'épousez
5 bien !

Bartholo, *riant.* Le bon argument de femme en colère ! Nous parlions, belle Suzon, du bonheur qu'il aura de vous posséder.

Marceline. Sans compter Monseigneur, dont on ne
10 parle pas.

Suzanne, *une révérence.* Votre servante, madame ; il y a toujours quelque chose d'amer dans vos propos.

Marceline, *une révérence.* Bien la vôtre, madame ; où donc est l'amertume ? N'est-il pas juste qu'un libéral sei-
15 gneur partage un peu la joie qu'il procure à ses gens ?

Suzanne. Qu'il procure[1] ?

Marceline. Oui, madame.

Suzanne. Heureusement, la jalousie de madame est aussi connue que ses droits sur Figaro sont légers.

20 Marceline. **On eût pu les rendre plus forts en les cimentant à la façon de madame.**

Suzanne. Oh, cette façon, madame, est celle des dames savantes.

Marceline. Et l'enfant ne l'est pas du tout ! Innocente
25 comme un vieux juge !

Bartholo, *attirant Marceline.* Adieu, jolie fiancée de notre Figaro.

Marceline, *une révérence.* L'accordée[2] secrète de Monseigneur.

---

1. *procurer* : faire obtenir à quelqu'un son droit en agissant à sa place, comme les « procureurs » en justice, équivalents de nos « avoués ».
2. *accordée* : liée par les accords conclus en vue du mariage. Allusion aux « arrangements » que Marceline suppose avoir été passés avec le Comte.

30 SUZANNE, *une révérence.* Qui vous estime beaucoup, madame.

MARCELINE, *une révérence.* Me fera-t-elle aussi l'honneur de me chérir un peu, madame ?

SUZANNE, *une révérence.* A cet égard, madame n'a rien à
35 désirer.

MARCELINE, *une révérence.* C'est une si jolie personne que madame !

SUZANNE, *une révérence.* Eh mais ! assez pour désoler madame.

40 MARCELINE, *une révérence.* Surtout bien respectable !

SUZANNE, *une révérence.* C'est aux duègnes[1] à l'être.

MARCELINE, *outrée.* Aux duègnes ! aux duègnes !

BARTHOLO, *l'arrêtant.* Marceline !

MARCELINE. Allons, docteur, car je n'y tiendrais pas.
45 Bonjour, madame. *(Une révérence.)*

SCÈNE 6. SUZANNE, *seule*

Allez, madame ! allez, pédante[2] ! je crains aussi peu vos efforts que je méprise vos outrages. – Voyez cette vieille sibylle[3] ! parce qu'elle a fait quelques études et tourmenté la jeunesse de madame, elle veut tout dominer au
5 château ! *(Elle jette la robe qu'elle tient sur une chaise.)* Je ne sais plus ce que je venais prendre.

---

1. *duègne*• : vieille femme chargée d'en surveiller une jeune ; il s'agit d'un emploi• de théâtre, et, de ce point de vue, Suzanne ne dit que la vérité, puisque Marceline porte bien « le costume de duègne » (*cf.* p. 46).
2. *pédante* : autre emploi propre à la comédie. Le pédant est un rôle de vieillard sentencieux, qui prétend avoir raison sur tout. Or Marceline a justement été chargée de l'éducation de la Comtesse, dans *Le Barbier de Séville.*
3. *sibylle* : « pédante » ou « précieuse » décrépite. Sens du XVIIIᵉ siècle : « on dit figurément et familièrement d'une fille âgée, qui fait parade d'esprit et de science, que c'est une vieille sibylle » (*Dictionnaire de l'Académie*, 1762.) Se disait aussi d'une fille qui vieillit sans se marier. Au propre, il s'agit d'une prophétesse de l'Antiquité. Ce sens n'a rien à voir ici.

Questions

Compréhension

1. La scène 5 sert-elle encore à l'exposition• ? Est-elle utile à l'action ? Quel est son rôle dans le mouvement d'ensemble de l'acte ?

2. Les insinuations de Marceline à l'égard de Suzanne sont-elles seulement dues à la jalousie, ou ont-elles quelque fondement (cf. IV, 13, et III, 9) ?

Écriture

3. Sur quels procédés d'enchaînement du dialogue s'appuie la querelle des deux femmes ? Par quel mot, notamment, Beaumarchais réussit-il à rythmer l'échange ? (Comparez éventuellement avec Le Misanthrope, III, 4 ; voyez aussi infra acte IV sc. 10.)

Mise en scène

4. Quelle est l'importance des accessoires et des indications de jeu de la scène 6 pour la suite de l'action ?

Le Mariage de Figaro, acte I, Marceline (Y. Andreyor) et Bartholo (A. Therval), Théâtre du Vieux-Colombier, 1937.

SCÈNE 7. SUZANNE, CHÉRUBIN

CHÉRUBIN, *accourant.* Ah ! Suzon, depuis deux heures j'épie le moment de te trouver seule. Hélas ! tu te maries, et moi je vais partir.

SUZANNE. Comment mon mariage éloigne-t-il du châ-
5 teau le premier page de Monseigneur ?

CHÉRUBIN, *piteusement.* Suzanne, il[1] me renvoie.

SUZANNE *le contrefait.* Chérubin, quelque sottise[2] !

CHÉRUBIN. Il m'a trouvé hier au soir chez ta cousine Fanchette, à qui je faisais répéter son petit rôle d'innocen-
10 te[3], pour la fête de ce soir : il s'est mis dans une fureur en me voyant ! – *Sortez,* m'a-t-il dit, *petit...* Je n'ose pas prononcer devant une femme le gros mot qu'il a dit : *sortez, et demain vous ne coucherez pas au château.* Si madame, si ma belle marraine[4] ne parvient pas à l'apaiser, c'est fait,
15 Suzon, je suis à jamais privé du bonheur de te voir.

SUZANNE. De me voir ! moi ? c'est mon tour ! Ce n'est donc plus pour ma maîtresse que vous soupirez en secret ?

CHÉRUBIN. Ah ! Suzon, qu'elle est noble et belle ! mais
20 qu'elle est imposante !

SUZANNE. C'est-à-dire que je ne le suis pas, et qu'on peut oser avec moi...

CHÉRUBIN. Tu sais trop bien, méchante, que je n'ose pas oser. Mais que tu es heureuse ! à tous moments la voir, lui
25 parler, l'habiller le matin et la déshabiller le soir, épingle à épingle !... Ah ! Suzon ! je donnerais... Qu'est-ce que tu tiens donc là ?

SUZANNE, *raillant.* Hélas ! l'heureux bonnet et le fortuné ruban qui renferment la nuit les cheveux de cette belle
30 marraine...

---

1. *il* : le Comte.
2. *quelque sottise* : vous avez dû faire quelque sottise.
3. *innocente* : emploi• de théâtre, synonyme d'« ingénue• ».
4. *ma belle marraine* : la Comtesse.

CHÉRUBIN, *vivement.* Son ruban de nuit ! donne-le-moi, mon cœur.

SUZANNE, *le retirant.* Eh ! que non pas ! – *Son cœur !* Comme il est familier donc ! Si ce n'était pas un morveux
35 sans conséquence... *(Chérubin arrache le ruban.)* Ah ! le ruban !

CHÉRUBIN *tourne autour du grand fauteuil.* Tu diras qu'il est égaré, gâté[1] ; qu'il est perdu. Tu diras tout ce que tu voudras.

40 SUZANNE *tourne après lui.* Oh ! dans trois ou quatre ans, je prédis que vous serez le plus grand petit vaurien !... Rendez-vous le ruban ? *(Elle veut le reprendre.)*

CHÉRUBIN *tire une romance de sa poche.* Laisse, ah ! laisse-le-moi, Suzon ; je te donnerai ma romance ; et pendant
45 que le souvenir de ta belle maîtresse attristera tous mes moments, le tien y versera le seul rayon de joie qui puisse encore amuser[2] mon cœur.

SUZANNE *arrache la romance.* Amuser votre cœur, petit scélérat ! vous croyez parler à votre Fanchette. On vous
50 surprend chez elle, et vous soupirez pour madame ; et vous m'en contez[3] à moi, par-dessus le marché !

CHÉRUBIN, *exalté.* Cela est vrai, d'honneur ! Je ne sais plus ce que je suis ; mais depuis quelque temps je sens ma poitrine agitée ; mon cœur palpite au seul aspect d'une
55 femme ; les mots *amour* et *volupté* le font tressaillir et le troublent. Enfin le besoin de dire à quelqu'un *Je vous aime,* est devenu pour moi si pressant, que je le dis tout seul, en courant dans le parc, à ta maîtresse, à toi, aux arbres, aux nuages, au vent qui les emporte avec mes paroles perdues.
60 – Hier je rencontrai Marceline...

SUZANNE, *riant.* Ah ! ah ! ah ! ah !

CHÉRUBIN. Pourquoi non ? elle est femme, elle est fille[4].

---

1. *gâté* : taché.
2. *amuser* : distraire de mes pénibles pensées.
3. *m'en conter* : conter fleurette, courtiser, mais aussi conter des sornettes, dire des mensonges.
4. *fille* : célibataire.

Une fille ! une femme ! ah ! que ces noms sont doux ! qu'ils sont intéressants[1] !

65 SUZANNE.   Il devient fou !

CHÉRUBIN.   Fanchette est douce ; elle m'écoute au moins : tu ne l'es pas, toi !

SUZANNE.   C'est bien dommage ; écoutez donc monsieur ! (*Elle veut arracher le ruban.*)

70 CHÉRUBIN *tourne en fuyant.* Ah ! ouiche[2] ! on ne l'aura, vois-tu, qu'avec ma vie. Mais si tu n'es pas contente du prix, j'y joindrai mille baisers. (*Il lui donne chasse à son tour.*)

SUZANNE *tourne en fuyant.*   Mille soufflets, si vous appro-
75 chez. Je vais m'en plaindre à ma maîtresse ; et loin de sup- plier pour vous, je dirai moi-même à Monseigneur : C'est bien fait, Monseigneur ; chassez-nous ce petit voleur ; ren- voyez à ses parents un petit mauvais sujet qui se donne les airs d'aimer madame, et qui veut toujours m'embrasser
80 par contrecoup.

CHÉRUBIN *voit le Comte entrer ; il se jette derrière le fauteuil avec effroi.*   Je suis perdu !

SUZANNE.   Quelle frayeur[3] ?...

---

1. *intéressants :* dignes d'exciter « l'intérêt• », sentiment qui n'est pas l'amour ; il s'en approche, mais par le désir plus que par la tendresse.
2. *ouiche :* familier ; forme de refus ironique et incrédule.
3. *quelle frayeur :* Chérubin redevient un enfant et Suzanne s'en amuse.

Compréhension

1. L'entrée de Chérubin était-elle attendue, ou du moins prévisible ?

2. « Il s'est mis dans une fureur en me voyant... » : pourquoi ? Quel est l'intérêt pour nous de connaître cette réaction du Comte, pour l'immédiat, et pour la suite de l'action ?

3. L'exposition• est-elle terminée ?

4. Pourquoi Suzanne vouvoie-t-elle Chérubin tandis que celui-ci la tutoie ? Pourquoi cette dissymétrie ?

5. Montrez que les menaces que profère Suzanne à la fin de la scène ont une portée dramatique à la fois immédiate et à plus long terme.

Écriture

6. Le personnage de Chérubin

a) Sur quels traits de principe est-il construit ? Justifiez son nom. S'agit-il d'un emploi• neuf au théâtre ? Le personnage semble vrai : vérité de comédie ou vérité humaine ?

b) Analysez le mélange de sensibilité et de parodie dans l'échange entre Suzanne et Chérubin.

c) Chérubin et l'amour : les objets, les gestes, les mots dénotent une sensibilité nouvelle dans la littérature. Laquelle ? Dans la préface, Beaumarchais le présente comme un « jeune adepte de la nature » : à quels auteurs cela peut-il faire penser ?

7. Le dialogue

a) Observez les procédés utilisés pour enchaîner les répliques : les trouverions-nous dans une conversation ?

b) Comment les indications qui nous permettent de situer le personnage de Chérubin sont-elles intégrées au dialogue ?

SCÈNE 8. SUZANNE, LE COMTE, CHÉRUBIN, *caché*

SUZANNE *aperçoit le Comte.* Ah !... (*Elle s'approche du fauteuil pour masquer Chérubin.*)

LE COMTE *s'avance.* Tu es émue, Suzon ! tu parlais seule, et ton petit cœur paraît dans une agitation... bien pardon-
5 nable, au reste, un jour comme celui-ci.

SUZANNE, *troublée.* Monseigneur, que me voulez-vous ? Si l'on vous trouvait avec moi...

LE COMTE. Je serais désolé qu'on m'y surprît ; mais tu sais tout l'intérêt• que je prends à toi. Bazile ne t'a pas lais-
10 sé ignorer mon amour. Je n'ai qu'un instant pour t'expli-quer mes vues[1] ; écoute. (*Il s'assied dans le fauteuil.*)

SUZANNE, *vivement.* Je n'écoute rien.

LE COMTE *lui prend la main.* Un seul mot. Tu sais que le Roi m'a nommé son ambassadeur à Londres. J'emmène
15 avec moi Figaro ; je lui donne un excellent poste ; et, comme le devoir d'une femme est de suivre son mari...

SUZANNE. Ah ! si j'osais parler !

LE COMTE *la rapproche de lui.* Parle, parle, ma chère ; use aujourd'hui d'un droit que tu prends sur moi pour la vie.

20 SUZANNE, *effrayée.* Je n'en veux point, Monseigneur, je n'en veux point. Quittez-moi, je vous prie.

LE COMTE. Mais dis auparavant[2].

SUZANNE, *en colère.* Je ne sais plus ce que je disais.

LE COMTE. Sur le devoir des femmes.

25 SUZANNE. Eh bien, lorsque Monseigneur enleva la sienne de chez le docteur, et qu'il l'épousa par amour[3], lorsqu'il abolit pour elle un certain affreux droit du seigneur[4]...

---

1. *vues* : intentions, projets.
2. *dis auparavant* : phrase inachevée : « dis auparavant ce que tu voulais dire » ; souvent, Beaumarchais n'utilise pas les points de suspension. Il convient d'y être attentif, les interruptions étant un procédé constant dans le langage dramatique.
3. *par amour* : tel était le dénouement du *Barbier de Séville*.
4. *droit du seigneur* : cf. note 2 p. 53.

LE COMTE, *gaiement.* Qui faisait bien de la peine aux filles ! Ah ! Suzette ! ce droit charmant ! Si tu venais en
30 jaser sur la brune[1] au jardin, je mettrais un tel prix à cette légère faveur...

BAZILE *parle en dehors.* Il n'est pas chez lui, Monseigneur.

LE COMTE *se lève.* Quelle est cette voix ?

SUZANNE. Que je suis malheureuse !

35 LE COMTE. Sors, pour qu'on n'entre pas.

SUZANNE, *troublée.* Que je vous laisse ici ?

BAZILE, *crie en dehors.* Monseigneur était chez Madame, il en est sorti ; je vais voir.

LE COMTE. Et pas un lieu pour se cacher ! Ah ! derrière
40 ce fauteuil... assez mal ; mais renvoie-le bien vite. (*Suzanne lui barre le chemin ; il la pousse doucement, elle recule, et se met ainsi entre lui et le petit page ; mais, pendant que le Comte s'abaisse et prend sa place, Chérubin tourne et se jette effrayé sur le fauteuil à genoux et s'y blottit. Suzanne*
45 *prend la robe qu'elle apportait, en couvre le page, et se met devant le fauteuil.*)

Fragonard (1732-1806), Le Verrou.

---

1. *sur la brune* : vers le crépuscule, à l'heure où tout s'embrunit.

Questions

Compréhension

1. L'entrée du Comte est-elle surprenante ? Il se heurte à un obstacle, qui n'est pas seulement celui auquel il pense. Lequel ?

2. Dans quelle situation• se trouve maintenant Suzanne ? Comparez sa réaction face à Chérubin dans la scène 7 et à présent face au Comte. A quoi tiennent les différences ? Quel enjeu dramatique en résulte ? A quelle sorte d'effets• peut-on s'attendre ?

3. Quel est le thème central de l'échange ?

4. Dans les répliques du Comte, un propos relatif au temps risque de s'avérer déterminant pour l'ensemble de l'action. Lequel ? Expliquez son utilité et sa valeur dramatique. Cette scène pourrait-elle être supprimée sans nuire à l'intelligibilité de la suite ?

5. Le Comte prend-il au sérieux les protestations de Suzanne ? La scène pourrait-elle se prolonger plus longtemps ?

Écriture

6. Relevez les différentes sortes d'interruptions, à l'intérieur ou en fin de réplique ; examinez s'il s'agit d'une réticence à poursuivre, ou d'une interruption véritable ; analysez le sens de chacune en fonction de la situation. Quel est leur effet sur l'enchaînement du dialogue et la progression de la scène ?

7. Le ton de Suzanne est-il comparable à celui des servantes de comédie ? Les différences tiennent-elles à son caractère ? À la situation ?

8. « Je n'écoute rien » : Suzanne réplique-t-elle « sur le mot » ou « sur la chose » ?

9. Le jeu sur l'implicite : « Use aujourd'hui d'un droit que tu prends sur moi pour la vie » : montrez que le Comte interprète à contre-sens ce que présupposait la réplique précédente de Suzanne. Quel est l'intérêt dramatique de ce contre-sens ?

10. A votre choix, imaginez pour Suzanne d'autres types de réactions (par exemple terrorisée, indignée, servile, ou bien enjouée, mutine...). Réécrivez en ce sens les répliques ou les didascalies• de son rôle. Quelles difficultés apparaissent, par rapport à la situation, au jeu du Comte, à la suite de l'intrigue ?

SCÈNE 9. Le Comte et Chérubin *cachés*, Suzanne, Bazile

Bazile.   N'auriez-vous pas vu Monseigneur, mademoiselle ?

Suzanne, *brusquement.*   Hé, pourquoi l'aurais-je vu ? Laissez-moi.

5   Bazile *s'approche.*   Si vous étiez plus raisonnable, il n'y aurait rien d'étonnant à ma question. C'est Figaro qui le cherche.

Suzanne.   Il cherche donc l'homme qui lui veut le plus de mal après vous ?

10   Le Comte, *à part.*   Voyons un peu comme il me sert.

Bazile.   Désirer du bien à une femme, est-ce vouloir du mal à son mari ?

Suzanne.   Non, dans vos affreux principes, agent de corruption[1] !

15   Bazile.   Que vous demande-t-on ici que vous n'alliez prodiguer à un autre ? Grâce à la douce cérémonie, ce qu'on vous défendait hier, on vous le prescrira demain.

Suzanne.   Indigne !

Bazile.   De toutes les choses sérieuses le mariage étant la
20   plus bouffonne, j'avais pensé...

Suzanne, *outrée.*   Des horreurs ! Qui vous permet d'entrer ici ?

Bazile.   Là, là, mauvaise ! Dieu vous apaise ! Il n'en sera que ce que vous voulez : mais ne croyez pas non plus que
25   je regarde monsieur Figaro comme l'obstacle qui nuit à Monseigneur ; et sans le petit page...

Suzanne, *timidement.*   Don Chérubin ?

Bazile *la contrefait.*   *Cherubino di amore*[2], qui tourne

---

1. *agent de corruption* : au sens matériel comme au sens moral, puisque Bazile a été chargé par le Comte de s'entremettre auprès de Suzanne, en lui faisant miroiter l'espoir de la fameuse dot, par laquelle le Comte espère acheter Suzanne et compromettre sa vertu.
2. *Cherubino di amore* : Chérubin d'amour.

autour de vous sans cesse, et qui ce matin encore rôdait
30 ici pour y entrer, quand je vous ai quittée. Dites que cela
n'est pas vrai ?

SUZANNE.   Quelle imposture ! Allez-vous-en, méchant
homme !

BAZILE.   On est un méchant homme, parce qu'on y voit
35 clair. N'est-ce pas pour vous aussi, cette romance dont il
fait mystère ?

SUZANNE, *en colère*.   Ah ! oui, pour moi !...

BAZILE.   A moins qu'il ne l'ait composée pour madame !
En effet, quand il sert à table[1], on dit qu'il la regarde avec
40 des yeux !... Mais, peste, qu'il ne s'y joue pas ! Monseigneur est *brutal* sur l'article[2].

SUZANNE, *outrée*.   Et vous bien scélérat, d'aller semant de
pareils bruits pour perdre un malheureux enfant tombé
dans la disgrâce de son maître.

45 BAZILE.   L'ai-je inventé ? Je le dis, parce que tout le
monde en parle.

LE COMTE *se lève*.   Comment, tout le monde en parle !

SUZANNE.   Ah ciel !

BAZILE.   Ha ! ha !

50 LE COMTE.   Courez, Bazile, et qu'on le chasse.

BAZILE.   Ah ! que je suis fâché d'être entré !

SUZANNE *troublée*.   Mon Dieu ! Mon Dieu !

LE COMTE, *à Bazile*.   Elle est saisie. Asseyons-la dans ce
fauteuil.

55 SUZANNE *le repousse vivement*.   Je ne veux pas m'asseoir.
Entrer ainsi librement, c'est indigne !

LE COMTE.   Nous sommes deux avec toi, ma chère. Il n'y
a plus le moindre danger !

---

1. *quand il sert à table* : tel est bien l'office d'un « page », lequel autorise
aussi sa présence chez les femmes, et en fait donc un instrument idéal de
liaison entre les nombreux *fils* de l'intrigue.
2. *brutal sur l'article* : violent dès qu'il se croit offensé dans son honneur
conjugal : le Comte est en effet « jaloux » — comme tout « *Espagnol* » de
comédie. L'expression est grossière et injurieuse.

BAZILE. Moi je suis désolé de m'être égayé sur le page,
60 puisque vous l'entendiez. Je n'en usais ainsi que pour
pénétrer ses sentiments ; car au fond...

LE COMTE. Cinquante pistoles[1], un cheval, et qu'on le
renvoie à ses parents.

BAZILE. Monseigneur, pour un badinage ?

65 LE COMTE. Un petit libertin[2] que j'ai surpris encore hier
avec la fille du jardinier.

BAZILE. Avec Fanchette ?

LE COMTE. Et dans sa chambre.

SUZANNE, *outrée*. Où Monseigneur avait sans doute affaire
70 aussi !

LE COMTE, *gaiement*. J'en aime assez la remarque.

BAZILE. Elle est d'un bon augure[3].

LE COMTE, *gaiement*. Mais non ; j'allais chercher ton
oncle Antonio, mon ivrogne de jardinier, pour lui donner
75 des ordres. Je frappe, on est longtemps à m'ouvrir ; ta cousine a l'air empêtré ; je prends un soupçon, je lui parle, et
tout en causant j'examine. Il y avait derrière la porte une
espèce de rideau, de portemanteau[4], de je ne sais pas quoi,
qui couvrait des hardes[5] ; sans faire semblant de rien, je
80 vais doucement, doucement lever ce rideau (*pour imiter le
geste, il lève la robe du fauteuil*), et je vois... (*Il aperçoit le
page.*) Ah !...

BAZILE. Ha ! ha !

LE COMTE. Ce tour-ci vaut l'autre.

85 BAZILE. Encore mieux.

---

1. *pistole* : monnaie d'or frappée en Espagne et en Italie, utilisée en
France comme unité de compte, valant onze livres environ.
2. *un petit libertin* : un petit débauché.
3. *d'un bon augure* : de quelqu'un qui interprète bien les « signes », autrement dit les « sous-entendus » : la perspicacité de Suzanne en matière de
libertinage laisse entendre qu'elle-même ne serait pas sans avoir l'esprit
quelque peu « libertin », ce que le Comte considère prometteur, d'où sa
« gaîté ».
4. *portemanteau* : penderie murale, fermée par un rideau.
5. *hardes* : sans connotation péjorative, vêtements.

Le Comte, *à Suzanne.* A merveille, mademoiselle ! à peine fiancée, vous faites de ces apprêts[1]. C'était pour recevoir mon page que vous désiriez d'être seule ? Et vous, monsieur, qui ne changez point de conduite, il vous
90 manquait de vous adresser, sans respect pour votre marraine, à sa première camariste•, à la femme de votre ami ! Mais je ne souffrirai pas que Figaro, qu'un homme que j'estime et que j'aime, soit victime d'une pareille tromperie. Était-il avec vous, Bazile ?

95 Suzanne, *outrée.* Il n'y a ni tromperie ni victime ; il était là lorsque vous me parliez.

Le Comte, *emporté.* Puisses-tu mentir en le disant ! Son plus cruel ennemi n'oserait lui souhaiter ce malheur.

Suzanne. Il me priait d'engager madame à vous deman-
100 der sa grâce. Votre arrivée l'a si fort troublé, qu'il s'est masqué de ce fauteuil.

Le Comte, *en colère.* Ruse d'enfer ! Je m'y suis assis en entrant.

Chérubin. Hélas ! Monseigneur, j'étais tremblant derrière.

105 Le Comte. Autre fourberie ! Je viens de m'y placer moi-même.

Chérubin. Pardon ; mais c'est alors que je me suis blotti dedans.

Le Comte, *plus outré.* C'est donc une couleuvre que ce
110 petit... serpent-là ! Il nous écoutait !

Chérubin. Au contraire, Monseigneur, j'ai fait ce que j'ai pu pour ne rien entendre[2].

Le Comte. O perfidie ! (*A Suzanne.*) Tu n'épouseras pas Figaro.

115 Bazile. Contenez-vous, on vient.

Le Comte, *tirant Chérubin du fauteuil et le mettant sur ses pieds.* Il resterait là devant toute la terre !

---

1. *de ces apprêts* : de ces préparatifs que l'on fait en vue de tromper sciemment.
2. *entendre* : jeu sur le double du sens du verbe, alors nettement perçu, d'*ouïr* et de *comprendre*.

Compréhension

1. *Scène 9 : pourquoi le Comte s'est-il caché, pourquoi le reste-t-il après avoir reconnu Bazile ? Pourquoi décide-t-il de réapparaître ?*

2. *Quelles expressions montrent que le Comte s'adresse à Suzanne sur un tout autre ton dès lors qu'il a surpris le petit page ? Pourquoi ?*

3. *Quelles vont être pour la suite de l'intrigue les consé-quences de la découverte de Chérubin caché ?*

4. *Du point de vue de l'action, les scènes 7, 8 et 9 constituent un seul mouvement*. Quels éléments communs leur confè-rent cette unité ? Combien de péripéties* très rapides s'y suc-cèdent ?*

5. *Cette séquence (sc. 7, 8, 9) a surtout pour fonction de produire une péripétie* qui engage toute l'intrigue. Dans laquelle de ces trois scènes, et à quelle réplique, cette péripé-tie est-elle consommée ?*

6. *Cependant, peut-on parler de péripétie au sens strict ?*

7. *À quelles conditions le Comte peut-il espérer réussir ? À cet égard, quelle est la fonction de Chérubin dans l'intrigue ? Est-il un second rôle ?*

Écriture

8. *Combien de mouvements, et donc de situations scéniques, trouve-t-on dans cette scène ?*

9. *Scènes 7, 8, 9 : le passé des personnages : le Comte a changé depuis Le Barbier de Séville. Quelle réplique de Suzanne le suggère ? Est-il fréquent dans la comédie que les personnages aient un passé ? Quelles sont les intentions de Beaumarchais ?*

10. *Scènes 7, 8, 9 : qui en sait le plus ? Classez par degré croissant l'information sur la situation à laquelle accèdent respectivement chaque personnage et le public. Quel effet Beaumarchais veut-il produire ?*

11. *« J'ai pensé, je pense encore », dit l'auteur dans sa préfa-ce, « qu'on n'obtient ni grand pathétique, ni profonde morali-té, ni bon et vrai comique au théâtre, sans des situations fortes, et qui naissent toujours d'une disconvenance*

sociale... » : entendons par là une opposition entre les mœurs du personnage et ce qu'exigerait sa condition sociale. Montrez que ces scènes sont construites selon ce principe.

Mise en scène

12. *Observez la composition de la gravure qui représente la scène du fauteuil (ci-dessous), et l'attitude qu'elle prête aux personnages : l'atmosphère est-elle celle de la pièce ? Quelle tonalité l'artiste a-t-il voulu rendre ?*

13. *« Je vais voir » : pourquoi l'auteur fait-il parler Bazile depuis la coulisse ?*

14. *Scènes 7, 8, 9 : le « troisième lieu• » : « Dans l'immense majorité des pièces de théâtre, le spectateur n'est appelé à imaginer que deux lieux distincts : celui qu'il voit sur la scène, figuré par le décor, et celui qu'il suppose dans la coulisse... Bien souvent, (Beaumarchais)... nous force à en imaginer un troisième. » Montrez que cette réflexion de Jacques Schérer s'applique ici parfaitement : combien de « lieux » sont utilisés ? Situez chacun avec précision.*

15. *Analysez l'enchaînement des scènes 7 et 8. Beaumarchais avait d'abord noté : « Quelle frayeur ! Le Comte la prend à bras le corps ; elle fait un cri de surprise et se dégage. » Il a biffé cette indication après lecture aux comédiens. Pourquoi ? Essayez de jouer cet enchaînement sous ses deux variantes.*

Le Mariage de Figaro, acte I, scène 9, dessin par Saint-Quentin.

SCÈNE 10. CHÉRUBIN, SUZANNE, FIGARO, LA
COMTESSE, LE COMTE, FANCHETTE, BAZILE. *Beaucoup de
valets, paysannes, paysans vêtus de blanc*

FIGARO, *tenant une toque de femme, garnie de plumes
blanches et de rubans blancs, parle à la Comtesse.* Il n'y a
que vous, madame, qui puissiez nous obtenir cette faveur.

LA COMTESSE. Vous le voyez, monsieur le Comte, ils me
5 supposent un crédit que je n'ai point, mais comme leur
demande n'est pas déraisonnable...

LE COMTE, *embarrassé.* Il faudrait qu'elle le fût beaucoup...

FIGARO, *bas à Suzanne.* Soutiens bien mes efforts.

10 SUZANNE, *bas à Figaro.* Qui ne mèneront à rien.

FIGARO, *bas.* Va toujours.

LE COMTE, *à Figaro.* Que voulez-vous ?

FIGARO. Monseigneur, vos vassaux, touchés de l'abolition
d'un certain droit fâcheux que votre amour pour madame...

15 LE COMTE. Hé bien, ce droit n'existe plus. Que veux-tu
dire ?

FIGARO, *malignement.* Qu'il est bien temps que la vertu
d'un si bon maître éclate ; elle m'est d'un tel avantage
aujourd'hui, que je désire être le premier à la célébrer à
20 mes noces.

LE COMTE, *plus embarrassé.* Tu te moques, ami ! L'abolition d'un droit honteux n'est que l'acquit d'une dette
envers l'honnêteté. Un Espagnol peut vouloir conquérir la
beauté par des soins[1] ; mais en exiger le premier, le plus
25 doux emploi, comme une servile redevance[2], ah ! c'est la
tyrannie d'un Vandale[3], et non le droit avoué d'un noble
Castillan.

---

1. *soins* : attentions inquiètes et empressées que l'on a pour une femme
aimée (terme du vocabulaire galant classique).
2. *servile redevance* : au sens propre, ce que doit un serf à son maître ;
employé ici également au figuré : obligation avilissante pour le supérieur
qui en bénéficie.
3. *Vandale* : envahisseur germain, le type même du barbare dévastateur.

FIGARO, *tenant Suzanne par la main.* Permettez donc que
cette jeune créature, de qui votre sagesse a préservé l'hon-
30 neur, reçoive de votre main, publiquement, la toque virginale, ornée de plumes et de rubans blancs, symbole de la
pureté de vos intentions : adoptez-en la cérémonie pour
tous les mariages, et qu'un quatrain chanté en chœur rappelle à jamais le souvenir...

35 LE COMTE, *embarrassé.* Si je ne savais pas qu'amoureux,
poète et musicien sont trois titres d'indulgence pour
toutes les folies...

FIGARO. Joignez-vous à moi, mes amis !

TOUS ENSEMBLE. Monseigneur ! Monseigneur !

40 SUZANNE, *au Comte.* Pourquoi fuir un éloge que vous
méritez si bien ?

LE COMTE, *à part.* La perfide !

FIGARO. Regardez-la donc, Monseigneur. Jamais plus jolie
fiancée ne montrera mieux la grandeur de votre sacrifice.

45 SUZANNE. Laisse là ma figure, et ne vantons que sa vertu.

LE COMTE, *à part.* C'est un jeu que tout ceci.

LA COMTESSE. Je me joins à eux, monsieur le Comte ; et
cette cérémonie me sera toujours chère, puisqu'elle doit
son motif à l'amour charmant que vous aviez pour moi.

50 LE COMTE. Que j'ai toujours, madame ; et c'est à ce titre
que je me rends.

TOUS ENSEMBLE. Vivat[1] !

LE COMTE, *à part.* Je suis pris. (*Haut.*) Pour que la cérémonie eût un peu plus d'éclat, je voudrais seulement
55 qu'on la remît à tantôt. (*A part.*) Faisons vite chercher
Marceline.

FIGARO, *à Chérubin.* Eh bien, espiègle, vous n'applaudis-
sez pas ?

SUZANNE. Il est au désespoir ; Monseigneur le renvoie.

60 LA COMTESSE. Ah ! monsieur, je demande sa grâce.

---

1. *vivat :* subjonctif latin : « qu'il vive ! ». Interjection servant à applaudir. Le mot est devenu nom commun : « pousser des vivats ».

LE COMTE.   Il ne la mérite point.

LA COMTESSE.   Hélas ! il est si jeune !

LE COMTE.   Pas tant que vous le croyez.

CHÉRUBIN, *tremblant*.   Pardonner généreusement n'est pas
65 le droit du seigneur auquel vous avez renoncé en épousant madame.

LA COMTESSE.   Il n'a renoncé qu'à celui qui vous affligeait
tous.

SUZANNE.   Si Monseigneur avait cédé le droit de pardon-
70 ner, ce serait sûrement le premier qu'il voudrait racheter
en secret.

LE COMTE, *embarrassé*.   Sans doute.

LA COMTESSE.   Et pourquoi le racheter ?

CHÉRUBIN, *au Comte*.   Je fus léger dans ma conduite, il est
75 vrai, Monseigneur ; mais jamais la moindre indiscrétion
dans mes paroles...

LE COMTE, *embarrassé*.   Eh bien, c'est assez...

FIGARO.   Qu'entend-il[1] ?

LE COMTE, *vivement*.   C'est assez, c'est assez. Tout le
80 monde exige son pardon, je l'accorde ; et j'irai plus loin :
je lui donne une compagnie dans ma légion.

TOUS ENSEMBLE.   Vivat !

LE COMTE.   Mais c'est à condition qu'il partira sur-le-
champ pour joindre[2] en Catalogne[3].

85 FIGARO.   Ah ! Monseigneur, demain.

LE COMTE *insiste*.   Je le veux.

CHÉRUBIN.   J'obéis.

LE COMTE.   Saluez votre marraine, et demandez sa pro-

---

1. *qu'entend-il ?* : que veut-il dire ?
2. *joindre* : rejoindre sa compagnie ou son régiment ; s'emploie sans complément en ce sens.
3. *Catalogne* : province du nord-est de l'Espagne (Barcelone), le plus loin
possible donc de l'Andalousie, où se passe l'action...

tection. (*Chérubin met un genou en terre devant la Comtesse,*
90 *et ne peut parler.*)

La Comtesse, *émue.* Puisqu'on ne peut vous garder seulement aujourd'hui, partez, jeune homme. Un nouvel état
vous appelle ; allez le remplir dignement. Honorez votre
bienfaiteur. Souvenez-vous de cette maison, où votre jeu-
95 nesse a trouvé tant d'indulgence. Soyez soumis, honnête
et brave ; nous prendrons part à vos succès. (*Chérubin se
relève et retourne à sa place.*)

Le Comte. Vous êtes bien émue, madame !

La Comtesse. Je ne m'en défends pas. Qui sait le sort
100 d'un enfant jeté dans une carrière aussi dangereuse ? Il est
allié de mes parents ; et de plus, il est mon filleul.

Le Comte, *à part.* Je vois que Bazile avait raison. (*Haut.*)
Jeune homme, embrassez Suzanne... pour la dernière fois.

Figaro. Pourquoi cela, Monseigneur ? Il viendra passer
105 ses hivers. Baise-moi donc aussi, capitaine ! (*Il l'embrasse.*)
Adieu, mon petit Chérubin. Tu vas mener un train de vie
bien différent, mon enfant : dame ! tu ne rôderas plus tout
le jour au quartier des femmes, plus d'échaudés[1] ; de goû-
tés à la crème ; plus de main-chaude[2] ou de colin-
110 maillard. De bons soldats, morbleu ! basanés, mal vêtus ;
un grand fusil bien lourd : tourne à droite, tourne à
gauche, en avant, marche à la gloire ; et ne va pas bron-
cher en chemin ; à moins qu'un bon coup de feu...

Suzanne. Fi donc, l'horreur !

115 La Comtesse. Quel pronostic !

Le Comte. Où donc est Marceline ? Il est bien singulier
qu'elle ne soit pas des vôtres !

Fanchette. Monseigneur, elle a pris le chemin du
bourg, par le petit sentier de la ferme.

120 Le Comte. Et elle en reviendra ?...

---

1. *échaudés* : petits beignets échaudés à l'eau bouillante.
2. *main chaude* : jeu de société ; l'un des joueurs, les yeux bandés, tient
une main renversée dans son dos et doit reconnaître au toucher ceux qui
tour à tour viennent la lui saisir. Ce jeu de contact à l'aveugle peut être un
peu libertin, tout comme celui de colin-maillard.

BAZILE.   Quand il plaira à Dieu.

FIGARO.   S'il lui plaisait qu'il ne lui plût jamais...

FANCHETTE.   Monsieur le docteur lui donnait le bras.

LE COMTE, *vivement*.   Le docteur est ici ?

125   BAZILE.   Elle s'en est d'abord[1] emparée...

LE COMTE, *à part*.   Il ne pouvait venir plus à propos.

FANCHETTE.   Elle avait l'air bien échauffée ; elle parlait tout haut en marchant, puis elle s'arrêtait, et faisait comme ça de grands bras[2] et monsieur le docteur lui faisait
130   comme ça de la main, en l'apaisant : elle paraissait si courroucée ! elle nommait mon cousin Figaro.

LE COMTE *lui prend le menton*.   Cousin... futur.

FANCHETTE, *montrant Chérubin*.   Monseigneur, nous avez-vous pardonné d'hier ?...

135   LE COMTE *interrompt*.   Bonjour, bonjour, petite.

FIGARO.   C'est son chien d'amour qui la berce : elle aurait troublé notre fête.

LE COMTE, *à part*.   Elle la troublera, je t'en réponds. (*Haut.*) Allons, madame, entrons. Bazile, vous passerez
140   chez moi.

SUZANNE, *à Figaro*.   Tu me rejoindras, mon fils ?

FIGARO, *bas à Suzanne*.   Est-il bien enfilé[3] ?

SUZANNE, *bas*.   Charmant garçon ! (*Ils sortent tous.*)

---

1. *d'abord* : aussitôt, dès son arrivée.
2. *de grands bras* : métonymie• ; de grands gestes avec les bras.
3. *enfilé* : trompé.

Questions

Compréhension

1. *Quel personnage est au centre de cette scène ?*

2. *Quel est le plan de Figaro ? A-t-il mis la Comtesse au courant (didascalie• liminaire, notamment) ? (cf. acte II, sc. 1 et 2 ; acte IV, sc. 9 ; acte V, sc. 12.)*

3. *Quels sont les obstacles qui s'accumulent devant le Comte ? Analysez les mouvements• qui se succèdent au cours de cette scène.*

4. *« Qui ne mèneront à rien » : pourquoi Suzanne dit-elle cela ?*

5. *Montrez qu'il y a là une comédie dans la comédie : « Permettez donc que cette jeune créature... reçoive de votre main, publiquement, la toque virginale... » : pourquoi « publiquement » ? Rapprochez ce mot de celui de Suzanne : « il la destine à obtenir de moi, secrètement, certain quart d'heure... » (I, 1). On se rappellera qu'une loi est par nature « générale » et « permanente » : quels mots de la réplique rappellent ces caractères ? Enfin, la loi se doit d'être « publique » : une « loi privée », étymologiquement, c'est un « privi-lège ». Rapprochez cette scène des scènes 10 et 12 de l'acte IV, et des scènes 2, 7, 12 et suivantes de l'acte V. Montrez que la « publicité » des règles et des événements représente un des enjeux de l'action, ainsi qu'une thèse politique. Appréciez-en la portée. Cette « comédie » que l'on joue au Comte le ridiculise-t-elle ?*

6. *« La perfide ! » : quel est le sens exact de ce mot ? Pourquoi est-il prononcé en aparté ? Que présuppose-t-il sur l'interprétation que fait le Comte de la conduite qu'a eue Suzanne à son égard précédemment, et sur ses intentions ?*

7. *Pourquoi le Comte diffère-t-il la petite cérémonie à l'après-midi ? Montrez que « gagner du temps » constitue l'un des enjeux dramatiques de la pièce. A priori, qui doit maîtriser le temps ? Cela se confirmera-t-il dans les faits ?*

8. *À quelle condition le Comte pardonne-t-il à Chérubin ? Pourquoi cette condition ?*

9. *Expliquez l'aparté : « Bazile avait raison », et ses conséquences.*

10. *La volonté des différents personnages a-t-elle changé ? S'est-elle au contraire renforcée ? Des obstacles aux différents*

desseins sont-ils levés ? D'autres apparaissent-ils ? Cette scène est-elle indispensable à l'intrigue ?

Écriture

11. « *Tu te moques, ami ! L'abolition d'un droit honteux....*» : la réplique est d'importance. Justifiez-la par la situation et le caractère du Comte. Pourquoi le Comte s'exprime-t-il à la troisième personne et par maximes ?

12. Analysez le sens qu'elle peut prendre pour les différents personnages en scène, pour le Comte lui-même, et pour le public. Quelle est sa portée quant à l'action immédiate et future ? Quel est aux yeux du Comte le principal obstacle à ses desseins ? Pourquoi Figaro pense-t-il avoir réussi ?

13. Le jeu sur l'implicite• : quel est le sens de la réplique de Suzanne : « *ce serait sûrement le premier qu'il voudrait racheter en secret* » ? L'interrogation que fait alors la Comtesse porte-t-elle sur le mot que nous pouvons juger le plus significatif, et sur lequel réagit Chérubin ? Expliquez la réaction du Comte et celle de Figaro.

Mise en scène

14. Nous sommes aux derniers moments de l'acte et Beaumarchais fait entrer en scène paysans et paysannes : est-ce approprié au lieu ? À quels usages dramaturgiques cela peut-il faire penser ? Quel goût de l'auteur se manifeste ici ? Quel ton ce tableau donne-t-il à la comédie ?

15. Quel est ici l'accessoire important ?

SCÈNE 11. Chérubin, Figaro, Bazile *(Pendant qu'on sort, Figaro les arrête tous deux et les ramène.)*

Figaro.   Ah ça, vous autres ! la cérémonie adoptée, ma fête de ce soir en est la suite ; il faut bravement nous recorder• : ne faisons point comme ces acteurs qui ne jouent jamais si mal que le jour où la critique est le plus
5   éveillée. Nous n'avons point de lendemain qui nous excuse, nous. Sachons bien nos rôles aujourd'hui.

Bazile, *malignement.*   Le mien est plus difficile que tu ne crois.

Figaro, *faisant, sans qu'il le voie, le geste de le rosser.*   Tu es loin aussi de savoir tout le succès qu'il te vaudra.

10 Chérubin.   Mon ami, tu oublies que je pars.

Figaro.   Et toi, tu voudrais bien rester !

Chérubin.   Ah ! si je le voudrais !

Figaro.   Il faut ruser. Point de murmure à ton départ. Le manteau de voyage à l'épaule ; arrange ouvertement ta
15 trousse, et qu'on voie ton cheval à la grille ; un temps de galop jusqu'à la ferme ; reviens à pied par les derrières. Monseigneur te croira parti ; tiens-toi seulement hors de sa vue ; je me charge de l'apaiser après ta fête.

Chérubin.   Mais Fanchette qui ne sait pas son rôle !

20 Bazile.   Que diable lui apprenez-vous donc, depuis huit jours que vous ne la quittez pas ?

Figaro.   Tu n'as rien à faire aujourd'hui : donne-lui, par grâce, une leçon.

Bazile.   Prenez garde, jeune homme, prenez garde ! Le
25 père n'est pas satisfait ; la fille a été souffletée ; elle n'étudie pas avec vous : Chérubin ! Chérubin ! vous lui causerez des chagrins ! *Tant va la cruche à l'eau !...*

Figaro.   Ah ! voilà notre imbécile avec ses vieux proverbes ! Hé bien, pédant[1], que dit la sagesse des nations ?
30 *Tant va la cruche à l'eau, qu'à la fin...*

Bazile.   Elle s'emplit.

Figaro, *en s'en allant.*   Pas si bête, pourtant, pas si bête !

---

1. *pédant* : « pédagogue » : c'est en effet le métier de Bazile.

Compréhension

1. Cette scène indique l'une des actions les plus importantes de Figaro, laquelle ? Quelle est néanmoins sa principale raison d'être ?

Écriture

2. « donne-lui, par grâce, une leçon » : expliquez l'ironie.

3. Examinez les allusions faites au théâtre : cela ne risque-t-il pas de nuire à l'illusion théâtrale ? Quel effet Beaumarchais recherche-t-il ?

4. Observez comment se lient entre elles les trois dernières répliques. Quel est l'effet recherché ?

Watteau, Études diverses, Louvre.

L'action

• **Ce que nous savons**

– *Deux volontés sont aux prises, celles du Comte et de Suzanne.*

Nous sommes au matin des noces : dans quelques heures Suzanne épouse Figaro, le valet du Comte Almaviva (sc. 1). Mais ce grand d'Espagne prétend le soir même ravir sa virginité à Suzanne, camariste de la Comtesse. La pièce s'ouvre sous la pression de l'urgence. Le Comte est prêt à payer les faveurs qu'il réclame : il rachètera l'ancien « droit du seigneur », qu'il avait aboli en l'honneur de son épouse, au prix d'une dot, seul cadeau qui se puisse avouer. Le voici donc en principe fort intéressé à l'heureux événement, qu'il doit favoriser (sc. 8). Cependant, le désir du Comte ne saurait à lui seul mettre l'action en mouvement. La volonté de Suzanne, second rôle• de la pièce, en est un moteur tout aussi nécessaire. Quel est donc son objectif ?

– *Mais le désir du Comte, et le mariage lui-même, se heurtent à des obstacles.*

Le projet d'Almaviva ne peut réussir que si le secret en est bien gardé, tant à l'égard de la Comtesse que du village. Or, justement, le page, Chérubin, ne cesse de voir et d'entendre ce qu'il ne devrait pas (sc. 8 et 9) ! Pour ne point payer en vain la dot promise, le Comte serait tout prêt à devenir, par vengeance, un obstacle au mariage (sc. 4, 7, 8 et 10), d'autant qu'il semble pouvoir à cette fin utiliser l'opposition juridique qu'a formée Marceline contre le mariage de Figaro : la duègne souhaite épouser elle-même le fiancé de Suzanne (sc. 4 et 5) ! Et il faut compter avec l'adresse de Figaro, bien décidé à jouer de toute sa ruse pour défendre son bonheur, « empocher l'argent de Monseigneur », et s'opposer aux abus d'un maître tout-puissant (sc. 1, 2 et 10). Figaro vient apparemment de remporter une première manche (sc. 10), mais sa victoire semble menacée.

• **À quoi nous attendre ?**

– *Le secret du Comte sera-t-il dévoilé, aux villageois, et surtout à la Comtesse ? Si oui, par qui ? Par Chérubin, amoureux de sa marraine, et que Figaro cache au château, malgré le Comte ? Ou bien par Suzanne ? Mais si la Comtesse est mise au courant, surtout que le Comte ne le soupçonne pas, sinon gare à Marceline, et adieu la noce !*

– Or, Figaro va tenter quelque chose. Mais le mariage ne se fera que si le Comte croit pouvoir parvenir à ses fins : Figaro parviendra-t-il à leurrer son maître jusqu'au soir, afin que celui-ci ne fasse point obstacle au mariage, sans pour autant mettre en danger la vertu de sa fiancée ?

Les personnages

Tous semblent bâtis sur une opposition, susceptible de devenir un moteur de l'action, comme si chacun relevait du croisement systématique de deux emplois* contraires :

• **Le Comte** est un grand premier rôle : déjà il pourrait incarner les pères nobles, mais il s'attarde à jouer les jeunes premier libertins.

• **Suzanne** relève pour une part des emplois de suivante ou plutôt d'ingénue*. Mais c'est une ingénue libertine !

• **Figaro** est un valet de bonne compagnie, mais il y mêle l'emploi d'amoureux transi : ce Sganarelle est aussi un Léandre amoureux de son Isabelle. Rien ne saurait mieux illustrer l'ambition qu'a ce valet de s'élever dans la hiérarchie sociale !

L'écriture

• **Une exposition très enlevée**

Malgré les difficultés que peut présenter l'exposition d'une intrigue complexe, aux personnages nombreux, Beaumarchais a réussi à la contenir en trois scènes fort enlevées (lesquelles ?), grâce à l'enchaînement étonnamment rapide et varié du dialogue.

• **Un sens aigu du spectacle**

Aux ressources du langage dramatique, qu'il utilise en maître, l'auteur adjoint un sens aigu du spectacle : rebondissements, péripéties* multiples, création d'un « troisième lieu* » sur la scène, avec le mouvement endiablé qui se fait autour du fauteuil… tout lui est bon. D'entrée de jeu, La Folle Journée s'annonce comme un feu d'artifice, où l'on tire toutes les fusées de l'illusion comique.

ACTE II

Le théâtre représente une chambre à coucher superbe, un grand lit en alcôve, une estrade au-devant. La porte pour entrer s'ouvre et se ferme à la troisième coulisse à droite ; celle d'un cabinet, à la première coulisse à gauche. Une porte dans le fond va chez les femmes. Une fenêtre s'ouvre de l'autre côté.

SCÈNE 1. SUZANNE, LA COMTESSE, *entrent par la porte à droite*

LA COMTESSE *se jette dans une bergère*[1]. Ferme la porte, Suzanne, et conte-moi tout dans le plus grand détail.

SUZANNE. Je n'ai rien caché à madame.

LA COMTESSE. Quoi, Suzon, il voulait te séduire ?

5 SUZANNE. Oh, que non ! Monseigneur n'y met pas tant de façon avec sa servante : il voulait m'acheter.

LA COMTESSE. Et le petit page était présent ?

SUZANNE. C'est-à-dire caché derrière le grand fauteuil. Il venait me prier de vous demander sa grâce.

10 LA COMTESSE. Hé, pourquoi ne pas s'adresser à moi-même ? est-ce que je l'aurais refusé[2], Suzon ?

SUZANNE. C'est ce que j'ai dit : mais ses regrets de partir, et surtout de quitter madame ! *Ah Suzon, qu'elle est noble et belle ! mais qu'elle est imposante !*

15 LA COMTESSE. Est-ce que j'ai cet air-là, Suzon ? Moi qui l'ai toujours protégé.

SUZANNE. Puis il a vu votre ruban de nuit que je tenais : il s'est jeté dessus...

LA COMTESSE, *souriant.* Mon ruban ?... Quelle enfance[3] !

20 SUZANNE. J'ai voulu le lui ôter, madame, c'était un lion ; ses yeux brillaient... Tu ne l'auras qu'avec ma vie, disait-il en forçant sa petite voix douce et grêle.

---

1. *bergère* : fauteuil large et profond, garni d'un coussin.
2. *je l'aurais refusé* : je lui aurais opposé un refus.
3. *enfance* : enfantillage.

LA COMTESSE, *rêvant.* Eh bien, Suzon ?

SUZANNE. Eh bien, madame, est-ce qu'on peut faire finir
25 ce petit démon-là ? Ma marraine par-ci ; je voudrais bien
par l'autre ; et parce qu'il n'oserait seulement baiser la
robe de madame, il voudrait toujours m'embrasser, moi.

LA COMTESSE, *rêvant.* Laissons... laissons ces folies...
Enfin, ma pauvre Suzanne, mon époux a fini par te
30 dire ?...

SUZANNE. Que si je ne voulais pas l'entendre, il allait
protéger Marceline.

LA COMTESSE *se lève et se promène en se servant fortement de
l'éventail.* Il ne m'aime plus du tout.

35 SUZANNE. Pourquoi tant de jalousie ?

LA COMTESSE. Comme tous les maris, ma chère ! uniquement par orgueil. Ah ! je l'ai trop aimé ! je l'ai lassé de
mes tendresses et fatigué de mon amour ; voilà mon seul
tort avec lui : mais je n'entends pas que cet honnête aveu
40 te nuise, et tu épouseras Figaro. Lui seul peut nous y
aider : viendra-t-il ?

SUZANNE. Dès qu'il verra partir la chasse.

LA COMTESSE, *se servant de l'éventail.* Ouvre un peu la
croisée sur le jardin. Il fait une chaleur ici !...

45 SUZANNE. C'est que madame parle et marche avec
action[1]. *(Elle va ouvrir la croisée du fond.)*

LA COMTESSE, *rêvant longtemps.* Sans cette constance à
me fuir... Les hommes sont bien coupables !

SUZANNE *crie de la fenêtre.* Ah ! voilà Monseigneur qui
50 traverse à cheval le grand potager, suivi de Pédrille, avec
deux, trois, quatre lévriers.

LA COMTESSE. Nous avons du temps devant nous. *(Elle
s'assied.)* On frappe, Suzon ?

SUZANNE *court ouvrir en chantant.* Ah ! c'est mon Figaro !
55 ah ! c'est mon Figaro !

---

1. *action* : animation, véhémence.

Compréhension

1. Quelles sont les intentions de Suzanne ? Pourquoi confie-t-elle à ce moment le secret du Comte à la Comtesse ?

2. Quelle est, du point de vue de l'intrigue, la phrase la plus importante ?

3. Qui se trouve écarté de l'action ? Quelles répliques le montrent ?

4. Quels sont les rapports qui règnent entre les deux femmes ?

5. « Agitée de deux sentiments contraires... », nous dit Beaumarchais dans sa note du début sur les « Caractères et habillements de la pièce » : identifiez-les ici, et montrez qu'ils définissent parfaitement le rôle de la Comtesse dans cette scène. Pourquoi la Comtesse ne s'intéresse-t-elle d'abord qu'au « petit page » ? Sur quel mot de Suzanne en revient-elle à son époux ?

6. « Nous avons du temps devant nous » : la suite de l'acte confirme-t-elle ce propos ? Que veut ici souligner l'auteur (rappelez-vous le titre complet de la pièce) ?

Écriture

7. S'il est aisé de faire rêver un personnage de roman, au théâtre, l'affaire est plus délicate ! Pourquoi ? Comment Beaumarchais déjoue-t-il la difficulté ? Quels sont l'utilité et l'intérêt de cette rêverie dans la manifestation sur le théâtre des « deux sentiments contraires » qu'éprouve la Comtesse ? Le lecteur pourrait-il ici se passer des didascalies• ?

8. Comment l'auteur rend-il intéressant le récit de Suzanne, qui pourrait être fastidieux ?

Mise en scène

9. Un accessoire joue un rôle essentiel : lequel ? À quel moment précis intervient-il dans l'action ? Le reverra-t-on dans la pièce ? Pouvez-vous l'associer à d'autres objets du même ordre ? Quelle importance dramatique•, quelle portée symbolique doit-on lui accorder ?

10. Quel élément du décor est ici sollicité ? Que suggère-t-il, et que peut-il apporter de neuf dans une pièce de théâtre ?

SCÈNE 2. Figaro, Suzanne, La Comtesse, *assise*

Suzanne.   Mon cher ami, viens donc ! Madame est dans une impatience !...

Figaro.   Et toi, ma petite Suzanne ? – Madame n'en doit prendre aucune. Au fait, de quoi s'agit-il ? d'une misère.
5 Monsieur le Comte trouve notre jeune femme aimable, il voudrait en faire sa maîtresse ; et c'est bien naturel.

Suzanne.   Naturel ?

Figaro.   Puis il m'a nommé courrier de dépêches, et Suzon conseiller d'ambassade. Il n'y a pas là d'étourderie.

10 Suzanne.   Tu finiras ?

Figaro.   Et parce que ma Suzanne, ma fiancée, n'accepte pas le diplôme[1], il va favoriser les vues de Marceline ; quoi de plus simple encore ? Se venger de ceux qui nuisent à nos projets en renversant les leurs, c'est ce que chacun
15 fait, ce que nous allons faire nous-mêmes. Hé bien, voilà tout pourtant.

La Comtesse.   Pouvez-vous, Figaro, traiter si légèrement un dessein qui nous coûte à tous le bonheur ?

Figaro.   Qui dit cela, madame ?

20 Suzanne.   Au lieu de t'affliger de nos chagrins...

Figaro.   N'est-ce pas assez que je m'en occupe ? Or, pour agir aussi méthodiquement que lui, tempérons d'abord son ardeur de nos possessions[2], en l'inquiétant sur les siennes.

25 La Comtesse.   C'est bien dit ; mais comment ?

Figaro.   C'est déjà fait, madame ; un faux avis donné sur vous...

La Comtesse.   Sur moi ! La tête vous tourne !

Figaro.   Oh ! c'est à lui qu'elle doit tourner.

30 La Comtesse.   Un homme aussi jaloux !...

---

1. *diplôme* : ironique ; son titre officiel de « conseiller ».
2. *son ardeur de nos possessions* : son désir ardent de s'approprier ce qui nous appartient, c'est-à-dire Suzanne (qui ne lui « appartient » pas encore !).

FIGARO.   Tant mieux ; pour tirer parti des gens de ce caractère, il ne faut qu'un peu leur fouetter le sang ; c'est ce que les femmes entendent si bien ! Puis les tient-on fâchés tout rouge : avec un brin d'intrigue on les mène où
35 l'on veut, par le nez, dans le Guadalquivir[1]. Je vous[2] ai fait rendre[3] à Bazile un billet inconnu[4], lequel avertit Monseigneur qu'un galant doit chercher à vous voir aujourd'hui pendant le bal.

LA COMTESSE.   Et vous vous jouez ainsi de la vérité sur le
40 compte d'une femme d'honneur !...

FIGARO.   Il y en a peu, madame, avec qui je l'eusse osé, crainte de rencontrer juste.

LA COMTESSE.   Il faudra que je l'en remercie !

FIGARO.   Mais, dites-moi s'il n'est pas charmant de lui
45 avoir taillé ses morceaux de la journée[5], de façon qu'il passe à rôder, à jurer après sa dame, le temps qu'il destinait à se complaire avec la nôtre ? Il est déjà tout dérouté : galopera-t-il celle-ci ? surveillera-t-il celle-là ? Dans son trouble d'esprit, tenez, tenez, le voilà qui court la plaine,
50 et force un lièvre qui n'en peut mais. L'heure du mariage arrive en poste[6], il n'aura pas pris de parti contre, et jamais il n'osera s'y opposer devant madame.

SUZANNE.   Non ; mais Marceline, le bel esprit, osera le faire, elle.

55 FIGARO.   Brrr ! Cela m'inquiète bien, ma foi ! Tu feras dire à Monseigneur que tu te rendras sur la brune au jardin.

SUZANNE.   Tu comptes sur celui-là[7] ?

FIGARO.   Oh dame ! écoutez donc, les gens qui ne veulent rien faire de rien n'avancent rien et ne sont bons à
60 rien. Voilà mon mot.

---

1. *Guadalquivir :* fleuve d'Andalousie.
2. *vous :* pronom d'intérêt indirect ; implique les interlocuteurs dans l'énonciation.
3. *rendre :* remettre.
4. *inconnu :* anonyme.
5. *tailler ses morceaux de la journée :* découper et remplir les cases de son emploi du temps.
6. *en poste :* à la vitesse des chevaux de poste, ventre à terre.
7. *celui-là :* (au neutre), cette ruse-là.

SUZANNE.   Il est joli !

LA COMTESSE.   Comme son idée. Vous consentiriez qu'elle s'y rendît ?

FIGARO.   Point du tout. Je fais endosser un habit de
65 Suzanne à quelqu'un : surpris par nous au rendez-vous, le Comte pourra-t-il s'en dédire[1] ?

SUZANNE.   A qui mes habits ?

FIGARO.   Chérubin.

LA COMTESSE.   Il est parti.

70 FIGARO.   Non pas pour moi. Veut-on me laisser faire ?

SUZANNE.   On peut s'en fier à lui pour mener une intrigue.

FIGARO.   Deux, trois, quatre à la fois ; bien embrouillées, qui se croisent. J'étais né pour être courtisan.

75 SUZANNE.   On dit que c'est un métier si difficile !

FIGARO.   Recevoir, prendre, et demander ; voilà le secret en trois mots.

LA COMTESSE.   Il a tant d'assurance qu'il finit par m'en inspirer.

80 FIGARO.   C'est mon dessein.

SUZANNE.   Tu disais donc ?

FIGARO.   Que, pendant l'absence de Monseigneur, je vais vous envoyer le Chérubin ; coiffez-le, habillez-le, je le renferme et l'endoctrine[2], et puis dansez, Monseigneur. (Il
85 sort.)

---

1. *s'en dédire* : dire qu'il n'y était pas.
2. *je l'endoctrine* : je lui explique son rôle.

Questions

Compréhension

1. *Quels sont les deux objectifs de Figaro, et les deux moyens qu'il compte mettre en œuvre pour les atteindre ? Sur quoi fonde-t-il l'espoir de réussir ? L'une de ces entreprises va se révéler dangereuse : en quoi ? Les personnages, le public y prêtent-ils attention ?*

2. *Par quelle expression colorée Figaro souligne-t-il que la maîtrise du temps représente un des enjeux de l'action ? Les rôles ne sont-ils pas ici inversés ? Pourquoi accepte-t-on cependant cette invraisemblance sans difficulté ?*

3. *Quels éléments de critique sociale peut-on relever ici ?*

Écriture

4. *Qui mène le jeu ? Est-ce vraisemblable en ces lieux ?*

5. *Examinez les mots, les images, et les expressions qu'emploie Figaro : sur quels tons s'exprime-t-il successivement ? Quels effets peut produire cette évolution ?*

6. *Comparez Figaro à d'autres valets de comédie (Scapin, par exemple) : ressemblances et différences.*

7. *L'exposé de cette machination complexe représentait pour l'auteur une difficulté : comment la résout-il ?*

8. *Analysez les divers moyens d'écriture qui permettent à Beaumarchais de soutenir et d'accélérer sans cesse le rythme de cette scène.*

SCÈNE 3. SUZANNE, LA COMTESSE, *assise*

LA COMTESSE, *tenant sa boîte à mouches*[1]. Mon Dieu, Suzon, comme je suis faite[2] !... Ce jeune homme qui va venir !...

SUZANNE. Madame ne veut donc pas qu'il en ré-
5 chappe[3] ?

LA COMTESSE *rêve devant sa petite glace.* Moi ? ... Tu verras comme je vais le gronder.

SUZANNE. Faisons-lui chanter sa romance. *(Elle la met sur la Comtesse.)*

10 LA COMTESSE. Mais c'est qu'en vérité mes cheveux sont dans un désordre...

SUZANNE, *riant.* Je n'ai qu'à reprendre ces deux boucles, madame le grondera bien mieux.

LA COMTESSE, *revenant à elle.* Qu'est-ce que vous dites
15 donc, mademoiselle ?

SCÈNE 4. CHÉRUBIN, *l'air honteux*, SUZANNE, LA COMTESSE, *assise*

SUZANNE. Entrez, monsieur l'officier ; on est visible.

CHÉRUBIN *avance en tremblant.* Ah ! que ce nom m'afflige, madame ! il m'apprend qu'il faut quitter des lieux... une marraine si... bonne !...

5 SUZANNE. Et si belle !

CHÉRUBIN, *avec un soupir.* Ah ! oui.

---

1. *mouches* : petits ronds de taffetas noir, de la taille « d'une aile de mouche », que les femmes portaient sur la joue ou le décolleté, afin de rehausser la blancheur et l'éclat de leur teint.
2. *comme je suis faite* : comme je suis mise.
3. *qu'il en réchappe* : que Chérubin échappe au péril que représente pour lui la vue de la Comtesse.

SUZANNE *le contrefait.* Ah ! oui. Le bon jeune homme ! avec ses longues paupières hypocrites. Allons, bel oiseau bleu[1], chantez la romance à Madame.

10 LA COMTESSE *la déplie.* De qui... dit-on qu'elle est ?

SUZANNE. Voyez la rougeur du coupable : en a-t-il un pied[2] sur les joues ?

CHÉRUBIN. Est-ce qu'il est défendu... de chérir ?...

SUZANNE *lui met le poing sous le nez.* Je dirai tout, vaurien !

15 LA COMTESSE. Là... chante-t-il ?

CHÉRUBIN. Oh ! madame, je suis si tremblant !...

SUZANNE, *en riant.* Et gnian, gnian, gnian, gnian, gnian, gnian, gnian, dès que[3] madame le veut, modeste auteur ! Je vais l'accompagner.

20 LA COMTESSE. Prends ma guitare[4]. (*La Comtesse assise tient le papier pour suivre. Suzanne est derrière son fauteuil, et prélude, en regardant la musique par-dessus sa maîtresse. Le petit page est devant elle, les yeux baissés. Ce tableau est juste la belle estampe, d'après Vanloo[5], appelée* La Conver-
25 sation espagnole.)

---

1. *bel oiseau bleu* : allusion au conte de Mme d'Aulnoy, dont le héros, transformé en oiseau bleu, chante son amour impossible et sa tristesse... Le costume de Chérubin (*cf.* p. 47) souligne encore la pertinence de l'allusion.
2. *un pied* : une « épaisseur », comme d'un fard trop épais.
3. *dès que* : dès lors que, du moment que.
4. *guitare* : l'instrument était alors très à la mode.
5. *Carle Van Loo* : peintre français (1705-1765) fort célèbre dès son vivant ; cette estampe reproduit le tableau intitulé *Le Concert espagnol*.

ROMANCE[1]

Air : *Marlbrough s'en va-t-en guerre.*

PREMIER COUPLET

Mon coursier hors d'haleine,
(Que mon cœur,
mon cœur a de peine !)
J'errais de plaine en plaine,
Au gré du destrier.

DEUXIÈME COUPLET

Au gré du destrier,
Sans varlet, n'écuyer[2],
Là près d'une fontaine,
(Que mon cœur,
mon cœur a de peine !)
Songeant à ma marraine.
Sentais mes pleurs couler.

TROISIÈME COUPLET

Sentais mes pleurs couler,
Prêt à me désoler.
Je gravais sur un frêne,
(Que mon cœur,
mon cœur a de peine !)
Sa lettre sans la mienne ;
Le roi vint à passer.

QUATRIÈME COUPLET

Le roi vint à passer,
Ses barons, son clergier[3].
Beau page, dit la reine,
(Que mon cœur,
mon cœur a de peine !)
Qui vous met à la gêne[4] ?
Qui vous fait tant plorer[5] ?

CINQUIÈME COUPLET

Qui vous fait tant plorer ?
Nous faut le déclarer.
Madame et souveraine,
(Que mon cœur,
mon cœur a de peine !)
J'avais une marraine,
Que toujours adorai[6].

SIXIÈME COUPLET

Que toujours adorai ;
Je sens que j'en mourrai.
Beau page, dit la reine,
(Que mon cœur,
mon cœur a de peine !)
N'est-il qu'une marraine ?
Je vous en servirai.

SEPTIÈME COUPLET

Je vous en servirai ;
Mon page vous ferai ;
Puis à ma jeune Hélène,
(Que mon cœur,
mon cœur a de peine !)
Fille d'un capitaine,
Un jour vous marierai.

HUITIÈME COUPLET

Un jour vous marierai. –
Nenni, n'en faut parler !
Je veux, traînant ma chaîne,
(Que mon cœur,
mon cœur a de peine !)
Mourir de cette peine,
Mais non m'en consoler.

---

1. *romance* : la chanson de Chérubin imite les « romances » médiévales, et donne au petit page un air de troubadour, ou de jeune chevalier chantant pour sa dame, laquelle était toujours mariée et inaccessible.
2. *sans varlet, n'écuyer* : sans valet ni écuyer.
3. *clergier* : clergé (forme médiévale).
4. *gêne* : géhenne, torture.
5. *plorer* : pleurer.
6. *adorai* : « ici la Comtesse arrête le page en fermant le papier. Le reste ne se chante pas au théâtre. » (Note de Beaumarchais, qui précisait de même, au troisième vers du deuxième couplet : « au spectacle, on a commencé la romance à ce vers, en disant : Auprès d'une fontaine ».)

LA COMTESSE.   Il y a de la naïveté[1]... du sentiment même.

SUZANNE *va poser la guitare sur un fauteuil.*   Oh ! pour du sentiment, c'est un jeune homme qui... Ah ça, monsieur l'officier, vous a-t-on dit que pour égayer la soirée nous
30 voulons savoir d'avance si un de mes habits vous ira passablement ?

LA COMTESSE.   J'ai peur que non.

SUZANNE *se mesure avec lui.*   Il est de ma grandeur. Ôtons d'abord le manteau. (*Elle le détache.*)

35 LA COMTESSE.   Et si quelqu'un entrait ?

SUZANNE.   Est-ce que nous faisons du mal donc ? Je vais fermer la porte (*elle court*) ; mais c'est la coiffure que je veux voir.

LA COMTESSE.   Sur ma toilette, une baigneuse[2] à moi.
40 (*Suzanne entre dans le cabinet dont la porte est au bord du théâtre.*)

SCÈNE 5. CHÉRUBIN, LA COMTESSE, *assise*

LA COMTESSE.   Jusqu'à l'instant du bal, le Comte ignorera que vous soyez au château. Nous lui dirons après, que le temps d'expédier votre brevet[3] nous a fait naître l'idée...

CHÉRUBIN *le lui montre.*   Hélas ! madame, le voici ! Bazile
5   me l'a remis de sa part.

LA COMTESSE.   Déjà ? L'on a craint d'y perdre une minute. (*Elle lit.*) Ils se sont tant pressés, qu'ils ont oublié d'y mettre son cachet. (*Elle le lui rend.*)

---

1. *naïveté* : du naturel, de l'ingénuité.
2. *baigneuse* : grand bonnet plissé, alors très à la mode.
3. *brevet* : copie de l'acte par lequel Chérubin vient d'être nommé officier.

SCÈNE 6. CHÉRUBIN, LA COMTESSE, SUZANNE

SUZANNE *entre avec un grand bonnet.*   Le cachet, à quoi ?

LA COMTESSE.   A son brevet.

SUZANNE.   Déjà ?

LA COMTESSE.   C'est ce que je disais. Est-ce là ma bai-
5 gneuse ?

SUZANNE *s'assied près de la Comtesse.*   Et la plus belle de
toutes. (*Elle chante avec des épingles dans sa bouche.*)

> Tournez-vous donc envers ici,
> Jean de Lyra, mon bel ami.

10   (*Chérubin se met à genoux. Elle le coiffe.*)
Madame, il est charmant !

LA COMTESSE.   Arrange son collet d'un air un peu plus
féminin.

SUZANNE *l'arrange.*   Là... Mais voyez donc ce morveux,
15 comme il est joli en fille ! j'en suis jalouse, moi ! (*Elle lui
prend le menton.*) Voulez-vous bien n'être pas joli comme ça ?

LA COMTESSE.   Qu'elle est folle ! Il faut relever la
manche, afin que l'amadis¹ prenne mieux... (*Elle le retrous-
se.*) Qu'est-ce qu'il a donc au bras ? Un ruban !

20 SUZANNE.   Et un ruban à vous. Je suis bien aise que
madame l'ait vu. Je lui avais dit que je le dirais, déjà ! Oh !
si Monseigneur n'était pas venu, j'aurais bien repris le
ruban ; car je suis presque aussi forte que lui.

LA COMTESSE.   Il y a du sang ! (*Elle détache le ruban.*)

25 CHÉRUBIN, *honteux.*   Ce matin, comptant partir, j'arran-
geais la gourmette² de mon cheval ; il a donné de la tête,
et la bossette³ m'a effleuré le bras.

LA COMTESSE.   On n'a jamais mis un ruban...

---

1. *amadis* : manche de robe, boutonnée et serrée sur le poignet, dont la
mode remontait au costume d'Amadis, rôle d'un opéra de Quinault, au
XVIIᵉ siècle.
2. *gourmette* : chaînette réunissant les deux branches du mors.
3. *bossette* : ornement du mors, en forme de bosse.

SUZANNE.   Et surtout un ruban volé. – Voyons donc ce
30 que la bossette... la courbette... la cornette du cheval... Je
n'entends rien à tous ces noms-là. – Ah ! qu'il a le bras
blanc ! c'est comme une femme ! plus blanc que le mien !
Regardez donc, madame ! (*Elle les compare.*)

LA COMTESSE, *d'un ton glacé.*   Occupez-vous plutôt de
35 m'avoir du taffetas gommé[1], dans ma toilette. (*Suzanne lui
pousse la tête en riant ; il tombe sur les deux mains. Elle entre
dans le cabinet au bord du théâtre.*)

SCÈNE 7.   CHÉRUBIN, *à genoux,* LA COMTESSE, *assise*

LA COMTESSE *reste un moment sans parler, les yeux sur son
ruban. Chérubin la dévore de ses regards.*   Pour mon ruban,
monsieur... comme c'est celui dont la couleur m'agrée le
plus... j'étais fort en colère de l'avoir perdu.

SCÈNE 8.   CHÉRUBIN, *à genoux,* LA COMTESSE, *assise,*
SUZANNE

SUZANNE, *revenant.*   Et la ligature à son bras ? (*Elle remet
à la Comtesse du taffetas gommé et des ciseaux.*)
LA COMTESSE.   En allant lui chercher tes hardes[2], prends
le ruban d'un autre bonnet. (*Suzanne sort par la porte du
5 fond, en emportant le manteau du page.*)

SCÈNE 9.   CHÉRUBIN, *à genoux,* LA COMTESSE, *assise*

CHÉRUBIN, *les yeux baissés.*   Celui qui m'est ôté m'aurait
guéri en moins de rien.
LA COMTESSE.   Par quelle vertu ? (*Lui montrant le taffetas.*)
Ceci vaut mieux.

---

1. *taffetas gommé* : tissu à pansement.
2. *hardes* : vêtements, le mot n'est alors nullement péjoratif.

5 CHÉRUBIN, *hésitant.*   Quand un ruban... a serré la tête... ou touché la peau d'une personne...

LA COMTESSE, *coupant la phrase.*   ... étrangère, il devient bon pour les blessures ? J'ignorais cette propriété. Pour l'éprouver, je garde celui-ci qui vous a serré le bras. À la 10 première égratignure... de mes femmes, j'en ferai l'essai.

CHÉRUBIN, *pénétré.*   Vous le gardez, et moi je pars !

LA COMTESSE.   Non pour toujours.

CHÉRUBIN.   Je suis si malheureux !

LA COMTESSE, *émue.*   Il pleure à présent ! C'est ce vilain 15 Figaro avec son pronostic !

CHÉRUBIN, *exalté.*   Ah ! je voudrais toucher au terme qu'il m'a prédit ! Sûr de mourir à l'instant, peut-être ma bouche oserait...

LA COMTESSE *l'interrompt et lui essuie les yeux avec son mou-* 20 *choir.*   Taisez-vous, taisez-vous, enfant ! Il n'y a pas un brin de raison dans tout ce que vous dites. (*On frappe à la porte ; elle élève la voix.*) Qui frappe ainsi chez moi ?

La Comtesse (G. Casile), Chérubin (B. Le Saché), Suzanne (P. Noelle), mise en scène Jacques Rosner, Comédie-Française, 1977.

Compréhension

1. *Les scènes 3 à 9 constituent un seul mouvement•. Montrez ce qui fait leur unité. Parmi les personnages, qui est mis en évidence, et qui mène le jeu ?*

2. *Entre quels sentiments la Comtesse semble-t-elle partagée ?*

3. *Montrez qu'une deuxième intrigue est en train de se nouer. Qui concerne-t-elle ? Quels rapports a-t-elle avec l'intrigue principale, tant pour l'action que pour le thème qu'elle met en jeu ? Connaîtra-t-elle un dénouement ?*

4. *Où, par qui et sous quelle forme cette deuxième intrigue a-t-elle été annoncée ? Pourrait-elle se développer ici autrement qu'à la faveur du déguisement et de la chanson ? Quel obstacle majeur va-t-elle rencontrer ?*

5. *Dans la scène 5, un détail passe inaperçu, qui va jouer plus tard un rôle important dans l'action, lequel ?*

Écriture

6. *L'aveu direct est impossible : quels signes, dans le langage, la ponctuation, ou les didascalies•, quels moyens de jeu, et quel objet servent à le manifester indirectement au lecteur et au public ? Étudiez notamment comment l'auteur réussit à rendre perceptible l'émotion croissante de la Comtesse.*

7. *Par quels traits divers les scènes 3 à 9 prennent-elles l'allure d'une « comédie dans la comédie » ? Quelle position y occupe la Comtesse ? Appréciez les éléments de contraste que présente tout ce mouvement avec le coup de théâtre qui suit.*

8. *Est-il vraisemblable que Suzanne n'ait rien de mieux à faire ? Observez de plus sa présence, ses entrées et ses sorties : montrez quelle fonction dramaturgique lui assigne l'auteur. Comparez-la à celle qui est dévolue à sa maîtresse. Le rôle de la soubrette ne va point ici sans quelque ambiguïté : comment l'écriture le rend-elle sensible ?*

Mise en scène

9. *Faut-il encore faire jouer le rôle de Chérubin par une femme ? « Un enfant de treize ans... peut-être il n'est plus un*

enfant, mais il n'est pas encore un homme », dit de lui Beaumarchais dans sa *Préface* : quel âge, et quel sexe doit-on lui donner aujourd'hui ? Pour le metteur en scène du *Centre Dramatique du Nord*, « à notre époque, on souhaite le faire jouer par un homme, parce que, du même coup, le trouble de la Comtesse existe d'une manière beaucoup plus forte... Pour qu'une émotion passe, il faut qu'on en arrive de nos jours à restituer l'atmosphère du *Blé en herbe* de *Colette* : une femme, non pas âgée, mais mûrissante, s'éprend d'un très jeune homme qui a quinze ans de moins qu'elle... » Qu'en pensez-vous ?

10. Le goût de Beaumarchais pour les « *tableaux* » : appréciez le rôle et l'intérêt de celui de la scène 5, et cherchez-en d'autres exemples dans l'œuvre. En quoi ce goût est-il bien de son temps ?

F. Boucher (1703-1770), *Femme en costume espagnol*, Louvre.

SCÈNE 10. CHÉRUBIN, LA COMTESSE, LE COMTE, *en dehors*

LE COMTE, *en dehors.*   Pourquoi donc enfermée ?

LA COMTESSE, *troublée, se lève.*   C'est mon époux ! grands dieux ! (*À Chérubin qui s'est levé aussi.*) Vous, sans manteau, le col et les bras nus ! seul avec moi ! cet air de
5 désordre, un billet reçu, sa jalousie !...

LE COMTE, *en dehors.*   Vous n'ouvrez pas ?

LA COMTESSE.   C'est que... je suis seule.

LE COMTE, *en dehors.*   Seule ! Avec qui parlez-vous donc ?

LA COMTESSE, *cherchant.*   ... Avec vous sans doute.

10 CHÉRUBIN, *à part.*   Après les scènes d'hier et de ce matin, il me tuerait sur la place ! (*Il court au cabinet de toilette, y entre, et tire la porte sur lui.*)

SCÈNE 11. LA COMTESSE, *seule, en ôte la clef, et court ouvrir au Comte*

Ah ! quelle faute ! quelle faute !

SCÈNE 12. LE COMTE, LA COMTESSE

LE COMTE, *un peu sévère.*   Vous n'êtes pas dans l'usage de vous enfermer !

LA COMTESSE, *troublée.*   Je... je chiffonnais[1]... oui, je chiffonnais avec Suzanne ; elle est passée un moment chez
5 elle.

LE COMTE *l'examine.*   Vous avez l'air et le ton bien altérés !

---

1. chiffonner : manier des étoffes, essayer des toilettes.

LA Comtesse.   Cela n'est pas étonnant... pas étonnant du tout... je vous assure... nous parlions de vous... Elle est
10 passée, comme je vous dis...

Le Comte.   Vous parliez de moi !... Je suis ramené par l'inquiétude ; en montant à cheval, un billet qu'on m'a remis, mais auquel je n'ajoute aucune foi, m'a... pourtant agité.

15 La Comtesse.   Comment, monsieur ?... quel billet ?

Le Comte.   Il faut avouer, madame, que vous ou moi sommes entourés d'êtres... bien méchants ! On me donne avis que, dans la journée, quelqu'un que je crois absent doit chercher à vous entretenir.

20 La Comtesse.   Quel que soit cet audacieux, il faudra qu'il pénètre ici ; car mon projet est de ne pas quitter ma chambre de tout le jour.

Le Comte.   Ce soir, pour la noce de Suzanne ?

La Comtesse.   Pour rien au monde ; je suis très incom-
25 modée.

Le Comte.   Heureusement le docteur est ici. *(Le page fait tomber une chaise dans le cabinet.)* Quel bruit entends-je ?

La Comtesse, *plus troublée.*   Du bruit ?

Le Comte.   On a fait tomber un meuble.

30 La Comtesse.   Je... je n'ai rien entendu, pour moi.

Le Comte.   Il faut que vous soyez furieusement préoccupée !

La Comtesse.   Préoccupée ! de quoi ?

Le Comte.   Il y a quelqu'un dans ce cabinet, madame.

35 La Comtesse.   Hé... qui voulez-vous qu'il y ait, monsieur ?

Le Comte.   C'est moi qui vous le demande ; j'arrive.

La Comtesse.   Hé mais... Suzanne apparemment qui range.

40 Le Comte.   Vous avez dit qu'elle était passée chez elle !

La Comtesse.   Passée... ou entrée là ; je ne sais lequel[1].

---

1. *lequel :* pronom neutre ; je ne sais laquelle des deux hypothèses est vraie.

LE COMTE.   Si c'est Suzanne, d'où vient le trouble où je vous vois ?

LA COMTESSE.   Du trouble pour ma camariste ?

45 LE COMTE.   Pour votre camariste, je ne sais ; mais pour du trouble, assurément.

LA COMTESSE.   Assurément, monsieur, cette fille vous trouble et vous occupe beaucoup plus que moi.

LE COMTE, *en colère.*   Elle m'occupe à tel point, madame,
50 que je veux la voir à l'instant.

LA COMTESSE.   Je crois, en effet, que vous le voulez souvent : mais voilà bien les soupçons les moins fondés...

SCÈNE 13. LE COMTE, LA COMTESSE, SUZANNE *entre avec des hardes et pousse la porte du fond*

LE COMTE.   Ils en seront plus aisés à détruire. *(Il parle au cabinet.)* Sortez, Suzon, je vous l'ordonne ! *(Suzanne s'arrête auprès de l'alcôve dans le fond.)*

LA COMTESSE.   Elle est presque nue, monsieur ; vient-on
5 troubler ainsi des femmes dans leur retraite ? Elle essayait des hardes que je lui donne en la mariant ; elle s'est enfuie quand elle vous a entendu.

LE COMTE.   Si elle craint tant de se montrer, au moins elle peut parler. *(Il se tourne vers la porte du cabinet.)*
10 Répondez-moi, Suzanne ; êtes-vous dans ce cabinet ? *(Suzanne, restée au fond, se jette dans l'alcôve et s'y cache.)*

LA COMTESSE, *vivement, parlant au cabinet.*   Suzon, je vous défends de répondre. *(Au comte.)* On n'a jamais poussé si loin la tyrannie !

15 LE COMTE *s'avance au cabinet.*   Oh ! bien, puisqu'elle ne parle pas, vêtue ou non, je la verrai.

LA COMTESSE *se met au-devant.*   Partout ailleurs je ne puis l'empêcher ; mais j'espère aussi que chez moi...

LE COMTE.   Et moi j'espère savoir dans un moment quel-
20 le est cette Suzanne mystérieuse. Vous demander la clef serait, je le vois, inutile ; mais il est un moyen sûr de jeter en dedans cette légère porte. Holà ! quelqu'un !

LA Comtesse. Attirer vos gens, et faire un scandale public d'un soupçon qui nous rendrait la fable du
25 château ?

LE Comte. Fort bien, madame. En effet, j'y suffirai ; je vais à l'instant prendre chez moi ce qu'il faut... *(Il marche pour sortir, et revient.)* Mais, pour que tout reste au même état, voudrez-vous bien m'accompagner sans scandale et
30 sans bruit, puisqu'il[1] vous déplaît tant ?... Une chose aussi simple, apparemment, ne me sera pas refusée !

LA Comtesse, *troublée.* Eh ! monsieur, qui songe à vous contrarier ?

LE Comte. Ah ! j'oubliais la porte qui va chez vos
35 femmes ; il faut que je la ferme aussi, pour que vous soyez pleinement justifiée. *(Il va fermer la porte du fond et en ôte la clef.)*

LA Comtesse, *à part.* O ciel ! étourderie funeste !

LE Comte, *revenant à elle.* Maintenant que cette
40 chambre est close, acceptez mon bras, je vous prie ; *(il élève la voix)* et quant à la Suzanne du cabinet, il faudra qu'elle ait la bonté de m'attendre ; et le moindre mal qui puisse lui arriver à mon retour...

LA Comtesse. En vérité, monsieur, voilà bien la plus
45 odieuse aventure... *(Le Comte l'emmène et ferme la porte à la clef.)*

SCÈNE 14. Suzanne, Chérubin

Suzanne *sort de l'alcôve, accourt au cabinet et parle à la serrure.* Ouvrez, Chérubin, ouvrez vite, c'est Suzanne ; ouvrez et sortez.

Chérubin *sort.* Ah ! Suzon, quelle horrible scène !
5 Suzanne. Sortez, vous n'avez pas une minute.

Chérubin, *effrayé.* Eh, par où sortir ?

---

1. *il* : pronom neutre, représente le scandale et le bruit.

SUZANNE. Je n'en sais rien, mais sortez.

CHÉRUBIN. S'il n'y a pas d'issue ?

SUZANNE. Après la rencontre de tantôt, il vous écraserait,
10 et nous serions perdues. – Courez conter à Figaro...

CHÉRUBIN. La fenêtre du jardin n'est peut-être pas bien
haute. (*Il court y regarder.*)

SUZANNE, *avec effroi.* Un grand étage ! impossible ! Ah !
ma pauvre maîtresse ! Et mon mariage, ô ciel !

15 CHÉRUBIN *revient.* Elle donne sur la melonnière ; quitte à
gâter une couche ou deux.

SUZANNE *le retient et s'écrie.* Il va se tuer !

CHÉRUBIN, *exalté.* Dans un gouffre allumé, Suzon ! oui,
je m'y jetterais plutôt que de lui nuire... Et ce baiser va me
20 porter bonheur. (*Il l'embrasse et court sauter par la fenêtre.*)

SCÈNE 15. SUZANNE *seule, un cri de frayeur*

Ah !... (*Elle tombe assise un moment. Elle va péniblement
regarder à la fenêtre et revient.*) Il est déjà bien loin. Oh ! le
petit garnement ! aussi leste que joli ! si celui-là manque
de femmes... Prenons sa place au plus tôt. (*En entrant dans*
5 *le cabinet.*) Vous pouvez à présent, monsieur le Comte,
rompre la cloison, si cela vous amuse ; au diantre qui
répond à un mot ! (*Elle s'y enferme.*)

SCÈNE 16. LE COMTE, LA COMTESSE *rentrent dans la
chambre*

LE COMTE, *une pince à la main qu'il jette sur le fauteuil.*
Tout est bien comme je l'ai laissé. Madame, en m'exposant
à briser cette porte, réfléchissez aux suites : encore une
fois, voulez-vous l'ouvrir ?

5 LA COMTESSE. Eh ! monsieur, quelle horrible humeur
peut altérer ainsi les égards entre deux époux ? Si l'amour
vous dominait au point de vous inspirer ces fureurs, malgré leur déraison, je les excuserais ; j'oublierais peut-être,
en faveur du motif, ce qu'elles ont d'offensant pour moi.

10 Mais la seule vanité peut-elle jeter dans cet excès un galant homme ?

LE COMTE.   Amour ou vanité, vous ouvrirez la porte ; ou je vais à l'instant...

LA COMTESSE, *au-devant*.   Arrêtez, monsieur, je vous 15 prie ! Me croyez-vous capable de manquer à ce que je me dois ?

LE COMTE.   Tout ce qu'il vous plaira, madame ; mais je verrai qui est dans ce cabinet.

LA COMTESSE, *effrayée*.   Hé bien, monsieur, vous le ver- 20 rez. Écoutez-moi... tranquillement.

LE COMTE.   Ce n'est donc pas Suzanne ?

LA COMTESSE, *timidement*.   Au moins n'est-ce pas non plus une personne... dont vous deviez rien redouter. Nous disposions une plaisanterie... bien innocente, en vérité, 25 pour ce soir ; et je vous jure...

LE COMTE.   Et vous me jurez ?...

LA COMTESSE.   Que nous n'avions pas plus dessein de vous offenser l'un que l'autre.

LE COMTE, *vite*.   L'un que l'autre ? C'est un homme.

30 LA COMTESSE.   Un enfant, monsieur.

LE COMTE.   Hé ! qui donc ?

LA COMTESSE.   À peine osé-je le nommer !

LE COMTE, *furieux*.   Je le tuerai.

LA COMTESSE.   Grands dieux !

35 LE COMTE.   Parlez donc !

LA COMTESSE.   Ce jeune... Chérubin...

LE COMTE.   Chérubin ! l'insolent ! Voilà mes soupçons et le billet expliqués.

LA COMTESSE, *joignant les mains*.   Ah ! monsieur ! gardez 40 de penser...

LE COMTE, *frappant du pied, à part*.   Je trouverai partout ce maudit page ! (*Haut.*) Allons, madame, ouvrez ; je sais tout maintenant. Vous n'auriez pas été si émue, en le congédiant ce matin ; il serait parti quand je l'ai ordonné ; 45 vous n'auriez pas mis tant de fausseté dans votre conte de

Suzanne, il ne se serait pas si soigneusement caché, s'il n'y avait rien de criminel.

LA COMTESSE. Il a craint de vous irriter en se montrant.

LE COMTE, *hors de lui, crie au cabinet.* Sors donc, petit
50 malheureux !

LA COMTESSE *le prend à bras-le-corps, en l'éloignant.* Ah ! monsieur, monsieur, votre colère me fait trembler pour lui. N'en croyez pas un injuste soupçon, de grâce ! et que le désordre où vous l'allez trouver...

55 LE COMTE. Du désordre !

LA COMTESSE. Hélas, oui ! Prêt à s'habiller en femme, une coiffure à moi sur la tête, en veste et sans manteau, le col ouvert, les bras nus : il allait essayer...

LE COMTE. Et vous vouliez garder votre chambre !
60 Indigne épouse ! ah ! vous la garderez... longtemps[1] ; mais il faut avant que j'en chasse un insolent, de manière à ne plus le rencontrer nulle part.

LA COMTESSE *se jette à genoux, les bras élevés.* Monsieur le Comte, épargnez un enfant ; je ne me consolerais pas
65 d'avoir causé...

LE COMTE. Vos frayeurs aggravent son crime.

LA COMTESSE. Il n'est pas coupable, il partait : c'est moi qui l'ai fait appeler.

LE COMTE, *furieux.* Levez-vous. Ôtez-vous. Tu es bien
70 audacieuse d'oser me parler pour un autre !

LA COMTESSE. Eh bien ! je m'ôterai, monsieur, je me lèverai ; je vous remettrai même la clef du cabinet : mais, au nom de votre amour...

LE COMTE. De mon amour, perfide[2] !

75 LA COMTESSE *se lève et lui présente la clef.* Promettez-moi que vous laisserez aller cet enfant sans lui faire aucun mal ; et puisse, après, tout votre courroux tomber sur moi, si je ne vous convaincs pas...

---

1. *longtemps* : allusion à l'intention du Comte d'enfermer sa femme dans un couvent (les *Ursulines*).
2. *perfide* : au sens propre, qui manque à la foi jurée.

Le Comte, *prenant la clef.*   Je n'écoute plus rien.

80   La Comtesse *se jette sur une bergère, un mouchoir sur les yeux.*   Ô ciel ! il va périr !

Le Comte *ouvre la porte et recule.*   C'est Suzanne !

SCÈNE 17. La Comtesse, Le Comte, Suzanne

Suzanne *sort en riant. Je le tuerai, je le tuerai !* Tuez-le donc, ce méchant page.

Le Comte, *à part.*   Ah ! quelle école ! (*Regardant la Comtesse qui est restée stupéfaite.*) Et vous aussi, vous jouez

5   l'étonnement ?... Mais peut-être elle n'y est pas seule. (*Il entre.*)

SCÈNE 18. La Comtesse, *assise,* Suzanne

Suzanne *accourt à sa maîtresse.*   Remettez-vous, madame ; il est bien loin ; il a fait un saut...

La Comtesse.   Ah, Suzon, je suis morte.

SCÈNE 19. La Comtesse, *assise,* Suzanne, Le Comte

Le Comte *sort du cabinet d'un air confus. Après un court silence.*   Il n'y a personne, et pour le coup j'ai tort. – Madame... vous jouez fort bien la comédie.

Suzanne, *gaiement.*   Et moi, Monseigneur ? (*La Comtesse,*

5   *son mouchoir sur la bouche, pour se remettre, ne parle pas.*)

Le Comte *s'approche.*   Quoi ! madame, vous plaisantiez ?

La Comtesse, *se remettant un peu.*   Et pourquoi non, monsieur ?

Le Comte.   Quel affreux badinage ! et par quel motif, je

10   vous prie... ?

La Comtesse.   Vos folies méritent-elles de la pitié ?

Le Comte.   Nommer folies ce qui touche à l'honneur !

La Comtesse, *assurant son ton par degrés.*   Me suis-je unie
à vous pour être éternellement dévouée[1] à l'abandon et à
15   la jalousie, que vous seul osez concilier ?

Le Comte.   Ah ! madame, c'est sans ménagement[2].

Suzanne.   Madame n'avait qu'à vous laisser appeler les
gens.

Le Comte.   Tu as raison, et c'est à moi de m'humilier...
20   Pardon, je suis d'une confusion !...

Suzanne.   Avouez, Monseigneur, que vous la méritez un peu !

Le Comte.   Pourquoi donc ne sortais-tu pas lorsque je
t'appelais ? Mauvaise !

Suzanne.   Je me rhabillais de mon mieux, à grand renfort
25   d'épingles ; et madame, qui me le défendait, avait bien ses
raisons pour le faire.

Le Comte.   Au lieu de rappeler mes torts, aide-moi plutôt à l'apaiser.

La Comtesse.   Non, monsieur ; un pareil outrage ne se
30   couvre point[3]. Je vais me retirer aux Ursulines[4], et je vois
trop qu'il en est temps.

Le Comte.   Le pourriez-vous sans quelques regrets ?

Suzanne.   Je suis sûre, moi, que le jour du départ serait
la veille des larmes.

35   La Comtesse.   Eh ! quand cela serait, Suzon ? j'aime
mieux le regretter que d'avoir la bassesse de lui
pardonner ; il m'a trop offensée.

Le Comte.   Rosine[5]...

La Comtesse.   Je ne la suis plus, cette Rosine que vous
40   avez tant poursuivie ! Je suis la pauvre Comtesse
Almaviva, la triste femme délaissée, que vous n'aimez
plus.

---

1. *dévouée* : consacrée, dédiée.
2. *ménagement* : préparation ; il n'avait point prémédité d'agir ainsi.
3. *ne se couvre point* : ne peut se réparer.
4. *Ursulines* : voir note 1, p. 40.
5. *Rosine* : c'est le prénom de la Comtesse Almaviva, et le nom de son
rôle dans *Le Barbier de Séville*.

SUZANNE. Madame !

LE COMTE, *suppliant.* Par pitié !

45 LA COMTESSE. Vous n'en aviez aucune pour moi.

LE COMTE. Mais aussi ce billet... Il m'a tourné le sang !

LA COMTESSE. Je n'avais pas consenti qu'on l'écrivît.

LE COMTE. Vous le saviez ?

LA COMTESSE. C'est cet étourdi de Figaro...

50 LE COMTE. Il en était ?

LA COMTESSE. ... qui l'a remis à Bazile.

LE COMTE. Qui m'a dit le tenir d'un paysan. Ô perfide chanteur[1], lame à deux tranchants ! C'est toi qui payeras pour tout le monde.

55 LA COMTESSE. Vous demandez pour vous un pardon que vous refusez aux autres : voilà bien les hommes ! Ah ! si jamais je consentais à pardonner en faveur de l'erreur où vous a jeté ce billet, j'exigerais que l'amnistie fût générale.

LE COMTE. Eh bien, de tout mon cœur, Comtesse. Mais 60 comment réparer une faute aussi humiliante ?

LA COMTESSE *se lève.* Elle l'était pour tous deux.

LE COMTE. Ah ! dites pour moi seul. – Mais je suis encore à concevoir[2] comment les femmes prennent si vite et si juste l'air et le ton des circonstances. Vous rougissiez, vous pleu- 65 riez, votre visage était défait... D'honneur, il l'est encore.

LA COMTESSE, *s'efforçant de sourire.* Je rougissais... du ressentiment de[3] vos soupçons. Mais les hommes sont-ils assez délicats pour distinguer l'indignation d'une âme honnête outragée, d'avec la confusion qui naît d'une accu- 70 sation méritée ?

LE COMTE, *souriant.* Et ce page en désordre, en veste et presque nu...

LA COMTESSE, *montrant Suzanne.* Vous le voyez devant vous. N'aimez-vous pas mieux l'avoir trouvé que l'autre ? 75 En général vous ne haïssez pas de rencontrer celui-ci.

---

1. *chanteur* : dans les deux sens du terme, maître à chanter et maître chanteur.
2. *concevoir* : me demander, chercher à comprendre.
3. *de* : provoqué par.

LE COMTE, *riant plus fort.* Et ces prières, ces larmes feintes...

LA COMTESSE. Vous me faites rire, et j'en ai peu d'envie.

LE COMTE. Nous croyons valoir quelque chose en poli-
80 tique, et nous ne sommes que des enfants. C'est vous, c'est vous, madame, que le Roi devrait envoyer en ambassade à Londres ! Il faut que votre sexe ait fait une étude bien réfléchie de l'art de se composer[1], pour réussir à ce point !

LA COMTESSE. C'est toujours vous qui nous y forcez.

85 SUZANNE. Laissez-nous prisonniers sur parole, et vous verrez si nous sommes gens d'honneur.

LA COMTESSE. Brisons là, monsieur le Comte. J'ai peut-être été trop loin ; mais mon indulgence en un cas aussi grave doit au moins m'obtenir la vôtre.

90 LE COMTE. Mais vous répéterez que vous me pardonnez.

LA COMTESSE. Est-ce que je l'ai dit, Suzon ?

SUZANNE. Je ne l'ai pas entendu, madame.

LE COMTE. Eh bien ! que ce mot vous échappe.

LA COMTESSE. Le méritez-vous donc, ingrat ?

95 LE COMTE. Oui, par mon repentir.

SUZANNE. Soupçonner un homme dans le cabinet de madame !

LE COMTE. Elle m'en a si sévèrement puni !

SUZANNE. Ne pas s'en fier à elle, quand elle dit que c'est
100 sa camériste !

LE COMTE. Rosine, êtes-vous donc implacable ?

LA COMTESSE. Ah ! Suzon, que je suis faible ! quel exemple je te donne ! (*Tendant la main au Comte.*) On ne croira plus à la colère des femmes.

105 SUZANNE. Bon, madame, avec eux ne faut-il pas toujours en venir là ? (*Le Comte baise ardemment la main de sa femme.*)

---

1. *se composer* : jouer un rôle de composition, mimer un calme qu'on n'a point.

Questions

Compréhension

1. *Pour quels motifs le Comte revient-il plus tôt que l'on ne l'attendait ?*

2. *Qui mène le jeu, en apparence, et en réalité : le Comte, sa femme, Suzanne, le hasard ?*

3. *D'où ce groupe de scènes tire-t-il son unité ? Tous les accidents qui surviennent au cours de ce mouvement• ne constituent pas forcément autant de péripéties• : combien s'en produit-il de véritables ? Toutefois les changements partiels de situation sont nettement plus nombreux : décomptez-les. A partir de quelle action se multiplient-ils ?*

4. *Quelles actions font alternativement passer le spectateur de la crainte à l'espoir, et inversement ?*

5. *Bien que nous sachions, à partir de la scène 15, comment les choses doivent se terminer, Beaumarchais parvient constamment à nous entraîner : par quels moyens entretient-il l'intérêt ?*

6. *Pourquoi, dans la scène 12, la Comtesse se prétend-elle « très incommodée » ? Pourquoi, dans la scène 19, croit-elle pouvoir révéler le stratagème de Figaro ? Quelles alternatives ouvre-t-elle ainsi à l'action immédiate et lointaine ? Comment le public ressent-il alors la situation ?*

7. *Analysez plus précisément les enjeux et le mouvement dramatique des scènes 16 et 19. Comparez les situations, observez leur symétrie. Montrez la nécessité et l'habileté des scènes 17 et 18.*

8. *Le Comte a-t-il renoncé à ses vues sur Suzanne ?*

9. *Tel est pris qui croyait prendre : cependant ce mouvement va bien au-delà de la simple comédie : quels sont les thèmes de critique morale et sociale qu'il met en jeu ?*

Écriture

10. *La « duplicité• » de la communication théâtrale joue ici un rôle éminent : comparez, tout au long du mouvement, ce que savent les différents personnages et ce que sait le public. Montrez que ce décalage permet à l'auteur d'entremêler finement deux plans et deux tons dramaturgiques opposés : le comique et le pathétique, le rire et la sensibilité.*

11. *Toutefois, il n'y a jamais d'ambiguïté véritable, nous demeurons bien dans une comédie : étudiez par quels effets de parodie l'écriture de Beaumarchais réussit à nous faire sentir quel est le ton fondamental, et quel est celui qui relève du « théâtre dans le théâtre ».*

12. *Examinez le ton et le vocabulaire du Comte et de la Comtesse dans les scènes 16 et 19. Comparez, par exemple, les lignes 32, 36, 81 de la scène 16, à* Phèdre, *acte I, scène 3.*

13. *Les personnages de Beaumarchais sont complexes, parfois doubles, ou ambivalents ; les changements de noms sont à cet égard révélateurs : que signifie, dans la scène 13, l'alternance de « Suzanne » et de « Suzon » ?*

Mise en scène

14. *Étudiez l'art et la virtuosité avec lesquels Beaumarchais utilise le décor comme élément de tension dramatique. Quels rapprochements pouvez-vous faire avec la technique utilisée dans le mouvement central du premier acte ?*

15. *Certains gestes, notamment relatifs aux portes, sont d'une importance déterminante pour le mécanisme du jeu ; ils sont indiqués non dans les didascalies*• *mais dans certaines répliques elles-mêmes : relevez-les.*

16. *Le Comte vous paraît-il tenir le rôle ingrat d'un faire-valoir, ou bien donneriez-vous raison au metteur en scène J.-L. Martin-Barbaz, qui déclare : « Le Comte est un grand "premier rôle" ? Certes, il n'est plus le "jeune premier" du* Barbier de Séville, *puisqu'il est déjà un homme fait », mais, explique-t-il, il « pourra jouer plus tard les "pères nobles" », et, dès maintenant, « pourrait jouer Alceste » (dans* Le Misanthrope*).*

SCÈNE 20. SUZANNE, FIGARO, LA COMTESSE, LE COMTE

FIGARO, *arrivant tout essoufflé.* On disait madame incommodée. Je suis vite accouru... je vois avec joie qu'il n'en est rien.

LE COMTE, *sèchement.* Vous êtes fort attentif.

5 FIGARO. Et c'est mon devoir. Mais puisqu'il n'en est rien, Monseigneur, tous vos jeunes vassaux des deux sexes sont en bas avec les violons et les cornemuses, attendant, pour m'accompagner, l'instant où vous permettrez que je mène ma fiancée...

10 LE COMTE. Et qui surveillera la Comtesse au château ?

FIGARO. La veiller ! elle n'est pas malade.

LE COMTE. Non ; mais cet homme absent qui doit l'entretenir ?

FIGARO. Quel homme absent ?

15 LE COMTE. L'homme du billet que vous avez remis à Bazile.

FIGARO. Qui dit cela ?

LE COMTE. Quand je ne le saurais pas d'ailleurs, fripon, ta physionomie qui t'accuse me prouverait déjà que tu
20 mens.

FIGARO. S'il est ainsi, ce n'est pas moi qui mens, c'est ma physionomie.

SUZANNE. Va, mon pauvre Figaro, n'use pas ton éloquence en défaites[1] ; nous avons tout dit.

25 FIGARO. Et quoi dit ? Vous me traitez comme un Bazile !

SUZANNE. Que tu avais écrit le billet de tantôt pour faire accroire à Monseigneur, quand il entrerait, que le petit page était dans ce cabinet, où je me suis enfermée.

LE COMTE. Qu'as-tu à répondre ?

30 LA COMTESSE. Il n'y a plus rien à cacher, Figaro ; le badinage est consommé.

---

1. *défaites* : tentatives vouées d'avance à la défaite.

FIGARO, *cherchant à deviner.*   Le badinage... est consommé ?

LE COMTE.   Oui, consommé. Que dis-tu là-dessus ?

FIGARO.   Moi ! je dis... que je voudrais bien qu'on en pût
35 dire autant de mon mariage ; et si vous l'ordonnez...

LE COMTE.   Tu conviens donc enfin du billet ?

FIGARO.   Puisque madame le veut, que Suzanne le veut,
que vous le voulez vous-même, il faut bien que je le
veuille aussi : mais à votre place, en vérité, Monseigneur,
40 je ne croirais pas un mot de tout ce que nous vous disons.

LE COMTE.   Toujours mentir contre l'évidence ! À la fin,
cela m'irrite.

LA COMTESSE, *en riant.*   Eh ! ce pauvre garçon ! pourquoi
voulez-vous, monsieur, qu'il dise une fois la vérité ?

45 FIGARO, *bas à Suzanne.*   Je l'avertis de son danger ; c'est
tout ce qu'un honnête homme peut faire.

SUZANNE, *bas.*   As-tu vu le petit page ?

FIGARO, *bas.*   Encore tout froissé.

SUZANNE, *bas.*   Ah ! pécaïre[1].

50 LA COMTESSE.   Allons, monsieur le Comte, ils brûlent de
s'unir : leur impatience est naturelle ! Entrons pour la
cérémonie.

LE COMTE, *à part.*   Et Marceline, Marceline... *(Haut.)* Je
voudrais être... au moins vêtu.

55 LA COMTESSE.   Pour nos gens ! Est-ce que je le suis ?

SCÈNE 21. FIGARO, SUZANNE, LA COMTESSE, LE
COMTE, ANTONIO

ANTONIO, *demi-gris[2], tenant un pot de giroflées écrasées.*
Monseigneur ! Monseigneur !

LE COMTE.   Que me veux-tu, Antonio ?

ANTONIO.   Faites donc une fois griller les croisées qui
5 donnent sur mes couches. On jette toutes sortes de choses

---

1. *pécaïre* : pauvres de nous ! (En provençal : « pauvres pécheurs ».)
2. *demi-gris* : à moitié ivre.

par ces fenêtres : et tout à l'heure encore on vient d'en jeter un homme.

LE COMTE.   Par ces fenêtres ?

ANTONIO.   Regardez comme on arrange mes giroflées !

10 SUZANNE, *bas à Figaro*.   Alerte, Figaro, alerte !

FIGARO.   Monseigneur, il est gris dès le matin.

ANTONIO.   Vous n'y êtes pas. C'est un petit reste d'hier. Voilà comme on fait des jugements... ténébreux.

LE COMTE, *avec feu*.   Cet homme ! cet homme ! où est-
15 il ?

ANTONIO.   Où il est ?

LE COMTE.   Oui.

ANTONIO.   C'est ce que je dis. Il faut me le trouver, déjà. Je suis votre domestique ; il n'y a que moi qui prends soin
20 de votre jardin ; il y tombe un homme ; et vous sentez... que ma réputation en est effleurée.

SUZANNE, *bas à Figaro*.   Détourne, détourne !

FIGARO.   Tu boiras donc toujours ?

ANTONIO.   Et si je ne buvais pas, je deviendrais enragé.

25 LA COMTESSE.   Mais en[1] prendre ainsi sans besoin...

ANTONIO.   Boire sans soif et faire l'amour en tout temps, madame, il n'y a que ça qui nous distingue des autres bêtes.

LE COMTE, *vivement*.   Réponds-moi donc, ou je vais te
30 chasser.

ANTONIO.   Est-ce que je m'en irais ?

LE COMTE.   Comment donc ?

ANTONIO, *se touchant le front*.   Si vous n'avez pas assez de ça pour garder un bon domestique, je ne suis pas assez
35 bête, moi, pour renvoyer un si bon maître.

LE COMTE *le secoue avec colère*.   On a, dis-tu, jeté un homme par cette fenêtre ?

---

1. *en* : du vin ; l'antécédent se tire implicitement du verbe boire.

ANTONIO.   Oui, mon Excellence ; tout à l'heure, en veste blanche, et qui s'est enfui, jarni[1], courant...

40   LE COMTE, *impatienté*.   Après ?

ANTONIO.   J'ai bien voulu courir après ; mais je me suis donné, contre la grille, une si fière gourde[2] à la main, que je ne peux plus remuer ni pied, ni patte, de ce doigt-là. (*Levant le doigt.*)

45   LE COMTE.   Au moins, tu reconnaîtrais l'homme ?

ANTONIO.   Oh ! que oui-da ! si je l'avais vu pourtant !

SUZANNE, *bas à Figaro*.   Il ne l'a pas vu.

FIGARO.   Voilà bien du train pour un pot de fleurs ! combien te faut-il, pleurard, avec ta giroflée ? Il est inutile de
50   chercher, Monseigneur, c'est moi qui ai sauté.

LE COMTE.   Comment, c'est vous !

ANTONIO.   *Combien te faut-il, pleurard ?* Votre corps a donc bien grandi depuis ce temps-là ; car je vous ai trouvé beaucoup plus moindre, et plus fluet !

55   FIGARO.   Certainement ; quand on saute, on se pelotonne...

ANTONIO.   M'est avis que c'était plutôt... qui dirait, le gringalet de page.

LE COMTE.   Chérubin, tu veux dire ?

60   FIGARO.   Oui, revenu tout exprès, avec son cheval, de la porte de Séville, où peut-être il est déjà.

ANTONIO.   Oh ! non, je ne dis pas ça, je ne dis pas ça ; je n'ai pas vu sauter de cheval, car je le dirais de même.

LE COMTE.   Quelle patience !

65   FIGARO.   J'étais dans la chambre des femmes, en veste blanche : il fait un chaud !... J'attendais là ma Suzannette, quand j'ai ouï tout à coup la voix de Monseigneur et le grand bruit qui se faisait ! je ne sais quelle crainte m'a saisi à l'occasion de ce billet ; et, s'il faut avouer ma bêtise, j'ai
70   sauté sans réflexion sur les couches, où je me suis même un peu foulé le pied droit. (*Il frotte son pied.*)

---

1. *jarni* : juron (déformation de « je renie Dieu »).
2. *gourde* : coup qui engourdit.

ANTONIO.   Puisque c'est vous, il est juste de vous rendre ce brimborion[1] de papier qui a coulé de votre veste, en tombant.

LE COMTE *se jette dessus.*   Donne-le-moi *(Il ouvre le papier*
75 *et le referme.)*

FIGARO, *à part.*   Je suis pris.

LE COMTE, *à Figaro.*   La frayeur ne vous aura pas fait oublier ce que contient ce papier, ni comment il se trouvait dans votre poche ?

80 FIGARO, *embarrassé, fouille dans ses poches et en tire des papiers.*   Non sûrement... Mais c'est que j'en ai tant. Il faut répondre à tout... *(Il regarde un des papiers.)* Ceci ? ah ! c'est une lettre de Marceline, en quatre pages ; elle est belle !... Ne serait-ce pas la requête de ce pauvre bracon-
85 nier en prison ?... Non, la voici... J'avais l'état des meubles du petit château dans l'autre poche... *(Le Comte rouvre le papier qu'il tient.)*

LA COMTESSE, *bas à Suzanne.*   Ah ! dieux ! Suzon, c'est le brevet d'officier.

90 SUZANNE, *bas à Figaro.*   Tout est perdu, c'est le brevet.

LE COMTE *replie le papier.*   Eh bien ! l'homme aux expédients, vous ne devinez pas ?

ANTONIO, *s'approchant de Figaro.*   Monseigneur dit, si vous ne devinez pas ?

95 FIGARO *le repousse.*   Fi donc, vilain[2], qui me parle dans le nez !

LE COMTE.   Vous ne vous rappelez pas ce que ce peut être ?

FIGARO.   A, a, a, ah ! *povero*[3] ! ce sera le brevet de ce malheureux enfant, qu'il m'avait remis, et que j'ai oublié de lui rendre. O, o, o, oh ! étourdi que je suis ! que fera-t-il
100 sans son brevet ? Il faut courir...

LE COMTE.   Pourquoi vous l'aurait-il remis ?

FIGARO, *embarrassé.*   Il... désirait qu'on y fit quelque chose.

LE COMTE *regarde son papier.*   Il n'y manque rien.

LA COMTESSE, *bas à Suzanne.*   Le cachet.

105 SUZANNE, *bas à Figaro.*   Le cachet manque.

---

1. *brimborion :* chose sans valeur.
2. *vilain :* paysan mal dégrossi.
3. *povero :* pauvre (mot italien).

Le Comte, *à Figaro.*   Vous ne répondez pas ?

Figaro.   C'est... qu'en effet, il y manque peu de chose. Il dit que c'est l'usage.

Le Comte.   L'usage ! l'usage ! l'usage de quoi ?

110 Figaro.   D'y apposer le sceau de vos armes. Peut-être aussi que cela ne valait pas la peine.

Le Comte *rouvre le papier et le chiffonne de colère.*   Allons, il est écrit que je ne saurai rien. (*À part.*) C'est ce Figaro qui les mène, et je ne m'en vengerais pas ! (*Il veut sortir*
115 *avec dépit.*)

Figaro, *l'arrêtant.*   Vous sortez sans ordonner mon mariage ?

SCÈNE 22. Bazile, Bartholo, Marceline, Figaro, Le Comte, Gripe-Soleil, La Comtesse, Suzanne, Antonio ; *valets du Comte, ses vassaux*

Marceline, *au Comte.*   Ne l'ordonnez pas, Monseigneur ! Avant de lui faire grâce, vous nous devez justice. Il a des engagements avec moi.

Le Comte, *à part.*   Voilà ma vengeance arrivée.

5 Figaro.   Des engagements ! De quelle nature ? Expliquez-vous.

Marceline.   Oui, je m'expliquerai, malhonnête ! (*La Comtesse s'assied sur une bergère. Suzanne est derrière elle.*)

Le Comte.   De quoi s'agit-il, Marceline ?

10 Marceline.   D'une obligation de mariage.

Figaro.   Un billet, voilà tout, pour de l'argent prêté.

Marceline, *au Comte.*   Sous condition de m'épouser. Vous êtes un grand seigneur, le premier juge[1] de la province...

---

1. *le premier juge :* « grand Corrégidor » d'Andalousie, le Comte est le premier magistrat de la province. En France, les œuvres de basse justice restaient confiées aux seigneurs, qui rendaient justice au nom du Roi. Le seigneur pouvait juger lui-même, mais souvent, il installait un juge appointé pour trancher à sa place des menus différends. Cette fonction de « premier juge » est fondamentale, tant pour l'intrigue que pour la portée critique de la pièce.

LE COMTE.   Présentez-vous au tribunal, j'y rendrai justice
15 à tout le monde.

BAZILE, *montrant Marceline.*   En ce cas, Votre Grandeur
permet que je fasse aussi valoir mes droits sur Marceline ?

LE COMTE, *à part.*   Ah, voilà mon fripon du billet.

FIGARO.   Autre fou de la même espèce !

20 LE COMTE, *en colère, à Bazile.*   Vos droits ! vos droits ! Il
vous convient bien de parler devant moi, maître sot !

ANTONIO, *frappant dans sa main.*   Il ne l'a, ma foi, pas
manqué du premier coup : c'est son nom.

LE COMTE.   Marceline, on suspendra tout jusqu'à l'exa-
25 men de vos titres, qui se fera publiquement dans la grande salle d'audience. Honnête Bazile, agent fidèle et sûr,
allez au bourg chercher les gens du siège[1].

BAZILE.   Pour son affaire ?

LE COMTE.   Et vous m'amènerez le paysan du billet.

30 BAZILE.   Est-ce que je le connais ?

LE COMTE.   Vous résistez ?

BAZILE.   Je ne suis pas entré au château pour en faire les
commissions.

LE COMTE.   Quoi donc ?

35 BAZILE.   Homme à talent sur l'orgue du village, je montre
le clavecin à madame, à chanter à ses femmes, la mandoli-
ne aux pages ; et mon emploi surtout est d'amuser votre
compagnie avec ma guitare, quand il vous plaît me
l'ordonner.

40 GRIPE-SOLEIL *s'avance.*   J'irai bien, Monsigneu, si cela
vous plaira.

LE COMTE.   Quel est ton nom et ton emploi ?

GRIPE-SOLEIL.   Je suis Gripe-Soleil, mon bon signeu ; le
petit patouriau des chèvres, commandé pour le feu d'arti-

---

1. *les gens du siège :* les magistrats et officiers nommés par le Corrégidor,
et qui rendent la justice « assis », par opposition aux avocats et procureurs qui, eux, plaident « debout ».

45 fice. C'est fête aujourd'hui dans le troupiau ; et je sais ous-
ce-qu'est toute l'enragée boutique à procès[1] du pays.

LE COMTE. Ton zèle me plaît ; vas-y : mais vous (*à Bazile*),
accompagnez monsieur en jouant de la guitare, et chantant
pour l'amuser en chemin. Il est de ma compagnie.

50 GRIPE-SOLEIL, *joyeux.* Oh ! moi je suis de la ?... (*Suzanne
l'apaise de la main, en lui montrant la Comtesse.*)

BAZILE, *surpris.* Que j'accompagne Gripe-Soleil en jouant ?...

LE COMTE. C'est votre emploi. Partez ou je vous chasse.
(*Il sort.*)

SCÈNE 23. LES ACTEURS PRÉCÉDENTS, *excepté* LE
COMTE

BAZILE, *à lui-même.* Ah ! je n'irai pas lutter contre le pot
de fer, moi qui ne suis...

FIGARO. Qu'une cruche[2].

BAZILE, *à part.* Au lieu d'aider à leur mariage, je m'en
5 vais assurer le mien avec Marceline. (*À Figaro.*) Ne conclus
rien[3], crois-moi, que je ne sois de retour. (*Il va prendre la
guitare sur le fauteuil du fond.*)

FIGARO *le suit.* Conclure ! oh ! va, ne crains rien, quand
même tu ne reviendrais jamais... Tu n'as pas l'air en train
10 de chanter, veux-tu que je commence ?... Allons, gai, haut
la-mi-la pour ma fiancée. (*Il se met en marche à reculons,
danse en chantant la séguedille[4] suivante ; Bazile accompagne ;
et tout le monde suit.*)

---

1. *boutique à procès* : les « marchands » de justice.
2. *qu'une cruche* : allusion à la fable célèbre.
3. *ne conclus rien* : ne dépose pas tes *conclusions* devant le tribunal ;
conclure, c'est, pour le demandeur ou le défendeur, poser un acte de procédure qui lie le débat, le juge étant tenu d'y répondre. Bazile invite donc
Figaro à user de procédés dilatoires afin de faire traîner l'audience en longueur.
4. *séguedille* : air de danse populaire en Espagne, vif et très gai.

SÉGUEDILLE : *Air noté.*

15 Je préfère à richesse
La sagesse
De ma Suzon,
Zon, zon, zon,
Zon, zon, zon,
20 Zon, zon, zon,
Zon, zon, zon,

Aussi sa gentillesse
Est maîtresse
De ma raison,
Zon, zon, zon
Zon, zon, zon
Zon, zon, zon
Zon, zon, zon.

(Le bruit s'éloigne, on n'entend pas le reste.)

SCÈNE 24. SUZANNE, LA COMTESSE

LA COMTESSE, *dans sa bergère.* Vous voyez, Suzanne, la jolie scène que votre étourdi m'a value avec son billet.

SUZANNE. Ah ! madame, quand je suis rentrée du cabinet, si vous aviez vu votre visage ! Il s'est terni tout à
5 coup : mais ce n'a été qu'un nuage ; et par degrés vous êtes devenue rouge, rouge, rouge !

LA COMTESSE. Il a donc sauté par la fenêtre ?

SUZANNE. Sans hésiter, le charmant enfant ! Léger... comme une abeille !

10 LA COMTESSE. Ah ! ce fatal jardinier ! Tout cela m'a remuée au point... que je ne pouvais rassembler deux idées.

SUZANNE. Ah ! madame, au contraire ; et c'est là que j'ai vu combien l'usage du grand monde donne d'aisance aux dames comme il faut, pour mentir sans qu'il y paraisse.

15 LA COMTESSE. Crois-tu que le Comte en soit la dupe ? Et s'il trouvait cet enfant au château !

SUZANNE. Je vais recommander de le cacher si bien...

LA COMTESSE. Il faut qu'il parte. Après ce qui vient d'arriver, vous croyez bien que je ne suis pas tentée de
20 l'envoyer au jardin à votre place.

SUZANNE. Il est certain que je n'irai pas non plus. Voilà donc mon mariage encore une fois...

LA COMTESSE *se lève.* Attends... Au lieu d'un autre, ou de toi, si j'y allais moi-même !

25 SUZANNE. Vous, madame ?

LA COMTESSE. Il n'y aurait personne d'exposé... Le Comte alors ne pourrait nier... Avoir puni sa jalousie, et lui prouver son infidélité, cela serait... Allons : le bonheur d'un premier hasard m'enhardit à tenter le second. Fais-lui savoir promptement que tu te rendras au jardin. Mais surtout que personne...

SUZANNE. Ah ! Figaro.

LA COMTESSE. Non, non. Il voudrait mettre ici du sien... Mon masque de velours et ma canne ; que j'aille y rêver sur la terrasse. (*Suzanne entre dans le cabinet de toilette.*)

SCÈNE 25. LA COMTESSE, *seule*

Il est assez effronté, mon petit projet ! (*Elle se retourne.*) Ah ! le ruban ! mon joli ruban ! je t'oubliais ! (*Elle le prend sur sa bergère et le roule.*) Tu ne me quitteras plus... tu me rappelleras la scène de ce malheureux enfant... Ah ! monsieur le Comte, qu'avez-vous fait ? et moi, que fais-je en ce moment ?

SCÈNE 26. LA COMTESSE, SUZANNE (*La Comtesse met furtivement le ruban dans son sein*)

SUZANNE. Voici la canne et votre loup[1].

LA COMTESSE. Souviens-toi que je t'ai défendu d'en dire un mot à Figaro.

SUZANNE, *avec joie.* Madame, il est charmant votre projet ! je viens d'y réfléchir. Il rapproche tout, termine tout, embrasse tout ; et, quelque chose qui[2] arrive, mon mariage est maintenant certain. (*Elle baise la main de sa maîtresse. Elles sortent.*)

---

1. *loup* : demi-masque de velours ou de satin qui ne dissimule que les yeux. On voit avec quel soin Beaumarchais prépare et théâtralise les thèmes de la *conspiration* et du *déguisement*, qui joueront un rôle essentiel au dernier acte.
2. *quelque chose qui arrive* : quoi qu'il arrive.

*Pendant l'entracte[1], des valets arrangent la salle d'audience :
on apporte les deux banquettes à dossier des avocats, que l'on
place aux deux côtés du théâtre, de façon que le passage soit
libre par-derrière. On pose une estrade à deux marches dans
le milieu du théâtre, vers le fond, sur laquelle on place le fauteuil du Comte. On met la table du greffier et son tabouret de
côté sur le devant, et des sièges pour Brid'oison et d'autres
juges, des deux côtés de l'estrade du Comte.*

Watteau, Six études de têtes, Louvre.

---

1. *pendant l'entracte* : Beaumarchais est le premier à avoir imaginé de retenir l'attention des spectateurs pendant l'entracte en ne baissant pas le
rideau et en leur faisant suivre les mouvements des machinistes. Il avait
déjà prévu ce procédé dans *Eugénie*. Rien ne montre mieux la modernité
de sa dramaturgie, et son désir d'un « théâtre total », bien avant l'époque
de Brecht !

Compréhension

1. Combien de péripéties• peut-on décompter dans ce groupe de scènes ?

2. L'arrivée d'Antonio constitue une surprise d'une tout autre nature que celles qu'avaient suscitées la réapparition du Comte (sc. 10), celle de Figaro (sc. 20), ou de Marceline (sc. 22). Pourquoi ?

3. Scène 20 : « Puisque madame le veut... en vérité, Monseigneur, je ne croirais pas un mot de tout ce que nous vous disons » : rapprochez cette remarque de Figaro des scènes 7 à 19 de l'acte V, où se produit le dénouement : comment pouvez-vous l'interpréter (sens des conflits, procédés du langage théâtral) ?

4. Montrez que la scène 21 illustre la notion de « péripétie-éclair• ».

5. Figaro est-il toujours le meneur de jeu ?

6. Quelles décisions fondamentales sont prises dans la scène 24 ? Montrez que le plan de Figaro est toujours en suspens. Quelles modifications importantes subit-il ? Pourquoi la Comtesse insiste-t-elle pour que Suzanne ne mette pas Figaro dans la confidence ? Quelles seront les conséquences de cette situation nouvelle ?

7. « Ah ! Madame, au contraire... » montrez en quoi cette réplique est révélatrice de la réalité des rapports sociaux entre la Comtesse et Suzanne.

Écriture

8. Relevez dans la scène 21 les éléments d'un comique de farce. En quoi le personnage de Bazile (sc. 22) est-il aussi un personnage de farce ?

Mise en scène

9. Scène 23 : le lieu vous semble-t-il approprié pour recevoir les personnages des scènes 22 et 23 ?

10. Quelles réflexions pouvez-vous faire à ce propos sur la maîtrise de l'espace comme enjeu dramatique ?

Bilan

L'action

• *Ce que nous savons*
L'acte a été mouvementé. Coup sur coup, nous venons d'assister à :
– l'émergence d'une intrigue secondaire : entre la Comtesse et Chérubin, une idylle s'est nouée, d'une sensualité poétique et voilée. Montrez le lien entre cette intrigue et l'intrigue principale.
– une scène de drame, au second degré, avec le retour au château du Comte furieux de jalousie, ce qui a manqué de faire avorter dans l'œuf le complot des alliés de Suzanne. Mais sa volonté est-elle changée ?
– une série de péripéties*, parfois farcesques, toujours très rapides, au cours desquelles Figaro n'a pu rétablir la situation, fort compromise par l'affaire du brevet, qu'en s'attirant l'hostilité du Comte et ce, juste au moment où va se tenir l'audience de justice qui doit décider de tout !
Cependant, le « plan Figaro » est toujours en suspens, à ceci près qu'il est devenu celui de la Comtesse : c'est elle-même qui se rendra au rendez-vous que Suzanne donnera au Comte !

• **À quoi nous attendre ?**
Quelle sera l'issue de l'audience qui s'annonce ? Le Comte condamnera-t-il Figaro à épouser Marceline ? Ou bien Suzanne peut-elle encore l'amadouer pour le leurrer ? Mais alors le Comte pourra-t-il prendre sa propre épouse pour Suzanne ? Les initiatives, désormais indépendantes, de Figaro et de la Comtesse ne risquent-elles pas d'interférer dangereusement les unes avec les autres ? Quel sera enfin le sort de Chérubin, et de son idylle avec sa marraine ? devant tant d'incertitudes, force est de reconnaître que sa condition* donne encore au Comte tous les atouts. Se prépare-t-il à faire échouer le mariage ?

Les personnages

• **La Comtesse** *n'est point restée longtemps seule en tête à tête avec le jeune capitaine, et seulement en présence du public, contrairement à la première version : on aurait pu, sinon, craindre pour sa vertu ! Tendre à la tentation, elle se* révèle fort capable de jouer à son époux une comédie ambiguë. Bien qu'elle s'en défende (sc. 19), en elle reparaît la malicieuse *Rosine du Barbier*, ingénue et libertine à la fois.

• **Chérubin**, comme souvent chez Beaumarchais, est un personnage à plusieurs facettes. Tout à la fois page et troubadour, capitaine et chevalier servant, voici qu'on le déguise en fille. Cependant, il n'hésite pas à sauter par la fenêtre pour sauver sa « dame » ! *Espiègle, discrètement équivoque*, il accentue la tonalité de l'acte, *féminine et troublante*. Il y jette une note de fine parodie, d'une poésie spirituelle et délicate.

• **Suzanne** : montrez que son rôle dépasse son emploi• d'ingénue•, en ce qu'elle est capable de juger et de guider les gens autour d'elle (Figaro, Chérubin, la Comtesse…), mais que, dans son émancipation du cadre traditionnel de l'emploi de suivante, elle reste, d'une certaine façon, inférieure à Figaro : que lui manque-t-il donc ?

L'écriture

• **Une poésie particulière**
L'acte entier, qui se déroule dans les appartements de la Comtesse, est dominé par les femmes : elles lui donnent sa poésie, si particulière, et unique dans notre théâtre. Beaumarchais, usurpant les privilèges du romancier, réussit à faire rêver sur scène sa Comtesse : après une scène de coquetterie digne de Marivaux (sc. 3), il la rend spectatrice du sentiment qu'elle inspire, usant des charmes suggestifs de l'interruption et de l'implicite•.

• **Une comédie dans la comédie**
En somme, cet acte, si bien relié soit-il à l'ensemble de l'intrigue, n'en constitue pas moins une comédie entière en un seul acte, mouvementée, variée, toujours charmante, où l'auteur réussit sans cesse à renouveler et accroître l'intérêt par deux moyens essentiels : le troisième lieu•, et la péripétie-éclair•.

ACTE III

Le théâtre représente une salle du château appelée salle du trône et servant de salle d'audience, ayant sur le côté une impériale[1] en dais, et dessous, le portrait du Roi.

SCÈNE 1. LE COMTE, PÉDRILLE, *en veste et botté, tenant un paquet cacheté*

LE COMTE, *vite.*   M'as-tu bien entendu ?
PÉDRILLE.   Excellence, oui. *(Il sort.)*

SCÈNE 2. LE COMTE, *seul, criant.*   Pédrille !

SCÈNE 3. LE COMTE, PÉDRILLE *revient*

PÉDRILLE.   Excellence ?
LE COMTE.   On ne t'a pas vu ?
PÉDRILLE.   Âme qui vive.
LE COMTE.   Prenez le cheval barbe[2].
5   PÉDRILLE.   Il est à la grille du potager, tout sellé.
LE COMTE.   Ferme, d'un trait, jusqu'à Séville.
PÉDRILLE.   Il n'y a que trois lieues[3], elles sont bonnes[4].
LE COMTE.   En descendant, sachez si le page est arrivé.

---

1. *impériale* : étoffe de laine fine ; elle est déployée « *en dais* » au-dessus du trône où siègera le Comte, c'est-à-dire qu'elle le couronne d'une sorte de « ciel ».
2. *cheval barbe* : cheval de *Barbarie,* ancien nom de l'Afrique du Nord. Il s'agit donc d'un pur-sang arabe, le plus rapide sans doute de l'écurie : Beaumarchais ne perd pas une occasion de rappeler que le temps constitue l'un des facteurs essentiels de tension dramatique !
3. *trois lieues* : environ 13,5 km.
4. *bonnes* : aisées à parcourir.

PÉDRILLE.   Dans l'hôtel ?

10 LE COMTE.   Oui ; surtout depuis quel temps.

PÉDRILLE.   J'entends.

LE COMTE.   Remets-lui son brevet, et reviens vite.

PÉDRILLE.   Et s'il n'y était pas ?

LE COMTE.   Revenez plus vite, et m'en rendez compte[1].

15 Allez.

SCÈNE 4. LE COMTE, *seul, marche en rêvant*

J'ai fait une gaucherie en éloignant Bazile !... la colère n'est
bonne à rien. – Ce billet remis par lui, qui m'avertit d'une
entreprise sur la Comtesse ; la camariste enfermée quand
j'arrive ; la maîtresse affectée d'une terreur fausse ou
5 vraie ; un homme qui saute par la fenêtre, et l'autre après
qui avoue... ou qui prétend que c'est lui... Le fil m'échappe. Il y a là-dedans une obscurité... Des libertés chez mes
vassaux, qu'importe à gens de cette étoffe ? Mais la
Comtesse ! si quelque insolent attentait... Où m'égaré-je ?
10 En vérité, quand la tête se monte, l'imagination la mieux
réglée devient folle comme un rêve ! – Elle s'amusait : ces
ris étouffés, cette joie mal éteinte ! – Elle se respecte ; et
mon honneur... où diable on l'a placé ! De l'autre part, où
suis-je ? cette friponne de Suzanne a-t-elle trahi mon
15 secret ?... comme il n'est pas encore le sien... Qui donc
m'enchaîne à cette fantaisie ? j'ai voulu vingt fois y renoncer... Étrange effet de l'irrésolution ! si je la voulais sans
débat, je la désirerais mille fois moins. – Ce Figaro se fait
bien attendre ! il faut le sonder adroitement (*Figaro paraît
20 dans le fond, il s'arrête*) et tâcher, dans la conversation que
je vais avoir avec lui, de démêler d'une manière détournée
s'il est instruit ou non de mon amour pour Suzanne.

---

1. *m'en rendez compte* : selon la règle classique, lorsque deux impératifs
sont coordonnés, le pronom complément précède le second.

SCÈNE 5. LE COMTE, FIGARO

FIGARO, *à part.*   Nous y voilà.

LE COMTE.   ... S'il en sait par elle un seul mot...

FIGARO, *à part.*   Je m'en suis douté.

LE COMTE.   ... Je lui fais épouser la vieille.

5   FIGARO, *à part.*   Les amours de monsieur Bazile ?

LE COMTE.   ... Et voyons ce que nous ferons de la jeunesse[1].

FIGARO, *à part.*   Ah ! ma femme, s'il vous plaît.

LE COMTE *se retourne.*   Hein ? quoi ? qu'est-ce que c'est ?

10   FIGARO *s'avance.*   Moi, qui me rends à vos ordres.

LE COMTE.   Et pourquoi ces mots ?...

FIGARO.   Je n'ai rien dit.

LE COMTE *répète.*   *Ma femme, s'il vous plaît ?*

FIGARO.   C'est... la fin d'une réponse que je faisais : *allez*
15   *le dire à ma femme, s'il vous plaît.*

LE COMTE *se promène.*   *Sa femme !...* Je voudrais bien
savoir quelle affaire peut arrêter monsieur, quand je le fais
appeler ?

FIGARO, *feignant d'assurer son habillement.*   Je m'étais sali
20   sur ces couches en tombant ; je me changeais.

LE COMTE.   Faut-il une heure ?

FIGARO.   Il faut le temps.

LE COMTE.   Les domestiques ici... sont plus longs à
s'habiller que les maîtres !

25   FIGARO.   C'est qu'ils n'ont point de valets pour les y
aider.

LE COMTE.   ... Je n'ai pas trop compris ce qui vous avait
forcé tantôt de courir un danger inutile, en vous jetant...

FIGARO.   Un danger ! on dirait que je me suis engouffré
30   tout vivant...

---

1. *la jeunesse :* une « *jeunesse* » est une jeune femme ; il s'agit donc de
Suzanne, par opposition à « *la vieille* », Marceline.

LE COMTE.   Essayer de me donner le change en feignant de le prendre[1], insidieux[2] valet ! Vous entendez fort bien que ce n'est pas le danger qui m'inquiète, mais le motif.

FIGARO.   Sur un faux avis, vous arrivez furieux, renver-
35 sant tout, comme le torrent de la Morena[3] ; vous cherchez un homme, il vous le faut, ou vous allez briser les portes, enfoncer les cloisons ! Je me trouve là par hasard : qui sait dans votre emportement si...

LE COMTE, *interrompant.*   Vous pouviez fuir par l'escalier.

40 FIGARO.   Et vous, me prendre au corridor.

LE COMTE, *en colère.*   Au corridor ! (*À part.*) Je m'empor-te, et nuis à ce que je veux savoir.

FIGARO, *à part.*   Voyons-le venir, et jouons serré.

LE COMTE, *radouci.*   Ce n'est pas ce que je voulais dire ;
45 laissons cela. J'avais... oui, j'avais quelque envie de t'emmener à Londres courrier de dépêches... mais, toutes réflexions faites...

FIGARO.   Monseigneur a changé d'avis ?

LE COMTE.   Premièrement, tu ne sais pas l'anglais.

50 FIGARO.   Je sais *God-dam*[4].

LE COMTE.   Je n'entends pas.

FIGARO.   Je dis que je sais *God-dam.*

LE COMTE.   Hé bien ?

FIGARO.   Diable ! c'est une belle langue que l'anglais ! il
55 en faut peu pour aller loin. Avec *God-dam,* en Angleterre,

---

1. *prendre le change :* terme de vénerie ; se dit des chiens qui, trompés par l'animal poursuivi qui leur donne le change, se laissent détourner vers une autre trace. Le Comte veut dire : « essayez donc de me tromper en feignant de vous tromper ! »
2. *insidieux :* qui dresse des embûches (le mot, neuf à l'époque, s'applique plus fréquemment aux actions ou aux procédés qu'aux personnes).
3. *Sierra Morena :* montagnes au nord-ouest de Séville.
4. *God-dam :* ce juron anglais (Dieu me damne) était depuis longtemps sorti d'usage. Sous la forme de *Goddem,* il servait encore en France à désigner familièrement les Anglais. Cela durait depuis la guerre de Cent Ans, où le surnom leur avait été donné de « Godons ». L'Angleterre étant du dernier chic au temps des Lumières, Figaro voudrait paraître du « bel air », mais ne réussit qu'à se montrer cocasse.

on ne manque de rien nulle part. – Voulez-vous tâter d'un bon poulet gras ? entrez dans une taverne, et faites seulement ce geste au garçon. *(Il tourne la broche.) God-dam !* on vous apporte un pied de bœuf salé, sans pain. C'est admi-
60 rable ! Aimez-vous à boire un coup d'excellent bourgogne ou de clairet[1] ? rien que celui-ci. *(Il débouche une bouteille.) God-dam !* on vous sert un pot de bière, en bel étain, la mousse aux bords. Quelle satisfaction ! Rencontrez-vous une de ces jolies personnes qui vont trottant menu, les
65 yeux baissés, coudes en arrière, et tortillant un peu des hanches ? mettez mignardement tous les doigts unis sur la bouche. Ah ! *God-dam !* elle vous sangle[2] un soufflet de crocheteur[3] : preuve qu'elle entend. Les Anglais, à la vérité, ajoutent par-ci, par-là, quelques autres mots en conver-
70 sant ; mais il est bien aisé de voir que *God-dam* est le fond de la langue ; et si Monseigneur n'a pas d'autre motif de me laisser en Espagne...

LE COMTE, *à part.*   Il veut venir à Londres ; elle n'a pas parlé.

75 FIGARO, *à part.*   Il croit que je ne sais rien ; travaillons-le un peu dans son genre.

LE COMTE.   Quel motif avait la Comtesse pour me jouer un pareil tour ?

FIGARO.   Ma foi, Monseigneur, vous le savez mieux que
80 moi.

LE COMTE.   Je la préviens sur tout, et la comble de présents.

FIGARO.   Vous lui donnez, mais vous êtes infidèle. Sait-on gré du superflu à qui nous prive du nécessaire ?

85 LE COMTE.   ... Autrefois tu me disais tout.

FIGARO.   Et maintenant je ne vous cache rien.

LE COMTE.   Combien la Comtesse t'a-t-elle donné pour cette belle association ?

---

1. *clairet* : nom du vin de Bordeaux en Angleterre *(claret)*, en raison de sa robe rouge clair.
2. *sangler* : fouetter avec une *sangle* (familier).
3. *crocheteur* : portefaix, du nom du crochet dont il se servait pour porter les fardeaux.

FIGARO. Combien me donnâtes-vous pour la tirer des
90 mains du docteur[1] ? Tenez, Monseigneur, n'humilions pas
l'homme qui nous sert bien, crainte d'en faire un mauvais
valet.

LE COMTE. Pourquoi faut-il qu'il y ait toujours du
louche en ce que tu fais ?

95 FIGARO. C'est qu'on en voit partout quand on cherche
des torts.

LE COMTE. Une réputation détestable !

FIGARO. Et si je vaux mieux qu'elle ? Y a-t-il beaucoup
de seigneurs qui puissent en dire autant ?

100 LE COMTE. Cent fois je t'ai vu marcher à la fortune, et
jamais aller droit.

FIGARO. Comment voulez-vous ? la foule est là : chacun
veut courir, on se presse, on pousse, on coudoie, on renverse, arrive qui peut ; le reste est écrasé. Aussi c'est fait ;
105 pour moi, j'y renonce.

LE COMTE. À la fortune ? *(À part.)* Voici du neuf.

FIGARO, *à part.* A mon tour maintenant. *(Haut.)* Votre
Excellence m'a gratifié de la conciergerie du château ; c'est
un fort joli sort : à la vérité, je ne serai pas le courrier
110 étrenné[2] des nouvelles intéressantes ; mais en revanche,
heureux avec ma femme au fond de l'Andalousie...

LE COMTE. Qui t'empêcherait de l'emmener à Londres ?

FIGARO. Il faudrait la quitter si souvent, que j'aurais
bientôt du mariage par-dessus la tête.

115 LE COMTE. Avec du caractère et de l'esprit, tu pourrais
un jour t'avancer dans les bureaux.

FIGARO. De l'esprit pour s'avancer ? Monseigneur se rit
du mien. Médiocre et rampant, et l'on arrive à tout.

LE COMTE. ... Il ne faudrait qu'étudier un peu sous moi
120 la politique.

FIGARO. Je la sais.

---

1. *le docteur* : Bartholo ; allusion au *Barbier de Séville*.
2. *étrenné* : à qui l'on donne *les étrennes*, c'est-à-dire la primeur des nouvelles.

LE COMTE.   Comme l'anglais, le fond de la langue !

FIGARO.   Oui, s'il y avait ici de quoi se vanter. Mais feindre d'ignorer ce qu'on sait, de savoir tout ce qu'on
125 ignore ; d'entendre[1] ce qu'on ne comprend pas, de ne point ouïr ce qu'on entend ; surtout de pouvoir au-delà de ses forces ; avoir souvent pour grand secret de cacher qu'il n'y en a point ; s'enfermer pour tailler des plumes, et paraître profond quand on n'est, comme on dit, que vide
130 et creux ; jouer bien ou mal un personnage, répandre des espions et pensionner des traîtres ; amollir des cachets[2], intercepter des lettres, et tâcher d'ennoblir la pauvreté des moyens par l'importance des objets : voilà toute la politique, ou je meure[3].

135 LE COMTE.   Eh ! c'est l'intrigue que tu définis !

FIGARO.   La politique, l'intrigue, volontiers ; mais, comme je les crois un peu germaines[4], en fasse qui voudra ! *J'aime mieux ma mie, ô gué !* comme dit la chanson du bon Roi[5].

140 LE COMTE, *à part.*   Il veut rester. J'entends... Suzanne m'a trahi.

FIGARO, *à part.*   Je l'enfile[6], et le paye en sa monnaie.

LE COMTE.   Ainsi tu espères gagner ton procès contre Marceline ?

145 FIGARO.   Me feriez-vous un crime de refuser une vieille fille, quand Votre Excellence se permet de nous souffler toutes les jeunes !

---

1. *entendre* : jeu sur le double sens du verbe : la première fois, il signifie « comprendre », et la seconde « ouïr ».
2. *amollir des cachets* : faire fondre la cire des cachets, afin de pouvoir lire en secret les lettres qui ne vous sont point destinées.
3. *je meure* : subjonctif, que je meure si j'ai tort.
4. *germaines* : sœurs.
5. *du bon roi* : du bon roi Henri, celle qu'Alceste prétend supérieure au sonnet d'Oronte dans *Le Misanthrope* (I, 2, v. 399 et suiv.).
6. *enfiler* : mettre l'adversaire dans l'impossibilité de jouer (au jeu de tric-trac). Beaumarchais ne recule guère devant les à-peu-près, ingrédients de la « franche et vraie gaieté » à ses yeux.

LE COMTE, *raillant.*   Au tribunal le magistrat s'oublie, et ne voit plus que l'ordonnance.

150 FIGARO.   Indulgente aux grands, dure aux petits...

LE COMTE.   Crois-tu donc que je plaisante ?

FIGARO.   Eh ! qui le sait, Monseigneur ? *Tempo è galant' uomo*[1], dit l'Italien ; il dit toujours la vérité : c'est lui qui m'apprendra qui me veut du mal, ou du bien.

155 LE COMTE, *à part.*   Je vois qu'on lui a tout dit ; il épouse- ra la duègne.

FIGARO, *à part.*   Il a joué au fin avec moi, qu'a-t-il appris ?

SCÈNE 6. LE COMTE, UN LAQUAIS, FIGARO

LE LAQUAIS, *annonçant.*   Don Gusman Brid'oison[2].

LE COMTE.   Brid'oison ?

FIGARO.   Eh ! sans doute. C'est le juge ordinaire, le lieu- tenant du siège, votre prud'homme[3].

5 LE COMTE.   Qu'il attende. (*Le laquais sort.*)

SCÈNE 7. LE COMTE, FIGARO

FIGARO *reste un moment à regarder le Comte qui rêve.* ... Est-ce là ce que Monseigneur voulait ?

LE COMTE, *revenant à lui.*   Moi ?... je disais d'arranger ce salon pour l'audience publique.

5 FIGARO.   Hé ! qu'est-ce qu'il manque ? Le grand fauteuil pour vous, de bonnes chaises aux prud'hommes, le tabou-

---

1. *tempo è galant' uomo* : le temps est galant homme, proverbe italien.
2. *Don Gusman Brid'oison* : déformation transparente du nom du Conseiller Goezman (voir p. 239 ; Beaumarchais le contamine de celui du célèbre juge Bridoye, que l'on voit, dans Rabelais (*Tiers livre,* chap. 39), rendre la justice à coups de dés.).
3. *prud'homme* : homme de loi, nommé par le Comte pour rendre la jus- tice à sa place. Juge en l'absence du Comte, il n'est que conseiller quand le seigneur siège lui-même.

ret du greffier, deux banquettes aux avocats, le plancher pour le beau monde et la canaille derrière. Je vais renvoyer les frotteurs[1]. (*Il sort.*)

SCÈNE 8. LE COMTE, *seul*

Le maraud m'embarrassait ! en disputant, il prend son avantage, il vous serre, vous enveloppe... Ah ! friponne et fripon, vous vous entendez pour me jouer ? Soyez amis, 5 soyez amants, soyez ce qu'il vous plaira, j'y consens ; mais parbleu, pour époux...

Figaro (J.-P. Bordes) et Le Comte (M. Maréchal), mise en scène M. Maréchal à la Criée, 1989.

1. *les frotteurs* : les valets qui depuis le début de l'acte frottent le parquet en vue de l'audience.

Questions

Compréhension

1. *D'après les quatre premières scènes, la volonté qui anime le Comte a-t-elle changé ? Quel obstacle n'a cessé de le pré-occuper depuis le premier acte ? Quel personnage l'incarne à ses yeux ? Pourquoi le Comte ne peut-il passer outre ?*

2. *Le personnage du Comte à travers son monologue de la scène 4 : comment nomme-t-il le sentiment qu'il éprouve pour Suzanne ? Montrez que l'action serait différente s'il était réellement épris.*

3. *La scène 5 est-elle utile à l'action ? Y a-t-il un vainqueur dans cette joute de finesse ?*

4. *Dans les scènes 5 à 8, qui mène le jeu ? Les personnages en sont-ils conscients ? Et le public ?*

Écriture

5. *Comparez, dans les scènes 1 à 4, ce que sait le Comte et ce que sait le public : quel est l'effet produit ?*

6. *Étudiez, dans la scène 3, la concision des répliques et l'alternance du tutoiement et du vouvoiement.*

7. *L'utilisation du monologue, au début de la scène 4 : sur quelles conventions repose ce procédé ? Sont-elles ici respec-tées ? Étudiez la composition de celui-ci.*

8. *La situation se retourne à deux reprises : où situez-vous ces péripéties• ?*

9. *L'utilisation des apartés dans la scène 5 : quel est leur nombre ? Comment se groupent-ils ? Pourquoi cette disposi-tion ? Pourquoi cette brièveté ?*

10. *Dans la même scène, quelles didascalies•, quels procé-dés d'enchaînement du dialogue permettent de comprendre les intentions de chaque personnage ? Montrez que cette symétrie est un facteur puissant de tension dramatique.*

11. *La tirade de « God-dam » : étudiez la verve de Figaro, et son esprit satirique.*

SCÈNE 9. Suzanne, Le Comte

Suzanne, *essoufflée.* Monseigneur... pardon, Monseigneur.

Le Comte, *avec humeur.* Qu'est-ce qu'il y a, mademoiselle ?

Suzanne. Vous êtes en colère ?

5 Le Comte. Vous voulez quelque chose apparemment ?

Suzanne, *timidement.* C'est que ma maîtresse a ses vapeurs[1]. J'accourais vous prier de nous prêter votre flacon d'éther. Je l'aurais rapporté dans l'instant.

Le Comte *le lui donne.* Non, non, gardez-le pour vous-10 même. Il ne tardera pas à vous être utile.

Suzanne. Est-ce que les femmes de mon état ont des vapeurs, donc ? C'est un mal de condition, qu'on ne prend que dans les boudoirs.

Le Comte. Une fiancée bien éprise, et qui perd son 15 futur...

Suzanne. En payant Marceline avec la dot que vous m'avez promise...

Le Comte. Que je vous ai promise, moi ?

Suzanne, *baissant les yeux.* Monseigneur, j'avais cru 20 l'entendre[2].

Le Comte. Oui, si vous consentiez à m'entendre vous-même.

Suzanne, *les yeux baissés.* Et n'est-ce pas mon devoir d'écouter Son Excellence ?

25 Le Comte. Pourquoi donc, cruelle fille, ne me l'avoir pas dit plus tôt ?

Suzanne. Est-il jamais trop tard pour dire la vérité ?

Le Comte. Tu te rendrais sur la brune au jardin ?

---

1. *vapeurs* : spasmes ou convulsions, souvent accompagnés d'évanouissements et de bouffées de chaleur. La médecine de l'époque les attribuait électivement aux femmes, surtout délaissées. Ces symptômes passaient pour élégants dans le meilleur monde (voir « langueur• »).
2. *entendre* : même jeu de mots que précédemment.

SUZANNE.   Est-ce que je ne m'y promène pas tous les
30 soirs ?

LE COMTE.   Tu m'as traité ce matin si durement !

SUZANNE.   Ce matin ? – Et le page derrière le fauteuil ?

LE COMTE.   Elle a raison, je l'oubliais... Mais pourquoi ce
refus obstiné quand Bazile, de ma part ?...

35 SUZANNE.   Quelle nécessité qu'un Bazile... ?

LE COMTE.   Elle a toujours raison. Cependant il y a un
certain Figaro à qui je crains bien que vous n'ayez tout
dit !

SUZANNE.   Dame ! oui, je lui dis tout... hors ce qu'il faut
40 lui taire.

LE COMTE, *en riant.*   Ah ! charmante ! Et tu me le pro-
mets ? Si tu manquais à ta parole, entendons-nous, mon
cœur : point de rendez-vous, point de dot, point de
mariage.

45 SUZANNE, *faisant la révérence.*   Mais aussi point de mariage, point de droit du seigneur, Monseigneur.

LE COMTE.   Où prend-elle ce qu'elle dit ? d'honneur j'en
raffolerai ! Mais ta maîtresse attend le flacon...

SUZANNE, *riant et rendant le flacon.*   Aurais-je pu vous
50 parler sans un prétexte ?

LE COMTE *veut l'embrasser.*   Délicieuse créature !

SUZANNE *s'échappe.*   Voilà du monde.

LE COMTE, *à part.*   Elle est à moi. *(Il s'enfuit.)*

SUZANNE.   Allons vite rendre compte à madame.

SCÈNE 10. SUZANNE, FIGARO

FIGARO.   Suzanne, Suzanne ! où cours-tu donc si vite en
quittant Monseigneur ?

SUZANNE.   Plaide à présent, si tu le veux ; tu viens de
gagner ton procès. *(Elle s'enfuit.)*

5   FIGARO *la suit.*   Ah ! mais, dis donc...

146

SCÈNE 11. LE COMTE *rentre seul*

Tu viens de gagner ton procès ! – Je donnais là dans un bon piège ! O mes chers insolents ! je vous punirai de façon... Un bon arrêt, bien juste... Mais s'il allait payer la duègne... Avec quoi ?... S'il payait... Eeeeh ! n'ai-je pas le fier
5 Antonio, dont le noble orgueil dédaigne en Figaro un inconnu[1] pour sa nièce ? En caressant cette manie... Pourquoi non ? dans le vaste champ de l'intrigue il faut savoir tout cultiver, jusqu'à la vanité d'un sot. *(Il appelle.)* Anto... *(Il voit entrer Marceline, etc. Il sort.)*

J.-A. Portail, Portrait d'homme. Louvre.

---

1. *inconnu :* de parents inconnus.

Compréhension

1. D'où vient l'unité de ce mouvement• en trois scènes ?

2. Dans la scène 9, quel échange de répliques montre à l'évidence que le dessein du Comte ne saurait consister à faire obstacle au mariage de Figaro et que, tout au contraire, il ne peut que le favoriser ? Le mariage constitue-t-il donc le but et l'intrigue principale de la pièce ?

3. En considérant ce qui se produit dans la scène 11, demandez-vous si Beaumarchais pouvait faire l'économie des scènes 9 et 11.

4. Expliquez le retour du Comte, à la scène 11.

5. Quels éléments de critique sociale trouvez-vous dans les scènes 9 et 12 ?

Écriture

6. Analysez le mouvement de la scène 9, en observant certain changement de pronom.

7. Montrez que dans la scène 9 l'habileté et la réussite de Suzanne tiennent à sa virtuosité dans le maniement de l'implicite•.

8. L'une des originalités dramaturgiques• de Beaumarchais est d'utiliser des « obstacles mous » : montrez que cette expression convient particulièrement au Comte, en analysant les oscillations de sa volonté, et les raisons de cette instabilité. Imaginez-vous un personnage de Molière, par exemple Tartuffe ou Arnolphe, changeant ainsi de volonté au gré des péripéties• ?

Mise en scène

9. Scène 9 : montrez que l'emploi• de Suzanne est celui, non d'ingénue•, mais plutôt d'ingénue libertine. En quoi ressemble-t-elle et diffère-t-elle de Fanchette, qui occupe un emploi similaire ? Quelle constante de la dramaturgie de Beaumarchais apparaît ici dans le rôle de Suzanne ?

10. Étudiez la valeur symbolique et dramatique• du rapport que le public peut établir entre le décor et l'action, à la fin de la scène 9.

SCÈNE 12. BARTHOLO, MARCELINE, BRID'OISON

MARCELINE, *à Brid'oison.* Monsieur, écoutez mon affaire.

BRID'OISON, *en robe, et bégayant un peu.* Eh bien ! pa-arlons-en verbalement[1].

BARTHOLO. C'est une promesse de mariage.

5 MARCELINE. Accompagnée d'un prêt d'argent.

BRID'OISON. J'en-entends, et cætera, le reste.

MARCELINE. Non, monsieur, point d'*et cætera.*

BRID'OISON. J'en-entends : vous avez la somme ?

MARCELINE. Non, monsieur ; c'est moi qui l'ai prêtée.

10 BRID'OISON. J'en-entends bien, vou-ous redemandez l'argent ?

MARCELINE. Non, monsieur ; je demande qu'il m'épouse.

BRID'OISON. Eh ! mais, j'en-entends fort bien ; et lui veu-eut-il vous épouser ?

15 MARCELINE. Non, monsieur ; voilà tout le procès !

BRID'OISON. Croyez-vous que je ne l'en-entende pas, le procès ?

MARCELINE. Non, monsieur. (*À Bartholo.*) Où sommes-nous ? (*À Brid'oison.*) Quoi ! c'est vous qui nous jugerez ?

20 BRID'OISON. Est-ce que j'ai a-acheté ma charge pour autre chose ?

MARCELINE, *en soupirant.* C'est un grand abus que de les vendre !

BRID'OISON. Oui ; l'on-on ferait mieux de nous les don-25 ner pour rien. Contre qui plai-aidez-vous ?

---

1. *verbalement* : sans recourir aux pièces écrites du dossier ; plaisanterie sur le pléonasme que forme cette expression propre au langage des procès.

SCÈNE 13. Bartholo, Marceline, Brid'oison, Figaro *rentre en se frottant les mains*

Marceline, *montrant Figaro.* Monsieur, contre ce malhonnête homme.

Figaro, *très gaiement, à Marceline.* Je vous gêne peut-être. – Monseigneur revient dans l'instant, monsieur le
5 conseiller.

Brid'oison. J'ai vu ce ga-arçon-là quelque part.

Figaro. Chez madame votre femme[1], à Séville, pour la servir, monsieur le conseiller.

Brid'oison. Da-ans quel temps ?

10 Figaro. Un peu moins d'un an avant la naissance de monsieur votre fils le cadet, qui est un bien joli enfant, je m'en vante.

Brid'oison. Oui, c'est le plus jo-oli de tous. On dit que tu-u fais ici des tiennes ?

15 Figaro. Monsieur est bien bon. Ce n'est là qu'une misère.

Brid'oison. Une promesse de mariage ! A-ah ! le pauvre benêt !

Figaro. Monsieur...

20 Brid'oison. A-t-il vu mon-on secrétaire[2], ce bon garçon ?

Figaro. N'est-ce pas Double-Main, le greffier ?

Brid'oison. Oui ; c'è-est qu'il mange à deux râteliers[2].

Figaro. Manger ! je suis garant qu'il dévore. Oh ! que oui, je l'ai vu pour l'extrait et pour le supplément
25 d'extrait[3] ; comme cela se pratique, au reste.

---

1. *votre femme* : l'allusion va devenir grivoise (*cf.* la réplique suivante de Figaro), mais elle est également satirique : la femme du Conseiller Goezman avait accepté une somme d'argent de Beaumarchais, qui devait lui valoir les bonnes grâces du magistrat : la cause fut perdue, mais Mme Goezman refusa de rendre la somme.
2. *secrétaire... râteliers* : Beaumarchais avait aussi graissé la patte au secrétaire de Goezman.
3. *extrait* : copie d'un acte judiciaire.

BRID'OISON. On-on doit remplir les formes[1].

FIGARO. Assurément, monsieur ; si le fond des procès appartient aux plaideurs, on sait bien que la forme est le patrimoine des tribunaux.

30 BRID'OISON. Ce garçon-là n'è-est pas si niais que je l'avais cru d'abord. Hé bien, l'ami, puisque tu en sais tant, nou-ous aurons soin de ton affaire.

FIGARO. Monsieur, je m'en rapporte à votre équité, quoique vous soyez de notre Justice.

35 BRID'OISON. Hein ?... Oui, je suis de la-a Justice. Mais si tu dois, et que tu-u ne payes pas ?...

FIGARO. Alors monsieur voit bien que c'est comme si je ne devais pas.

BRID'OISON. Sa-ans doute. – Hé ! mais qu'est-ce donc
40 qu'il dit ?

SCÈNE 14. BARTHOLO, MARCELINE, LE COMTE, BRID'OISON, FIGARO, UN HUISSIER

L'HUISSIER, *précédant le Comte, crie.* Monseigneur, messieurs.

LE COMTE. En robe ici, seigneur Brid'oison ! Ce n'est qu'une affaire domestique[2] : l'habit de ville était trop bon.

5 BRID'OISON. C'è-est vous qui l'êtes, monsieur le Comte. Mais je ne vais jamais sa-ans elle, parce que la forme, voyez-vous, la forme ! Tel rit d'un juge en habit court, qui-i tremble au seul aspect d'un procureur en robe. La forme, la-a forme !

10 LE COMTE, *à l'huissier.* Faites entrer l'audience[3].

L'HUISSIER *va ouvrir en glapissant.* L'audience !

---

1. *formes* : les règles de procédure, qui déterminent le cours de toute action judiciaire, et ne concernent que la forme du procès, indépendamment du fond. Naturellement les actes de procédure ne peuvent être gratuits, mais les tribunaux avaient tendance à les multiplier inutilement, d'où leur impopularité.
2. *domestique* : de caractère privé.
3. *l'audience* : la Cour et le public.

SCÈNE 15. LES ACTEURS PRÉCÉDENTS, ANTONIO, LES VALETS DU CHÂTEAU, LES PAYSANS ET PAYSANNES *en habits de fête* ; LE COMTE *s'assied sur le grand fauteuil* ; BRID'OISON, *sur une chaise à côté* ; LE GREFFIER, *sur le tabouret derrière sa table* ; LES JUGES, LES AVOCATS, *sur les banquettes* ; MARCELINE, *à côté de* BARTHOLO ; FIGARO *sur l'autre banquette* ; LES PAYSANS ET VALETS, *debout derrière*

BRID'OISON, *à Double-Main*.   Double-Main, a-appelez les causes[1].

DOUBLE-MAIN *lit un papier*.   « Noble, très noble, infiniment noble, *don Pedro George, hidalgo[2], baron de Los Altos,*
5   *y Montes Fieros, y Otros Montes* ; contre *Alonzo Calderon[3]*, jeune auteur dramatique. Il est question d'une comédie mort-née, que chacun désavoue et rejette sur l'autre. »

LE COMTE.   Ils ont raison tous deux. Hors de cour[4]. S'ils font ensemble un autre ouvrage, pour qu'il marque un
10   peu dans le grand monde, ordonné que le noble y mettra son nom, le poète son talent.

DOUBLE-MAIN *lit un autre papier*.   « André Pétrutchio, laboureur ; contre le receveur de la province. » Il s'agit d'un forcement arbitraire[5].

15   LE COMTE.   L'affaire n'est pas de mon ressort. Je servirai mieux mes vassaux en les protégeant près du Roi. Passez.

DOUBLE-MAIN *en prend un troisième. Bartholo et Figaro se lèvent*.   « Barbe - Agar - Raab - Magdeleine - Nicole - Marceline de Verte-Allure, *fille majeure* (*Marceline se lève et*
20   *salue*) ; contre *Figaro*... » Nom de baptême en blanc ?

FIGARO.   Anonyme.

BRID'OISON.   A-anonyme ! Què-el patron[6] est-ce là ?

---

1. *les causes* : toute audience débute par « l'appel des causes » (des litiges) : Beaumarchais respecte la réalité, afin de mieux la styliser.
2. *hidalgo* : noble espagnol.
3. *Calderon* : homonymie volontaire avec le dramaturge espagnol.
4. *hors de cour* : le procès est renvoyé.
5. *forcement arbitraire* : saisie exercée sans titre de justice.
6. *patron* : saint patron, celui dont on porte le nom.

FIGARO.   C'est le mien.

DOUBLE-MAIN *écrit.*   Contre anonyme *Figaro.* Qualités ?

25   FIGARO.   Gentilhomme.

LE COMTE.   Vous êtes gentilhomme ? *(Le greffier écrit.)*

FIGARO.   Si le ciel l'eût voulu, je serais fils d'un prince.

LE COMTE, *au greffier.*   Allez.

L'HUISSIER, *glapissant.*   Silence ! messieurs.

30   DOUBLE-MAIN *lit.*   « ... Pour cause d'opposition faite au mariage dudit *Figaro* par ladite *de Verte-Allure.* Le docteur *Bartholo* plaidant pour la demanderesse, et ledit *Figaro* pour lui-même[1], si la cour le permet, contre le vœu de l'usage[2] et la jurisprudence[3] du siège. »

35   FIGARO.   L'usage, maître Double-Main, est souvent un abus. Le client un peu instruit sait toujours mieux sa cause que certains avocats, qui, suant à froid, criant à tue-tête, et connaissant tout, hors le fait, s'embarrassent aussi peu de ruiner le plaideur que d'ennuyer l'auditoire et

40   d'endormir messieurs : plus boursouflés après que s'ils eussent composé l'*Oratio pro Murena*[4]. Moi, je dirai le fait en peu de mots. Messieurs...

DOUBLE-MAIN.   En voilà beaucoup d'inutiles, car vous n'êtes pas demandeur[5], et n'avez que la défense. Avancez,

45   docteur, et lisez la promesse.

FIGARO.   Oui, promesse !

BARTHOLO, *mettant ses lunettes.*   Elle est précise.

BRID'OISON.   I-il faut la voir.

DOUBLE-MAIN.   Silence donc, messieurs !

---

1. *pour lui-même* : il ne prend pas d'avocat pour plaider sa cause, mais se défendra lui-même, comme l'avait fait Beaumarchais dans son procès contre Goezman. Les gens de justice voyaient toujours cela d'un mauvais œil.
2. *contre le vœu de l'usage* : contre ce que veut l'usage.
3. *jurisprudence* : manière dont un tribunal a coutume d'interpréter une même question de droit, en des causes de même nature.
4. *Oratio pro Murena* : l'un des plaidoyers les plus célèbres de Cicéron.
5. *demandeur* : celui qui soumet au juge une prétention ; plus loin au féminin : *demanderesse.*

50 L'HUISSIER, *glapissant.* Silence !

BARTHOLO *lit.* « *Je soussigné reconnais avoir reçu de damoi-*
selle, etc. Marceline de Verte-Allure, dans le château d'Aguas-
Frescas, la somme de deux mille piastres[1] *fortes coordonnées,*
laquelle somme je lui rendrai à sa réquisition, dans ce
55 *château ; et je l'épouserai, par forme de reconnaissance, etc.*
Signé *Figaro,* tout court. » Mes conclusions sont au[2] paiement du billet et à l'exécution de la promesse, avec
dépens[3]. *(Il plaide.)* Messieurs... jamais cause plus intéres-
sante ne fut soumise au jugement de la cour ; et, depuis
60 Alexandre le Grand, qui promit mariage à la belle
Thalestris...

LE COMTE, *interrompant.* Avant d'aller plus loin, avocat,
convient-on de la validité du titre ?

BRID'OISON, *à Figaro.* Qu'oppo... qu'oppo-osez-vous à
65 cette lecture ?

FIGARO. Qu'il y a, messieurs, malice, erreur ou distraction dans la manière dont on a lu la pièce, car il n'est pas
dit dans l'écrit : « *laquelle somme je lui rendrai, ET je l'épou-*
serai, » mais « *laquelle somme je lui rendrai, OU je l'épouse-*
70 *rai* » ; ce qui est bien différent.

LE COMTE. Y a-t-il ET dans l'acte, ou bien OU ?

BARTHOLO. Il y a ET.

FIGARO. Il y a OU.

BRID'OISON. Dou-ouble-Main, lisez vous-même.

75 DOUBLE-MAIN, *prenant le papier.* Et c'est le plus sûr ; car
souvent les parties déguisent en lisant. *(Il lit.)* « E, e, e,
Damoiselle e, e, e, *de Verte-Allure,* e, e, e, Ha ! *laquelle*
somme je lui rendrai à sa réquisition, dans ce château... ET...
OU... ET... OU... » Le mot est si mal écrit... il y a un pâté.

80 BRID'OISON. Un pâ-âté ? je sais ce que c'est.

---

1. *piastres :* monnaie espagnole ; *coordonnées :* frappées d'un cordon sur
leur pourtour.
2. *mes conclusions sont au... :* Beaumarchais imite ici les usages syntaxiques de la langue judiciaire. On se rappellera que Bazile a demandé à
Figaro de ne pas « conclure » en défense avant son retour.
3. *dépens :* frais du procès.

BARTHOLO, *plaidant.* Je soutiens, moi, que c'est la conjonction copulative ET qui lie les membres corrélatifs de la phrase ; je payerai la demoiselle, ET je l'épouserai.

FIGARO, *plaidant.* Je soutiens, moi, que c'est la conjonc-
85 tion alternative OU qui sépare lesdits membres ; je payerai la donzelle, OU je l'épouserai. A pédant, pédant et demi. Qu'il s'avise de parler latin, j'y suis grec[1], je l'extermine.

LE COMTE. Comment juger pareille question ?

BARTHOLO. Pour la trancher, messieurs, et ne plus chica-
90 ner sur un mot, nous passons qu'il y ait OU.

FIGARO. J'en demande acte.

BARTHOLO. Et nous y adhérons. Un si mauvais refuge ne sauvera pas le coupable. Examinons le titre en ce sens. (*Il lit.*) « *Laquelle somme je lui rendrai dans ce château, où je*
95 *l'épouserai.* » C'est ainsi qu'on dirait, messieurs : « *Vous vous ferez saigner dans ce lit, où vous resterez chaudement* » ; c'est dans lequel. « *Il prendra deux gros de rhubarbe, où vous mêlerez un peu de tamarin*[2] ; dans lesquels on mêlera. Ainsi « *château où je l'épouserai* », messieurs, c'est « *châ-*
100 *teau dans lequel...* »

FIGARO. Point du tout : la phrase est dans le sens de celle-ci : « *ou la maladie vous tuera, ou ce sera le médecin* » ; ou bien *le médecin ;* c'est incontestable. Autre exemple : « *ou vous n'écrirez rien qui plaise, ou les sots vous dénigre-*
105 *ront* » ; ou bien *les sots ;* le sens est clair ; car, audit cas, *sots* ou *méchants* sont le substantif qui gouverne. Maître Bartholo croit-il donc que j'aie oublié ma syntaxe ? Ainsi, je la payerai dans ce château, *virgule, ou* je l'épouserai...

BARTHOLO, *vite.* Sans virgule.

110 FIGARO, *vite.* Elle y est. C'est, *virgule,* messieurs, ou bien je l'épouserai.

BARTHOLO, *regardant le papier, vite.* Sans virgule, messieurs.

---

1. *j'y suis grec* : je parle grec, c'est-à-dire avec une logique encore plus subtile que celle du latin.
2. *tamarin* : extrait médicinal du tamarinier, arbre d'Orient, aux vertus laxatives, comme celles de la rhubarbe.

FIGARO, *vite.* Elle y était, messieurs. D'ailleurs, l'homme
115 qui épouse est-il tenu de rembourser ?

BARTHOLO, *vite.* Oui ; nous nous marions séparés de
biens.

FIGARO, *vite.* Et nous de corps, dès que[1] mariage n'est
pas quittance[2]. (*Les juges se lèvent et opinent tout bas.*)

120 BARTHOLO. Plaisant acquittement !

DOUBLE-MAIN. Silence, messieurs !

L'HUISSIER, *glapissant.* Silence !

BARTHOLO. Un pareil fripon appelle cela payer ses
dettes !

125 FIGARO. Est-ce votre cause, avocat, que vous plaidez ?

BARTHOLO. Je défends cette demoiselle.

FIGARO. Continuez à déraisonner, mais cessez d'injurier.
Lorsque, craignant l'emportement des plaideurs, les tribunaux ont toléré qu'on appelât des tiers[3], ils n'ont pas
130 entendu que ces défenseurs modérés deviendraient impu-
nément des insolents privilégiés. C'est dégrader le plus
noble institut[4]. (*Les juges continuent d'opiner bas.*)

ANTONIO, *à Marceline, montrant les juges.* Qu'ont-ils tant
à balbucifier[5] ?

135 MARCELINE. On a corrompu le grand juge ; il corrompt
l'autre, et je perds mon procès.

BARTHOLO, *bas, d'un ton sombre.* J'en ai peur.

FIGARO, *gaiement.* Courage, Marceline !

DOUBLE-MAIN *se lève ; à Marceline.* Ah ! c'est trop fort ! je
140 vous dénonce[6] ; et, pour l'honneur du tribunal, je deman-

---

1. *dès que* : du moment que.
2. *quittance* : acquittement des dettes ; il y a un vice dans ce contrat,
puisque le mariage ne saurait valoir remboursement.
3. *tiers* : les avocats, qui sont étrangers à la cause.
4. *institut* : institution.
5. *balbucifier* : Antonio déforme « balbutier ».
6. *je vous dénonce* : je vous informe officiellement que je requiers contre
vous l'ouverture d'une procédure (pour outrage à magistrat).

de qu'avant faire droit¹ sur l'autre affaire, il soit prononcé sur celle-ci.

LE COMTE *s'assied.* Non, greffier, je ne prononcerai point sur mon injure² personnelle ; un juge espagnol n'aura 145 point à rougir d'un excès digne au plus des tribunaux asiatiques³ : c'est assez des autres abus ! J'en vais corriger un second, en vous motivant mon arrêt : tout juge qui s'y refuse est un grand ennemi des lois. Que peut requérir la demanderesse ? mariage à défaut de paiement ; les deux 150 ensemble impliqueraient⁴.

DOUBLE-MAIN. Silence, messieurs !

L'HUISSIER, *glapissant.* Silence.

LE COMTE. Que nous répond le défendeur ? qu'il veut garder sa personne ; à lui permis.

155 FIGARO, *avec joie.* J'ai gagné !

LE COMTE. Mais comme le texte dit : « *Laquelle somme je payerai à sa première réquisition, ou bien j'épouserai, etc.* », la cour condamne le défendeur à payer deux mille piastres fortes à la demanderesse, ou bien à l'épouser dans le jour. 160 *(Il se lève.)*

FIGARO, *stupéfait.* J'ai perdu.

ANTONIO, *avec joie.* Superbe arrêt !

FIGARO. En quoi superbe ?

ANTONIO. En ce que tu n'es plus mon neveu. Grand 165 merci, Monseigneur.

L'HUISSIER, *glapissant.* Passez, messieurs. *(Le peuple sort.)*

ANTONIO. Je m'en vas tout conter à ma nièce *(Il sort.)*

---

1. *avant faire droit :* avant de rendre le jugement.
2. *mon injure :* l'injure qui m'est faite.
3. *asiatiques :* Montesquieu ayant pris dans les régimes de l'Asie le modèle de son « despotisme », asiatique était devenu synonyme de despotique. On reconnaît là l'un des thèmes clés de la critique politique des Lumières contre une justice qui, au pénal, semblait n'être que le fait du prince. (On notera qu'il ne s'agit ici que de causes de droit civil... Figaro, comme son auteur, a l'exagération facile.)
4. *impliqueraient :* contradiction *(sous-entendu)* ; seraient contradictoires.

Questions

Compréhension

1. *Analysez la symétrie fonctionnelle des scènes 12 et 13 ; montrez qu'elle sert à opposer les caractères et les tactiques de Marceline et de Figaro. En quoi la fin de la scène 12 explique-t-elle l'attitude de Marceline ? Qui semble en meilleure posture à l'issue des scènes 12 et 13 ?*

2. *Montrez qu'on retrouve la même symétrie dans la scène 15.*

3. *Analysez les étapes du procès. Combien de péripéties• pouvez-vous y compter ?*

4. *Ces trois scènes sont-elles utiles au progrès de l'action ?*

5. *La sentence pouvait-elle être autre ? Pouvait-elle satisfaire un philosophe des Lumières ?*

6. *La satire de l'institution judiciaire dans ces trois scènes : de quels personnages provient-elle ? Quels aspects de la justice sont critiqués à travers chacun d'eux ? Le pouvoir judiciaire du Comte est-il illimité ? contestable ? contesté ?*

7. *La critique sociale à travers ces trois scènes : quels thèmes sont abordés ?*

8. *Recherchez les allusions que fait l'auteur à ses propres démêlés judiciaires.*

Écriture

9. *Etudiez les procédés d'écriture propres à la comédie dans les scènes 12 et 15.*

10. *Montrez qu'il y a dans la scène 15 un double souci de réalisme et de stylisation. Justifiez chacun des deux aspects.*

11. *Eût-il été possible, du point de vue des exigences propres à l'écriture théâtrale, de faire plaider par un avocat la cause de Figaro ?*

Mise en scène

12. *Quelles sont les intentions de l'auteur en mettant un aussi grand nombre de personnages sur le théâtre ?*

SCÈNE 16. Le Comte, *allant de côté et d'autre ;* Marceline, Bartholo, Figaro, Brid'oison

Marceline *s'assied.*   Ah ! je respire !

Figaro.   Et moi, j'étouffe.

Le Comte, *à part.*   Au moins je suis vengé, cela soulage.

Figaro, *à part.*   Et ce Bazile qui devait s'opposer[1] au
5   mariage de Marceline, voyez comme il revient ! – *(Au Comte qui sort.)* Monseigneur, vous nous quittez ?

Le Comte.   Tout est jugé.

Figaro, *à Brid'oison.*   C'est ce gros enflé[2] de conseiller...

Brid'oison.   Moi, gros-os enflé !

10 Figaro.   Sans doute. Et je ne l'épouserai pas : je suis gentilhomme, une fois[3]. *(Le Comte s'arrête.)*

Bartholo.   Vous l'épouserez.

Figaro.   Sans l'aveu de mes nobles parents ?

Bartholo.   Nommez-les, montrez-les.

15 Figaro.   Qu'on me donne un peu de temps : je suis bien près de les revoir ; il y a quinze ans que je les cherche.

Bartholo.   Le fat ! c'est quelque enfant trouvé !

Figaro.   Enfant perdu, docteur, ou plutôt enfant volé.

Le Comte *revient.*   *Volé, perdu,* la preuve ? Il crierait qu'on
20 lui fait injure !

Figaro.   Monseigneur, quand les langes à dentelles, tapis brodés et joyaux d'or trouvés sur moi par les brigands n'indiqueraient pas ma haute naissance, la précaution qu'on avait prise de me faire des marques distinctives
25 témoignerait assez combien j'étais un fils précieux : et cet

---

1. *s'opposer* : faire opposition, c'est-à-dire intenter un recours, faire valoir un motif de nullité du jugement. Bazile est parti en disant : « Ne conclus rien, crois-moi, que je ne sois de retour » (II, 23).
2. *ce gros enflé...* : même mot dans la bouche de Panurge dans Rabelais (*Pantagruel,* chap. 17) ; Figaro est un peu le fils de ce personnage truculent.
3. *une fois* : une fois pour toutes.

hiéroglyphe[1] à mon bras... *(Il veut se dépouiller le bras droit.)*

MARCELINE, *se levant vivement.*   Une spatule[2] à ton bras droit ?

FIGARO.   D'où savez-vous que je dois l'avoir ?

30 MARCELINE.   Dieux ! c'est lui !

FIGARO.   Oui, c'est moi.

BARTHOLO, *à Marceline.*   Et qui ? lui !

MARCELINE, *vivement.*   C'est Emmanuel[3].

BARTHOLO, *à Figaro.*   Tu fus enlevé par des bohémiens ?

35 FIGARO, *exalté.*   Tout près d'un château. Bon docteur, si vous me rendez à ma noble famille, mettez un prix à ce service ; des monceaux d'or n'arrêteront pas mes illustres parents.

BARTHOLO, *montrant Marceline.*   Voilà ta mère.

40 FIGARO.   ... Nourrice ?

BARTHOLO.   Ta propre mère.

LE COMTE.   Sa mère !

FIGARO.   Expliquez-vous.

MARCELINE, *montrant Bartholo.*   Voilà ton père.

45 FIGARO, *désolé.*   Oooh ! aïe de moi !

MARCELINE.   Est-ce que la nature ne te l'a pas dit mille fois ?

FIGARO.   Jamais.

LE COMTE, *à part.*   Sa mère !

BRID'OISON.   C'est clair, i-il ne l'épousera pas.

50 BARTHOLO.   Ni moi non plus[4].

MARCELINE.   Ni vous ! Et votre fils ? Vous m'aviez juré[5]...

---

1. *hiéroglyphe* : caractère de l'écriture égyptienne, ici signes mystérieux.
2. *spatule* : instrument de chirurgien — or, Bartholo est médecin – tatoué sur le bras de Figaro.
3. *Emmanuel* : *cf.* acte I, scène 4.
4. *de « Ni moi non plus »... jusqu'à « nous attendrons »* : passage supprimé par les Comédiens-Français lors des premières représentations. Beaumarchais le rétablit dès la première édition.
5. *vous m'aviez juré...* : on observera que tous les personnages de la pièce ou presque sont liés par des engagements ou des contrats, que chacun s'ingénie à ne point tenir.

BARTHOLO. J'étais fou. Si pareils souvenirs engageaient, on serait tenu d'épouser tout le monde.

BRID'OISON. E-et si l'on y regardait de si près, per-erson- 55 ne n'épouserait personne.

BARTHOLO. Des fautes si connues ! une jeunesse déplorable !

MARCELINE, *s'échauffant par degrés*. Oui, déplorable, et plus qu'on ne croit ! Je n'entends pas nier mes fautes ; ce 60 jour les a trop bien prouvées ! mais qu'il est dur de les expier après trente ans d'une vie modeste ! J'étais née, moi, pour être sage, et je la suis devenue sitôt qu'on m'a permis d'user de ma raison. Mais dans l'âge des illusions, de l'inexpérience et des besoins, où les séducteurs nous 65 assiègent pendant que la misère nous poignarde, que peut opposer une enfant à tant d'ennemis rassemblés ? Tel nous juge ici sévèrement, qui, peut-être, en sa vie a perdu dix infortunées !

FIGARO. Les plus coupables sont les moins généreux ; 70 c'est la règle.

MARCELINE, *vivement*. Hommes plus qu'ingrats, qui flétrissez par le mépris les jouets de vos passions, vos victimes ! c'est vous qu'il faut punir des erreurs de notre jeunesse ; vous et vos magistrats, si vains du droit de nous 75 juger, et qui nous laissent enlever, par leur coupable négligence, tout honnête moyen de subsister. Est-il un seul état pour les malheureuses filles ? Elles avaient un droit naturel à toute la parure des femmes[1] : on y laisse former mille ouvriers de l'autre sexe.

80 FIGARO, *en colère*. Ils font broder jusqu'aux soldats !

MARCELINE, *exaltée*. Dans les rangs même plus élevés, les femmes n'obtiennent de vous qu'une considération dérisoire ; leurrées de respects apparents, dans une servitude réelle ; traitées en mineures pour nos biens, punies

---

1. *la parure des femmes* : les travaux de couture ou de broderie. Ils auraient dû être réservés aux femmes dans le besoin. Or, on les confiait de plus en plus aux hommes, notamment aux soldats. C'était priver les femmes de tout moyen de subsister sans se donner à des maîtres.

85 en majeures pour nos fautes ! Ah ! sous tous les aspects, votre conduite avec nous fait horreur ou pitié !

FIGARO. Elle a raison !

LE COMTE, *à part.* Que trop raison !

BRID'OISON. Elle a, mon-on Dieu, raison.

90 MARCELINE. Mais que nous font, mon fils, les refus d'un homme injuste ? Ne regarde pas d'où tu viens, vois où tu vas : cela seul importe à chacun. Dans quelques mois ta fiancée ne dépendra plus que d'elle-même ; elle t'accepte-ra, j'en réponds. Vis entre une épouse, une mère tendre
95 qui te chériront à qui mieux mieux. Sois indulgent pour elles, heureux pour toi, mon fils ; gai, libre et bon pour tout le monde ; il ne manquera rien à ta mère.

FIGARO. Tu parles d'or, maman, et je me tiens à ton avis. Qu'on est sot, en effet ! Il y a des mille, mille ans que le
100 monde roule, et dans cet océan de durée, où j'ai par hasard attrapé quelques chétifs trente ans qui ne revien-dront plus, j'irais me tourmenter pour savoir à qui je les dois ! Tant pis pour qui s'en inquiète. Passer ainsi la vie à chamailler, c'est peser sur le collier sans relâche, comme
105 les malheureux chevaux de la remonte[1] des fleuves, qui ne reposent pas même quand ils s'arrêtent, et qui tirent tou-jours, quoiqu'ils cessent de marcher. Nous attendrons.

LE COMTE. Sot événement qui me dérange !

BRID'OISON, *à Figaro.* Et la noblesse, et le château ? Vous
110 impo-osez[2] à la justice !

FIGARO. Elle allait me faire faire une belle sottise, la jus-tice ! Après que j'ai manqué, pour ces maudits cent écus, d'assommer vingt fois monsieur, qui se trouve aujourd'hui mon père ! Mais puisque le ciel a sauvé ma vertu de ces
115 dangers, mon père, agréez mes excuses... et vous, ma mère, embrassez-moi... le plus maternellement que vous pourrez. (*Marceline lui saute au cou.*)

---

1. *la remonte* : le halage.
2. *imposer* : tromper.

SCÈNE 17. Bartholo, Figaro, Marceline, Brid'oison, Suzanne, Antonio, Le Comte

Suzanne, *accourant, une bourse à la main.* Monseigneur, arrêtez ; qu'on ne les marie pas : je viens payer madame avec la dot que ma maîtresse me donne.

Le Comte, *à part.* Au diable la maîtresse ! Il semble que
5   tout conspire... (*Il sort.*)

SCÈNE 18. Bartholo, Antonio, Suzanne, Figaro, Marceline, Brid'oison

Antonio, *voyant Figaro embrasser sa mère, dit à Suzanne.* Ah ! oui, payer ! Tiens, tiens.

Suzanne *se retourne.* J'en vois assez : sortons, mon oncle.

Figaro, *l'arrêtant.* Non, s'il vous plaît. Que vois-tu
5   donc ?

Suzanne. Ma bêtise et ta lâcheté.

Figaro. Pas plus de l'une que de l'autre.

Suzanne, *en colère.* Et que tu l'épouses à gré, puisque tu la caresses.

10 Figaro, *gaiement.* Je la caresse, mais je ne l'épouse pas. (*Suzanne veut sortir, Figaro la retient.*)

Suzanne *lui donne un soufflet.* Vous êtes bien insolent d'oser me retenir !

Figaro, *à la compagnie.* C'est-il ça de l'amour ! Avant de
15 nous quitter, je t'en supplie, envisage bien cette chère femme-là.

Suzanne. Je la regarde.

Figaro. Et tu la trouves ?...

Suzanne. Affreuse.

20 Figaro. Et vive la jalousie ! elle ne vous marchande pas.

Marceline, *les bras ouverts.* Embrasse ta mère, ma jolie Suzannette. Le méchant qui te tourmente est mon fils.

SUZANNE *court à elle.* Vous, sa mère ! *(Elles restent dans les bras l'une de l'autre.)*

25 ANTONIO. C'est donc de tout à l'heure ?

FIGARO. ... Que je le sais.

MARCELINE, *exaltée.* Non, mon cœur entraîné vers lui ne se trompait que de motif ; c'était le sang qui me parlait.

FIGARO. Et moi le bons sens[1], ma mère, qui me servait
30 d'instinct quand je vous refusais ; car j'étais loin de vous haïr, témoin l'argent...

MARCELINE *lui remet un papier.* Il est à toi : reprends ton billet, c'est ta dot.

SUZANNE *lui jette la bourse.* Prends encore celle-ci.

35 FIGARO. Grand merci.

MARCELINE, *exaltée.* Fille assez malheureuse, j'allais devenir la plus misérable des femmes, et je suis la plus fortunée des mères ! Embrassez-moi, mes deux enfants ; j'unis dans vous toutes mes tendresses. Heureuse autant
40 que je puis l'être, ah ! mes enfants, combien je vais aimer !

FIGARO, *attendri, avec vivacité.* Arrête donc, chère mère ! arrête donc ! voudrais-tu voir se fondre en eau mes yeux noyés des premières larmes que je connaisse ? Elles sont de joie, au moins. Mais quelle stupidité ! j'ai manqué d'en
45 être honteux : je les sentais couler entre mes doigts : regarde ; *(il montre ses doigts écartés)* et je les retenais bête-ment ! Va te promener, la honte ! je veux rire et pleurer en même temps ; on ne sent pas deux fois ce que j'éprouve. *(Il embrasse sa mère d'un côté, Suzanne de l'autre.)*

50 MARCELINE. O mon ami !

SUZANNE. Mon cher ami !

BRID'OISON, *s'essuyant les yeux d'un mouchoir.* Eh bien ! moi, je suis donc bê-ête aussi !

FIGARO, *exalté.* Chagrin, c'est maintenant que je puis te
55 défier ! Atteins-moi, si tu l'oses, entre ces deux femmes chéries.

---

1. *le bons sens* : le « s » final ne se prononçait pas, d'où le jeu de mot avec *sang*.

ANTONIO, à *Figaro.*   Pas tant de cajoleries, s'il vous plaît. En fait de mariage dans les familles, celui des parents va devant, savez. Les vôtres se baillent-ils la main[1] ?

60   BARTHOLO.   Ma main ! puisse-t-elle se dessécher et tomber, si jamais je la donne à la mère d'un tel drôle !

ANTONIO, à *Bartholo.*   Vous n'êtes donc qu'un père marâtre[2] ? (*À Figaro.*) En ce cas, not' galant, plus de parole.

SUZANNE.   Ah ! mon oncle...

70   ANTONIO.   Irai-je donner l'enfant de not' sœur à sti qui n'est l'enfant de personne ?

BRID'OISON.   Est-ce que cela-a se peut, imbécile ? on-on est toujours l'enfant de quelqu'un.

ANTONIO.   Tarare[3] !... Il ne l'aura jamais. (*Il sort.*)

SCÈNE 19. BARTHOLO, SUZANNE, FIGARO, MARCELINE, BRID'OISON

BARTHOLO, à *Figaro.*   Et cherche à présent qui t'adopte. (*Il veut sortir.*)

MARCELINE, *courant prendre Bartholo à bras-le-corps, le ramène.*   Arrêtez, docteur, ne sortez pas !

5   FIGARO, à *part.*   Non, tous les sots d'Andalousie sont, je crois, déchaînés contre mon pauvre mariage !

SUZANNE, à *Bartholo.*   Bon petit papa, c'est votre fils.

MARCELINE, à *Bartholo.*   De l'esprit, des talents, de la figure.

10   FIGARO, à *Bartholo.*   Et qui ne vous a pas coûté une obole.

BARTHOLO.   Et les cent écus qu'il m'a pris ?

---

1. *se baillent-ils la main* : pour se promettre le mariage.
2. *marâtre* : belle-mère ; s'emploie aussi comme adjectif au sens de « insensible ». Accordé à « père », l'adjectif est comique.
3. *tarare* : interjection familière, qui s'employait un peu comme « taratata ! » pour manifester un doute ironique. Ce mot était devenu une sorte de mot fétiche pour Beaumarchais qui en fera même le nom du héros et le titre d'un opéra, *Tarare,* représenté le 3 août 1790.

MARCELINE, *le caressant.* Nous aurons tant soin de vous, papa !

SUZANNE, *le caressant.* Nous vous aimerons tant, petit papa !

BARTHOLO, *attendri.* Papa ! bon papa ! petit papa ! Voilà que je suis plus bête encore que monsieur, moi. (*Montrant Brid'oison.*) Je me laisse aller comme un enfant. (*Marceline et Suzanne l'embrassent.*) Oh non, je n'ai pas dit oui. (*Il se retourne.*) Qu'est donc devenu Monseigneur ?

FIGARO. Courons le joindre ; arrachons-lui son dernier mot. S'il machinait quelque autre intrigue, il faudrait tout recommencer.

TOUS ENSEMBLE. Courons, courons. (*Ils entraînent Bartholo dehors.*)

SCÈNE 20. BRID'OISON, *seul*

Plus bê-ête encore que monsieur ! On peut se dire à soi-même ce-es sortes de choses-là, mais... I-ils ne sont pas polis du tout da-ans cet endroit-ci. (*Il sort.*)

Le Mariage de Figaro, acte III, scène 15.
De g. à dr. : L. Arnaud, J.-P. Moulinot, J. Deschamp, M. Coussonneau, D. Sorano.

Questions

Compréhension

1. La reconnaissance pouvait-elle se produire plus tôt, notamment avant le procès ? En quoi la réconciliation de Figaro et de Marceline est-elle nécessaire à l'intrigue ? Quelles répliques du Comte révèlent l'incidence sur l'action de cette péripétie• ?

2. La scène 18 est-elle utile au progrès de l'action ?

3. Analysez les critiques féministes de Marceline : quels en sont les thèmes ? À qui adresse-t-elle ses griefs ? En quoi Beaumarchais se montre-t-il en avance sur son temps ?

Écriture

4. Étudiez dans ces scènes les successions de répliques brèves et symétriques, où l'auteur enchaîne le dialogue sur le mot *autant* que sur la chose. Essayez d'établir entre elles une classification, en tenant compte du sens et de l'effet.

5. Relevez des exemples des tons qui se mélangent ici, et définissez-les. Analysez la façon dont Beaumarchais les combine. De quels principes se réclame-t-il en cela ?

6. Relevez d'autres exemples dans la littérature (théâtre ou roman) du procédé de « reconnaissance », y compris chez Beaumarchais. Relevez ici un passage où l'auteur parodie lui-même les conventions du procédé qu'il emploie.

7. Montrez que la scène entre Suzanne et Figaro est la variante des situations propres à la comédie classique, fréquentes chez Molière ou Marivaux.

8. Analysez comment est préparé le mot final de Brid'oison, et son effet comique.

Mise en scène

9. Pourquoi Brid'oison reste-t-il en scène durant toute la durée de l'acte ?

10. Scènes 16 et 18 : montrez depuis sa première apparition (I, 3, 4 et 5) l'évolution du personnage de Marceline, de l'emploi• de duègne• à celui de mère digne. Quelle est la difficulté pour l'actrice, et l'intérêt pour la pièce ?

11. En 1901, Petit de Julleville, dans son Théâtre en France, *écrivait* : « *Quand je vois Figaro retrouver son père dans Bartholo, sa mère dans Marceline, je suis toujours perplexe sur les intentions de Beaumarchais. A-t-il voulu nous faire rire par cette scène absolument ridicule ? Je ne le crois pas. Témoin le langage qu'il fait tenir à ses personnages dans cette reconnaissance (...). Cette scène aujourd'hui ne peut se supporter que comme une charge plaisante.* » *Par ailleurs, à la première représentation, les Comédiens-Français avaient coupé la scène 16 depuis :* « *Bartholo. – Ni moi non plus* » *jusqu'à :* « *Figaro. – ...Nous attendrons* ». *À votre avis, doit-on* « *glisser* » *sur cette scène, l'estomper, ou en faire une charge pour qu'elle soit* « *supportable* » ? *Faut-il au contraire jouer le texte, en se laissant porter par lui,* « *naturellement* », *et sans recherche particulière d'effets ?*

J.-B. Greuze (1725-1805), *Vieille femme.*

Bilan

L'action

• *Ce que nous savons*
– *Des trois enjeux initiaux, restent en suspens les deux objectifs fondamentaux, dont le mariage, désormais acquis, n'était que la condition (III, 9) : l'obtention par le Comte des faveurs de Suzanne, et par Suzanne de la dot promise par le Comte. S'y ajoute la volonté de la Comtesse de ramener son époux (II, 24). En effet, si le Comte sait que Suzanne tient toujours à sa dot, en revanche, il ne peut être certain que son secret ait été trahi, puisqu'il n'a fait que l'induire d'une réplique de Suzanne à Figaro (III, 10 et 11).*
– *Hors du théâtre, la Comtesse n'en reste pas moins dans l'action, comme le rappelle son intervention au procès par Suzanne interposée (III, 17). Chérubin ne paraît pas, mais il menace encore les projets du Comte et la dot : Pédrille, parti à sa recherche, n'est toujours pas revenu. Une réapparition du page, une nouvelle colère du Comte sont prévisibles. Beaumarchais ne traite jamais qu'un seul fil d'intrigue à la fois : l'acte est exclusivement consacré à dénouer l'intrigue secondaire née de l'opposition de Marceline.*

• *À quoi nous attendre ?*
– *La comédie ne saurait s'achever ici : la volonté du Comte n'est pas changée. Mais que peut-il encore entreprendre ? À quelles obligations doit-il satisfaire désormais ? Peut-il s'y soustraire ?*
– *Les volontés de Suzanne et de Figaro ne sont pas satisfaites. Mais à quel obstacle se trouvent-elles confrontées ? Quel moyen de la contourner ?*

Les personnages

Anciens adversaires devenus alliés, Marceline et Figaro s'enrichissent d'une sensibilité et d'un passé qui les individualisent. Marceline évolue notamment de la duègme• à la mère digne, et Figaro du valet de comédie au picaro.

L'écriture

• **Les instruments dramatiques**
– *Habileté avec laquelle Beaumarchais fait de l'implicite•* un ressort dramaturgique• et comique, dans la scène où le

Comte et Figaro essaient de se soutirer mutuellement des informations, ou dans celle où Suzanne réussit, sans jamais mentir, à leurrer le Comte.

– Beaumarchais continue d'user de cet instrument de facilité que constitue la versatilité du Comte, personnage double et « obstacle mou ». Il multiplie les péripéties• grâce à ce moyen.

– Les apartés (sc. 5) sont nombreux, mais fort brefs : tout comme le monologue (sc. 4 et 8), ils sont ici d'efficaces instruments dramatiques, surtout quand, contrairement aux conventions de la scène, ils sont « surpris ». Leur répétition et leur symétrie rythment l'échange, et l'animent d'une poésie propre à l'écriture théâtrale.

• Mélange des tons et des genres

– Tous les procédés de comédie (comique de situation, de gestes, de mots, etc.) sont utilisés dans cette caricature de procès (sc. 15), avec une remarquable virtuosité. La scène traditionnelle de reconnaissance n'est du reste pas le moindre d'entre eux !

– Ceci n'empêche nullement l'auteur de mélanger les tons et les genres et de nous faire passer de la farce à la comédie larmoyante : âme sensible, Figaro fond en larmes dans les bras de sa « maman » (sc. 18) !

Du mariage aux Noces

• Le Mariage ayant fait grand bruit en France, toute l'Europe en avait été émue. En 1786, sur l'argument de la pièce de Beaumarchais, Mozart compose son célèbre opéra : Les Noces de Figaro. À Vienne, Joseph II avait interdit la représentation de la pièce. cela explique en partie l'attitude de Da Ponte, le librettiste des Noces. À l'Empereur, qui lui rappelait son interdiction, Da Ponte répondit : « je le sais, mais ayant transformé cette comédie, j'en ai retranché des scènes entières et en ai abrégé d'autres, ayant soin de faire disparaître tout ce qui pouvait choquer les convenances et le bon goût : en un mot, j'en ai fait une œuvre digne d'un théâtre que sa Majesté honore de sa protection. »

• La scène de « God-dam » a disparu du livret : pour quelles raisons ? Est-ce à votre avis un bon choix ?

• Da Ponte a entièrement supprimé la scène du procès, le réduisant au seul prononcé de la sentence : qu'en pensez-vous ?

ACTE IV

Le théâtre représente une galerie ornée de candélabres, de lustres allumés, de fleurs, de guirlandes, en un mot, préparée pour donner une fête. Sur le devant, à droite, est une table avec une écritoire, un fauteuil derrière.

SCÈNE 1. FIGARO, SUZANNE

FIGARO, *la tenant à bras-le-corps.* Hé bien ! amour, es-tu contente[1] ? Elle a converti[2] son docteur, cette fine langue dorée de ma mère ! Malgré sa répugnance, il l'épouse, et ton bourru d'oncle est bridé ; il n'y a que Monseigneur qui
5 rage, car enfin notre hymen va devenir le prix du leur. Ris donc un peu de ce bon résultat.

SUZANNE. As-tu rien vu de plus étrange ?

FIGARO. Ou plutôt d'aussi gai. Nous ne voulions qu'une dot arrachée à l'Excellence ; en voilà deux dans nos mains,
10 qui ne sortent pas des siennes. Une rivale acharnée te poursuivait ; j'étais tourmenté par une furie ; tout cela s'est changé, pour nous, dans *la plus bonne*[3] des mères. Hier, j'étais comme seul au monde, et voilà que j'ai tous mes parents ; pas si magnifiques, il est vrai, que je me les
15 étais galonnés[4], mais assez bien pour nous, qui n'avons pas la vanité des riches.

SUZANNE. Aucune des choses que tu avais disposées, que nous attendions, mon ami, n'est pourtant arrivée !

FIGARO. Le hasard a mieux fait que nous tous, ma
20 petite : ainsi va le monde ; on travaille, on projette, on

---

1. *contente* : pleinement satisfaite ; le sens est plus fort qu'aujourd'hui. Beaumarchais souligne avec intention, juste avant de la relancer, que l'action pourrait paraître achevée.
2. *convertir* : faire changer d'avis.
3. *la plus bonne* : solécisme expressif et familier.
4. *je me les étais galonnés* : en imagination, je leur avais donné « du galon » dans la hiérarchie sociale, car l'habit des riches s'ornait de maints rubans et « galons ».

arrange d'un côté ; la fortune accomplit de l'autre : et depuis l'affamé conquérant qui voudrait avaler la terre, jusqu'au paisible aveugle qui se laisse mener par son chien, tous sont le jouet de ses caprices ; encore l'aveugle
25 au chien est-il souvent mieux conduit, moins trompé dans ses vues, que l'autre aveugle[1] avec son entourage. – Pour cet aimable aveugle qu'on nomme Amour... (*Il la reprend tendrement à bras-le-corps.*)

SUZANNE. Ah ! c'est le seul qui m'intéresse !

30 FIGARO. Permets donc que, prenant l'emploi de la Folie[2], je sois le bon chien qui le mène à ta jolie mignonne porte ; et nous voilà logés pour la vie.

SUZANNE, *riant.* L'Amour et toi ?

FIGARO. Moi et l'Amour.

35 SUZANNE. Et vous ne chercherez pas d'autre gîte ?

FIGARO. Si tu m'y prends, je veux bien que mille millions de galants...

SUZANNE. Tu vas exagérer : dis ta bonne vérité.

FIGARO. Ma vérité la plus vraie !

40 SUZANNE. Fi donc, vilain ! en a-t-on plusieurs ?

FIGARO. Oh ! que oui. Depuis qu'on a remarqué qu'avec le temps vieilles folies deviennent sagesse, et qu'anciens petits mensonges assez mal plantés ont produit de grosses, grosses vérités, on en a de mille espèces. Et celles
45 qu'on sait, sans oser les divulguer : car toute vérité n'est pas bonne à dire ; et celles qu'on vante, sans y ajouter foi : car toute vérité n'est pas bonne à croire ; et les serments passionnés, les menaces des mères, les protestations des buveurs, les promesses des gens en place, le dernier mot
50 de nos marchands, cela ne finit pas. Il n'y a que mon amour pour Suzon qui soit une vérité de bon aloi.

---

1. *l'autre aveugle* : le conquérant, à qui son entourage masque la réalité par flagornerie.
2. *l'emploi*• *de la Folie* : allusion à la fable de la Fontaine, l'Amour et la Folie (XII, 14) : la Folie jouait avec l'Amour, quand : « Une dispute vint.../ Elle lui donne un coup si furieux,/Qu'il en perd la clarté des cieux. » Le Tribunal des dieux rend son arrêt : « Le résultat enfin de la suprême cour/ Fut de condamner la Folie/ A servir de guide à l'Amour. » Cette allégorie est commune dans la littérature médiévale.

SUZANNE. J'aime ta joie, parce qu'elle est folle ; elle annonce que tu es heureux. Parlons du rendez-vous du Comte.

55 FIGARO. Ou plutôt n'en parlons jamais ; il a failli me coûter Suzanne.

SUZANNE. Tu ne veux donc plus qu'il ait lieu ?

FIGARO. Si vous m'aimez, Suzon, votre parole d'honneur sur ce point : qu'il s'y morfonde ; et c'est sa punition.

60 SUZANNE. Il m'en a plus coûté de l'accorder que je n'ai de peine à le rompre : il n'en sera plus question.

FIGARO. Ta bonne vérité ?

SUZANNE. Je ne suis pas comme vous autres savants, moi ! je n'en ai qu'une.

65 FIGARO. Et tu m'aimeras un peu ?

SUZANNE. Beaucoup.

FIGARO. Ce n'est guère.

SUZANNE. Et comment ?

FIGARO. En fait d'amour, vois-tu, trop n'est pas même 70 assez.

SUZANNE. Je n'entends pas toutes ces finesses, mais je n'aimerai que mon mari.

FIGARO. Tiens parole, et tu feras une belle exception à l'usage. *(Il veut l'embrasser.)*

SCÈNE 2. FIGARO, SUZANNE, LA COMTESSE

LA COMTESSE. Ah ! j'avais raison de le dire ; en quelque endroit qu'ils soient, croyez qu'ils sont ensemble. Allons donc, Figaro, c'est voler l'avenir, le mariage et vous-même, que d'usurper un tête-à-tête. On vous attend, on s'impa-5 tiente.

FIGARO. Il est vrai, madame, je m'oublie. Je vais leur montrer mon excuse. *(Il veut emmener Suzanne.)*

LA COMTESSE *la retient.* Elle vous suit.

SCÈNE 3. Suzanne, La Comtesse

La Comtesse.   As-tu ce qu'il nous faut pour troquer de[1] vêtement ?

Suzanne.   Il ne faut rien, madame ; le rendez-vous ne tiendra pas.

5   La Comtesse.   Ah ! vous changez d'avis ?

Suzanne.   C'est Figaro.

La Comtesse.   Vous me trompez.

Suzanne.   Bonté divine !

La Comtesse.   Figaro n'est pas homme à laisser échapper
10   une dot.

Suzanne.   Madame ! eh, que croyez-vous donc ?

La Comtesse.   Qu'enfin, d'accord avec le Comte, il vous fâche à présent de[2] m'avoir confié ses projets. Je vous sais par cœur. Laissez-moi. (*Elle veut sortir.*)

15   Suzanne *se jette à genoux.*   Au nom du ciel, espoir de tous ! Vous ne savez pas, madame, le mal que vous faites à Suzanne ! Après vos bontés continuelles et la dot que vous me donnez !...

La comtesse *la relève.*   Hé mais… je ne sais ce que je
20   dis ! En me cédant ta place au jardin, tu n'y vas pas, mon cœur ; tu tiens parole à ton mari, tu m'aides à ramener le mien.

Suzanne.   Comme vous m'avez affligée !

La Comtesse.   C'est que je ne suis qu'une étourdie. (*Elle
25   la baise au front.*) Où est ton rendez-vous ?

Suzanne *lui baise la main.*   Le mot de jardin m'a seul frappée.

La Comtesse, *montrant la table.*   Prends cette plume, et fixons un endroit.

30   Suzanne.   Lui écrire !

La Comtesse.   Il le faut.

---

1. *troquer de* : échanger.
2. *il vous fâche de* : il vous déplaît de (impersonnel).

SUZANNE. Madame ! au moins, c'est vous...

LA COMTESSE. Je mets tout sur mon compte. (*Suzanne s'assied, la Comtesse dicte.*)

35 *Chanson nouvelle, sur l'air...* « *Qu'il fera beau ce soir sous les grands marronniers... Qu'il fera beau ce soir...* »

SUZANNE *écrit.* « Sous les grands marronniers... » Après ?

LA COMTESSE. Crains-tu qu'il ne t'entende pas ?

SUZANNE *relit.* C'est juste. (*Elle plie le billet.*) Avec quoi
40 cacheter ?

LA COMTESSE. Une épingle, dépêche : elle servira de réponse. Écris sur le revers : *Renvoyez-moi le cachet.*

SUZANNE *écrit en riant.* Ah ! le cachet !... Celui-ci, madame, est plus gai que celui du brevet.

45 LA COMTESSE, *avec un souvenir douloureux.* Ah !

SUZANNE *cherche sur elle.* Je n'ai pas d'épingle, à présent !

LA COMTESSE *détache sa lévite*[1]. Prends celle-ci. (*Le ruban du page tombe de son sein à terre.*) Ah ! mon ruban !

SUZANNE *le ramasse.* C'est celui du petit voleur ! Vous
50 avez eu la cruauté ?...

LA COMTESSE. Fallait-il le laisser à son bras ? C'eût été joli ! Donnez donc !

SUZANNE. Madame ne le portera plus, taché du sang de ce jeune homme.

55 LA COMTESSE *le reprend.* Excellent pour Fanchette. Le premier bouquet qu'elle m'apportera...

---

1. *lévite* : longue robe boutonnée devant.

175

Compréhension

1. Quelle péripétie• donne son unité à ce mouvement• en trois scènes ?

2. Scène 1 : quel est le plan de la scène ? Celle-ci peut sembler n'être qu'une pause dans l'action. Pourtant, elle comporte deux éléments indispensables au déroulement de l'intrigue. (Vous découvrirez l'un dès la première réplique et l'autre dans le dernier mouvement de la scène.) De plus, cette scène sert de préparation à des événements ultérieurs : en quel sens ?

3. Scène 3 : en vous aidant des didascalies•, étudiez dans le rôle de la Comtesse la manifestation de sentiments contraires. Montrez que leur succession détermine le mouvement dramatique de la scène.

4. Pourquoi Suzanne se range-t-elle si docilement aux vues de la Comtesse ? (Quelle volonté anime la jeune fille ? et quelle fonction cette volonté remplit-elle à l'échelle de l'intrigue entière ?)

5. Des enjeux dramatiques initiaux (le mariage, la dot, le droit du seigneur, le secret), lesquels sont encore en suspens ? Comment Beaumarchais le souligne-t-il ? Montrez qu'un enjeu et une volonté supplémentaires viennent compliquer le nœud•.

6. Quel personnage se trouve marginalisé par rapport à la conduite de l'action ?

Écriture

7. Scène 1 : à quels procédés Beaumarchais a-t-il recours pour nous informer, dans la première réplique, d'un élément important de l'action ? Pourquoi s'y prend-il ainsi ?

8. Comment, et dans quel but, l'auteur indique-t-il les ressemblances et les différences entre Figaro et Suzanne ?

9. Quoi de plus difficile à écrire qu'une scène d'amour heureux ! Essayez vous-même, et, après avoir improvisé un bref canevas et quelques répliques, comparez avec le texte de Beaumarchais : quelle est son habileté ?

10. *Certains propos ou certains détails, dans les scènes 1 et 3, soulignent l'importance de l'argent, mais aussi du hasard, et de la comédie sociale des apparences. Relevez-les. Figaro est-il cupide ? L'argent n'est-il ici qu'un enjeu commode pour la conduite de l'intrigue ? Il vous sera plus facile de répondre si vous recherchez à quels types• de personnages de théâtre, mais aussi de roman, l'écriture fait ici appel.*

11. *En quoi consiste le stratagème utilisé par les deux femmes ? À quel moment le même procédé a-t-il déjà été utilisé ? Que pouvez-vous en conclure quant à la fonction du langage au théâtre ?*

12. *« ...Eh ! que croyez-vous donc ?/ – Qu'enfin, d'accord avec le Comte, il vous fâche à présent de m'avoir confié ses projets. » Comparez l'enchaînement syntaxique de ces répliques avec Molière, Dom Juan, III, 1 : « Sganarelle. – Qu'est-ce donc que vous croyez ?/ Don Juan. – Ce que je crois ?/ – Oui./ – Je crois que deux et deux sont quatre, Sganarelle, et que quatre et quatre sont huit. » Quel procédé utilise Beaumarchais ? Cherchez d'autres exemples du même ordre, au premier acte dans les scènes 3, (l. 6, 7), 4 (l. 22-28) et 10 (l. 9, 10) ; ou bien encore à l'acte III, sc. 18 (l. 19-20). Essayez de définir et de classer les procédés d'enchaînement observés : quel est leur intérêt ?*

13. *Analysez le rôle dramaturgique• et la valeur symbolique des objets, dans la scène 3.*

Mise en scène

14. *Quelle différence présente le décor par rapport à celui des actes précédents et du dernier ? Que symbolise-t-il ? Parmi les accessoires mentionnés, quelle est la raison d'être des candélabres et de l'écritoire ?*

15. *Vous paraît-il étonnant que de grandes tragédiennes, telle Silvia Monfort, aient pu passer du rôle de Phèdre à celui de la Comtesse (cf. note 2, p. 45) ? Celle-ci déclarait : « J'ai eu beaucoup de plaisir à jouer la Comtesse. Parce que personne dans l'intelligentzia ne me croyait capable de quitter drame et tragédie, et que Jean Vilar leur semblait avoir commis une grave erreur de distribution. J'ai fait rire et sourire, obtenu la meilleure critique de ma vie (y compris les éloges de François Mauriac !) et connu un infini plaisir chaque soir. ».*

SCÈNE 4. UNE JEUNE BERGÈRE, CHÉRUBIN *en fille,* FANCHETTE *et beaucoup de jeunes filles habillées comme elle, et tenant des bouquets,* LA COMTESSE, SUZANNE

FANCHETTE.   Madame, ce sont les filles du bourg qui viennent vous présenter des fleurs.

LA COMTESSE, *serrant vite son ruban.*   Elles sont charmantes. Je me reproche, mes belles petites, de ne pas vous
5   connaître toutes. *(Montrant Chérubin.)* Quelle est cette aimable enfant qui a l'air si modeste ?

UNE BERGÈRE.   C'est une cousine à moi, madame, qui n'est ici que pour la noce.

LA COMTESSE.   Elle est jolie. Ne pouvant porter vingt
10   bouquets, faisons honneur à l'étrangère. *(Elle prend le bouquet de Chérubin, et le baise au front.)* Elle en rougit ! *(À Suzanne.)* Ne trouves-tu pas, Suzon... qu'elle ressemble à quelqu'un ?

SUZANNE.   À s'y méprendre, en vérité.

15   CHÉRUBIN, *à part, les mains sur son cœur.*   Ah ! ce baiser-là m'a été bien loin !

SCÈNE 5. LES JEUNES FILLES, CHÉRUBIN *au milieu d'elles,* FANCHETTE, ANTONIO, LE COMTE, LA COMTESSE, SUZANNE

ANTONIO.   Moi je vous dis, Monseigneur, qu'il y est ; elles l'ont habillé chez ma fille ; toutes ses hardes y sont encore, et voilà son chapeau d'ordonnance que j'ai retiré du paquet. *(Il s'avance et regardant toutes les filles, il recon-*
5   *naît Chérubin, lui enlève son bonnet de femme, ce qui fait retomber ses longs cheveux en cadenette[1]. Il lui met sur la tête le chapeau d'ordonnance et dit :)* Eh parguenne[2], v'là notre officier !

---

1. *cadenette :* tresse de cheveux, fort longue, que portaient certains soldats, depuis le temps de Louis XIII.
2. *parguenne :* par Dieu, en patois de comédie.

LA COMTESSE *recule.*   Ah ciel !

10 SUZANNE.   Ce friponneau !

ANTONIO.   Quand je disais là-haut que c'était lui !...

LE COMTE, *en colère.*   Hé bien, madame ?

LA COMTESSE.   Hé bien, monsieur ! vous me voyez plus surprise que vous et, pour le moins, aussi fâchée.

15 LE COMTE.   Oui ; mais tantôt, ce matin ?

LA COMTESSE.   Je serais coupable, en effet, si je dissimulais encore. Il était descendu chez moi. Nous entamions le badinage que ces enfants viennent d'achever ; vous nous avez surprises l'habillant : votre premier mouvement est si
20 vif ! il s'est sauvé, je me suis troublée ; l'effroi général a fait le reste.

LE COMTE, *avec dépit, à Chérubin.*   Pourquoi n'êtes-vous pas parti ?

CHÉRUBIN, *ôtant son chapeau brusquement.*   Monseigneur...

25 LE COMTE.   Je punirai ta désobéissance.

FANCHETTE, *étourdiment.*   Ah, Monseigneur, entendez-moi[1] ! Toutes les fois que vous venez m'embrasser, vous savez bien que vous dites toujours : *Si tu veux m'aimer, petite Fanchette, je te donnerai ce que tu voudras.*

30 LE COMTE, *rougissant.*   Moi ! j'ai dit cela ?

FANCHETTE.   Oui, Monseigneur. Au lieu de punir Chérubin, donnez-le-moi en mariage, et je vous aimerai à la folie.

LE COMTE, *à part.*   Être ensorcelé par un page !

35 LA COMTESSE.   Hé bien, monsieur, à votre tour ! L'aveu de cette enfant aussi naïf que le mien atteste enfin deux vérités : que c'est toujours sans le vouloir si je vous cause des inquiétudes, pendant que vous épuisez tout pour augmenter et justifier les miennes.

---

1. *entendez-moi* : exaucez-moi.

40 Antonio.   Vous aussi, Monseigneur ? Dame ! je vous la redresserai[1] comme feu sa mère, qui est morte... Ce n'est pas pour la conséquence ; mais c'est que madame sait bien que les petites filles, quand elles sont grandes...

Le Comte, *déconcerté, à part.*   Il y a un mauvais génie qui 45 tourne tout ici contre moi !

SCÈNE 6. Les jeunes filles, Chérubin, Antonio, Figaro, Le Comte, La Comtesse, Suzanne

Figaro.   Monseigneur, si vous retenez nos filles, on ne pourra commencer ni la fête, ni la danse.

Le Comte.   Vous, danser ! vous n'y pensez pas. Après votre chute de ce matin, qui vous a foulé le pied droit !

5 Figaro, *remuant la jambe.*   Je souffre encore un peu ; ce n'est rien. *(Aux jeunes filles.)* Allons, mes belles, allons !

Le Comte *le retourne.*   Vous avez été fort heureux que ces couches ne fussent que du terreau bien doux !

Figaro.   Très heureux, sans doute ; autrement...

10 Antonio *le retourne.*   Puis il s'est pelotonné en tombant jusqu'en bas.

Figaro.   Un plus adroit, n'est-ce pas, serait resté en l'air ? *(Aux jeunes filles.)* Venez-vous, mesdemoiselles ?

Antonio *le retourne.*   Et, pendant ce temps, le petit page 15 galopait sur son cheval à Séville ?

Figaro.   Galopait, ou marchait au pas...

Le Comte *le retourne.*   Et vous aviez son brevet dans la poche ?

Figaro, *un peu étonné.* Assurément ; mais quelle 20 enquête ? *(Aux jeunes filles.)* Allons donc, jeunes filles !

Antonio, *attirant Chérubin par le bras.*   En voici une qui prétend que mon neveu futur n'est qu'un menteur.

---

1. *je vous la redresserai* : « la » se réfère à Fanchette, que son père veut corriger de l'envie de séduire tous les hommes qui passent à sa portée. Sa balourdise éclate encore dans la comparaison qu'il fait avec sa femme : c'est suggérer qu'elle le trompait. L'a-t-il donc tuée, pour la « redresser » ?

FIGARO, *surpris.*   Chérubin !... (*À part.*) Peste du petit fat !

ANTONIO.   Y es-tu maintenant ?

25   FIGARO, *cherchant.*   J'y suis... j'y suis ... Hé ! qu'est-ce qu'il chante ?

LE COMTE, *sèchement.*   Il ne chante pas ; il dit que c'est lui qui a sauté sur les giroflées.

FIGARO, *rêvant.*   Ah ! s'il le dit... cela se peut. Je ne dispu-
30   te pas de ce que j'ignore.

LE COMTE.   Ainsi vous et lui ?

FIGARO.   Pourquoi non ? la rage de sauter peut gagner : voyez les moutons de Panurge[1] ; et quand vous êtes en colère, il n'y a personne qui n'aime mieux risquer...

35   LE COMTE.   Comment, deux à la fois !...

FIGARO.   On aurait sauté deux douzaines. Et qu'est-ce que cela fait, Monseigneur, dès qu'il n'y a personne de blessé ? (*Aux jeunes filles.*) Ah ça, voulez-vous venir, ou non ?

40   LE COMTE, *outré.*   Jouons-nous une comédie ? (*On entend un prélude de fanfare.*)

FIGARO.   Voilà le signal de la marche. À vos postes, les belles, à vos postes. Allons, Suzanne, donne-moi le bras. (*Tous s'enfuient ; Chérubin reste seul, la tête baissée.*)

SCÈNE 7. CHÉRUBIN, LE COMTE, LA COMTESSE

LE COMTE, *regardant aller Figaro.*   En voit-on de plus audacieux ? (*Au page.*) Pour vous, monsieur le sournois, qui faites le honteux, allez vous rhabiller bien vite, et que je ne vous rencontre nulle part de la soirée.

5   LA COMTESSE.   Il va bien s'ennuyer.

CHÉRUBIN, *étourdiment.*   M'ennuyer ! j'emporte à mon front du bonheur pour plus de cent années de prison. (*Il met son chapeau et s'enfuit.*)

---

1. *les moutons de Panurge* : Rabelais, *Quart Livre,* chap. 8.

SCÈNE 8. LE COMTE, LA COMTESSE (*La Comtesse s'évente fortement sans parler.*)

LE COMTE.   Qu'a-t-il au front de si heureux ?

LA COMTESSE, *avec embarras.*   Son... premier chapeau d'officier, sans doute ; aux enfants tout sert de hochet. (*Elle veut sortir.*)

5   LE COMTE.   Vous ne nous restez pas, Comtesse ?

LA COMTESSE.   Vous savez que je ne me porte pas bien[1].

LE COMTE.   Un instant pour votre protégée, ou je vous croirais en colère.

LA COMTESSE.   Voici les deux noces, asseyons-nous donc
10   pour les recevoir.

LE COMTE, *à part.*   La noce ! Il faut souffrir ce qu'on ne peut empêcher. (*Le Comte et la Comtesse s'asseyent vers un des côtés de la galerie.*)

J.-A. Portail, jeune femme et jeune homme.

---

1. *je ne me porte pas bien* : à l'acte II, scène 12, la Comtesse s'était prétendue « incommodée ». Ce rappel est destiné à lui permettre de s'esquiver,
afin de pouvoir échanger ses habits avec Suzanne !

Compréhension

1. *Le retour de Chérubin : depuis quand ne l'avait-on pas vu ? Où le croyait-on ? Quelle est l'utilité dramatique• de son éclipse, puis de sa réapparition ? Quelle en est la vraisemblance ?*

2. *Le baiser de la scène 4 sera le seul qu'échangeront la Comtesse et Chérubin. Qu'est-ce qui le rend ici possible ?*

3. *Scène 5 : Fanchette à présent veut aussi se marier ! De combien de mariages est-il question au total dans cette comédie ? Qu'ont-ils de commun ?*

Écriture

4. *Dans les scènes 4 à 8, montrez que la réapparition de Chérubin donne son unité à ce mouvement : elle provoque en effet trois péripéties-éclairs•. Identifiez les répliques où la situation se renverse, puis se rétablit. Analysez les obstacles qui surgissent, la façon dont ils sont levés, et la nature des effets ainsi produits.*

5. *Comparez la situation qui s'établit entre les personnages au cours de ces cinq scènes avec celles qui ont produit le mouvement dramatique à l'acte I, sc. 7 à 9, et à l'acte II, sc. 4 à 19, puis 20 à 21. Quelles conclusions pouvez-vous en tirer quant à l'écriture théâtrale de Beaumarchais ?*

6. *« Le Comte, outré. – Jouons-nous une comédie ? » : comparez cette réflexion à celles que l'on trouve à l'acte II, sc. 19 (première réplique), et à l'acte IV, sc. 5 (dernière réplique). Quel point commun présentent ces réflexions ? Quels sont les éléments de la situation qui les provoquent ? Montrez qu'elles sont révélatrices d'un aspect important de la dramaturgie de Beaumarchais.*

Mise en scène

7. *Fanchette : montrez que les scènes 1 et 5 justifient son emploi• d'ingénue perverse. « Incapable de soupçonner le vice, Fanchette est toujours prête à céder à ses séductions. Elle est assez proche des héroïnes de Sade. Pensons à Justine, héroïne des Infortunes de la vertu. » Partagez-vous ce jugement d'un metteur en scène contemporain ?*

SCÈNE 9. LE COMTE, LA COMTESSE, *assis ; l'on joue les Folies d'Espagne d'un mouvement de marche (symphonie notée)*

MARCHE

LES GARDE-CHASSE, *fusil sur l'épaule.*

L'ALGUAZIL[1]. LES PRUD'HOMMES[2]. BRID'OISON.

LES PAYSANS ET PAYSANNES, *en habits de fête.*

5 DEUX JEUNES FILLES, *portant la toque virginale à plumes blanches.*

DEUX AUTRES, *le voile blanc.*

DEUX AUTRES, *les gants et le bouquet de côté.*

ANTONIO *donne la main à* SUZANNE, *comme étant celui qui la*
10 *marie à* FIGARO.

D'AUTRES JEUNES FILLES *portent une autre toque, un autre voile, un autre bouquet blanc, semblables aux premiers, pour* MARCELINE.

FIGARO *donne la main à* MARCELINE, *comme celui qui doit la*
15 *remettre au* DOCTEUR, *lequel ferme la marche, un gros bouquet au côté. Les jeunes filles, en passant devant le Comte, remettent à ses valets tous les ajustements destinés à* SUZANNE *et à* MARCELINE.

LES PAYSANS ET PAYSANNES *s'étant rangés sur deux colonnes à*
20 *chaque côté du salon, on danse une reprise du fandango[3] (air noté) avec des castagnettes : puis on joue la ritournelle du duo, pendant laquelle* ANTONIO *conduit* SUZANNE *au* COMTE ; *elle se met à genoux devant lui.*

Pendant que le COMTE *lui pose la toque, le voile, et lui donne*
25 *le bouquet, deux jeunes filles chantent le duo suivant (Air noté) :*

Jeune épouse, chantez les bienfaits et la gloire

D'un maître qui renonce aux droits qu'il eut sur vous :

---

1. *alguazil* : officier de justice en Espagne.
2. *prud'hommes* : conseillers auprès du tribunal.
3. *fandango* : danse espagnole fort allègre et rythmée au son des castagnettes.

Préférant au plaisir la plus noble victoire,
30   Il vous rend chaste et pure aux mains de votre époux.

SUZANNE *est à genoux, et, pendant les derniers vers du duo, elle tire le* COMTE *par son manteau et lui montre le billet qu'elle tient ; puis elle porte la main qu'elle a du côté des spectateurs à sa tête, où le* COMTE *a l'air d'ajuster sa toque ; elle*
35 *lui donne le billet.*

LE COMTE *le met furtivement dans son sein ; on achève de chanter le duo : la fiancée se relève, et lui fait une grande révérence.*

FIGARO *vient la recevoir des mains du* COMTE, *et se retire avec*
40 *elle à l'autre côté du salon, près de* MARCELINE. (*On danse une autre reprise du fandango pendant ce temps.*)

LE COMTE, *pressé de lire ce qu'il a reçu, s'avance au bord du théâtre et tire le papier de son sein ; mais en le sortant il fait le geste d'un homme qui s'est cruellement piqué le doigt ; il le*
45 *secoue, le presse, le suce, et, regardant le papier cacheté d'une épingle, il dit :*

LE COMTE. (*Pendant qu'il parle, ainsi que Figaro, l'orchestre joue pianissimo.*)   Diantre soit des femmes, qui fourrent des épingles partout ! (*Il la jette à terre, puis il lit le billet et*
50 *le baise.*)

FIGARO, *qui a tout vu, dit à sa mère et à Suzanne :*   C'est un billet doux, qu'une fillette aura glissé dans sa main en passant. Il était cacheté d'une épingle, qui l'a outrageusement piqué.

55 *La danse reprend : le Comte qui a lu le billet le retourne ; il y voit l'invitation de renvoyer le cachet pour réponse. Il cherche à terre, et retrouve enfin l'épingle qu'il attache à sa manche.*

FIGARO, *à Suzanne et à Marceline.*   D'un objet aimé tout est cher. Le voilà qui ramasse l'épingle. Ah ! c'est une
60 drôle de tête !

(*Pendant ce temps, Suzanne a des signes d'intelligence avec la Comtesse. La danse finit ; la ritournelle du duo recommence.*)

FIGARO *conduit Marceline au Comte, ainsi qu'on a conduit Suzanne ; à l'instant où le Comte prend la toque, et où l'on va*
65 *chanter le duo, on est interrompu par les cris suivants :*

L'HUISSIER, *criant à la porte.*   Arrêtez donc, messieurs !

vous ne pouvez entrer tous... Ici les gardes ! les gardes *(Les gardes vont vite à cette porte.)*

LE COMTE, *se levant.*   Qu'est-ce qu'il y a ?

70   L'HUISSIER.   Monseigneur, c'est monsieur Bazile entouré d'un village entièr, parce qu'il chante en marchant.

LE COMTE.   Qu'il entre seul.

LA COMTESSE.   Ordonnez-moi de me retirer.

LE COMTE.   Je n'oublie pas votre complaisance.

75   LA COMTESSE.   Suzanne !... Elle reviendra. *(À part, à Suzanne.)* Allons changer d'habits. *(Elle sort avec Suzanne.)*

MARCELINE.   Il n'arrive jamais que pour nuire.

FIGARO.   Ah ! je m'en vais vous le faire déchanter[1].

Le Mariage de Figaro, acte IV, dessin de Saint-Quentin, gravure de Malapeau.

---

1. *vous le faire déchanter :* vous, pronom d'intérêt indirect ; déchanter : jeu de mots : Bazile est maître de chant... !

Compréhension

1. Montrez l'importance de cette scène dans l'intrigue.

2. Analysez la situation dans laquelle se trouve Figaro.

3. Quelle est la vraisemblance du retour de Bazile ? Que pourrait-il faire craindre ?

4. « Suzanne ?... Elle reviendra... » : Analysez la sortie de la Comtesse. A qui s'adresse-t-elle successivement ? Pour quelle raison, et sous quel prétexte sort-elle ? Expliquez la nécessité de cette sortie.

Écriture

5. Analysez les diverses sources du comique dans cette scène.

6. Quelles sont les particularités de cette scène, du point de vue de l'écriture dramatique ? Comparez-la aux autres de même type que l'on peut trouver dans l'ensemble de la pièce.

Mise en scène

7. Analysez notamment le rôle de la musique, des figurants et des accessoires.

SCÈNE 10. Tous les acteurs précédents, *excepté la Comtesse et Suzanne ;* Bazile *tenant sa guitare ;* Gripe-Soleil

Bazile *entre en chantant sur l'air du vaudeville[1] de la fin (Air noté)*

Cœurs sensibles, cœurs fidèles,

Qui blâmez l'amour léger,

Cessez vos plaintes cruelles :

Est-ce un crime de changer ?

Si l'Amour porte des ailes,

N'est-ce pas pour voltiger ?

N'est-ce pas pour voltiger ?

N'est-ce pas pour voltiger ?

   5

  10

Figaro *s'avance à lui.* Oui, c'est pour cela justement qu'il a des ailes au dos. Notre ami, qu'entendez-vous par cette musique ?

Bazile, *montrant Gripe-Soleil.* Qu'après avoir prouvé mon obéissance à Monseigneur en amusant monsieur, qui est de sa compagnie, je pourrai à mon tour réclamer sa justice.

Gripe-Soleil. Bah ! Monsigneu, il ne m'a pas amusé du tout : avec leux[2] guenilles d'ariettes[3]...

Le Comte. Enfin que demandez-vous, Bazile ?

Bazile. Ce qui m'appartient, Monseigneur, la main de Marceline ; et je viens m'opposer...

Figaro *s'approche.* Y a-t-il longtemps que monsieur n'a vu la figure d'un fou ?

Bazile. Monsieur, en ce moment même.

---

1. *vaudeville :* suite de couplets chantés sur un air connu. Ces parties chantées, toujours fort légères de ton, étaient intercalées dans certaines comédies ; elles finirent par donner leur nom à un genre théâtral.
2. *leux :* leurs (dialectal).
3. *guenilles d'ariettes :* les ariettes, airs vifs et légers, arrivaient d'Italie, et se trouvaient fort à la mode. Gripe-Soleil méprise cette nouveauté.

FIGARO.   Puisque mes yeux vous servent si bien de miroir, étudiez-y l'effet de ma prédiction. Si vous faites mine seulement d'approximer[1] madame...

BARTHOLO, *en riant.*   Eh pourquoi ? Laisse-le parler.

30   BRID'OISON *s'avance entre deux.*   Fau-aut-il que deux amis ?...

FIGARO.   Nous, amis !

BAZILE.   Quelle erreur !

FIGARO, *vite.*   Parce qu'il fait de plats airs de chapelle ?

35   BAZILE, *vite.*   Et lui, des vers comme un journal ?

FIGARO, *vite.*   Un musicien de guinguette !

BAZILE, *vite.*   Un postillon de gazette[2] !

FIGARO, *vite.*   Cuistre d'oratorio !

BAZILE, *vite.*   Jockey[3] diplomatique[4] !

40   LE COMTE, *assis.*   Insolents tous les deux !

BAZILE.   Il me manque[5] en toute occasion.

FIGARO.   C'est bien dit, si cela se pouvait !

BAZILE.   Disant partout que je ne suis qu'un sot.

FIGARO.   Vous me prenez donc pour un écho ?

45   BAZILE.   Tandis qu'il n'est pas un chanteur que mon talent n'ait fait briller.

FIGARO.   Brailler.

---

1. *approximer* : approcher ; néologisme forgé par Beaumarchais. Les « classiques » d'alors (Fréron, La Harpe...), qui reprochaient aux partisans du drame• et de la comédie larmoyante• la moindre de leurs nouveautés, se déchaînèrent contre ce « barbarisme » !
2. *postillon de gazette* : double allusion méprisante aux activités passées de Figaro dans le journalisme, et aux fonctions de courrier de dépêches auxquelles le Comte le destine.
3. *jockey* : emprunt tout récent à l'anglais, qui désignait le postillon, c'est-à-dire celui qui montait l'un des chevaux d'un attelage, pour en forcer l'allure.
4. *diplomatique* : encore un mot nouveau, du moins dans ce sens, qui fait allusion à la mission future de Figaro, porter les plis des diplomates. Bazile est bien placé pour savoir quelles intentions du Comte se cachent sous cette « promotion », qui redevient d'actualité, en même temps que le mariage.
5. *manquer* : de respect.

BAZILE.   Il le répète !

FIGARO.   Et pourquoi non, si cela est vrai ? Es-tu un
50 prince, pour qu'on te flagorne ? Souffre la vérité, coquin,
puisque tu n'as pas de quoi gratifier un menteur : ou si tu
la crains de notre part, pourquoi viens-tu troubler nos
noces ?

BAZILE, *à Marceline.*   M'avez-vous promis, oui ou non, si,
55 dans quatre ans, vous n'étiez pas pourvue, de me donner
la préférence ?

MARCELINE.   À quelle condition l'ai-je promis ?

BAZILE.   Que si vous retrouviez un certain fils perdu, je
l'adopterais par complaisance.

60 TOUS ENSEMBLE.   Il est trouvé.

BAZILE.   Qu'à cela ne tienne !

TOUS ENSEMBLE, *montrant Figaro.*   Et le voici.

BAZILE, *reculant de frayeur.*   J'ai vu le diable !

BRID'OISON, *à Bazile.*   Et vou-ous renoncez à sa chère
65 mère ?

BAZILE.   Qu'y aurait-il de plus fâcheux que d'être cru le
père d'un garnement ?

FIGARO.   D'en être cru le fils ; tu te moques de moi !

BAZILE, *montrant Figaro.*   Dès que monsieur est de
70 quelque chose[1] ici, je déclare, moi, que je n'y suis plus de
rien. *(Il sort.)*

SCÈNE 11. Les acteurs précédents, *excepté* Bazile

BARTHOLO, *riant.*   Ah ! ah ! ah ! ah !

FIGARO, *sautant de joie.*   Donc à la fin j'aurai ma femme !

LE COMTE, *à part.*   Moi, ma maîtresse ! *(Il se lève.)*

BRID'OISON, *à Marceline.*   Et tou-out le monde est satisfait.

5 LE COMTE.   Qu'on dresse les deux contrats ; j'y signerai.

---

1. *est de quelque chose* : se mêle de quelque chose.

Tous ensemble. Vivat ! *(Ils sortent.)*

Le Comte. J'ai besoin d'une heure de retraite. *(Il veut sortir avec les autres.)*

SCÈNE 12. Gripe-Soleil, Figaro, Marceline, Le Comte

Gripe-Soleil, *à Figaro.* Et moi, je vais aider à ranger le feu d'artifice sous les grands marronniers, comme on l'a dit.

5 Le Comte *revient en courant.* Quel sot a donné un tel ordre ?

Figaro. Où est le mal ?

Le Comte, *vivement.* Et la Comtesse qui est incommodée, d'où le verra-t-elle, l'artifice ? C'est sur la terrasse qu'il le faut, vis-à-vis son appartement.

10 Figaro. Tu l'entends, Gripe-Soleil ? la terrasse.

Le Comte. Sous les grands marronniers ! belle idée ! *(En s'en allant, à part.)* Ils allaient incendier mon rendez-vous !

Fragonard (sépia), musée de Lille.

Questions

Compréhension

1. Montrez que ces scènes constituent un mouvement•
unique. (Vous pouvez relever deux répliques, dans les sc. 8 et
11, qui indiquent un changement dans la volonté du Comte.)
Expliquez les raisons de cette nouvelle péripétie•, et son utilité pour l'intrigue.

2. A l'intérieur de ce mouvement se produit une seconde
péripétie. Laquelle ?

3. A quoi sert la réapparition de Bazile dans les circonstances présentes ?

4. Analysez le rôle de Bazile depuis le début de la pièce,
jusqu'au vaudeville final : montrez qu'il ne constitue qu'un
faux obstacle, et expliquez comment Beaumarchais l'a en
quelque sorte neutralisé. Quelle est donc la fonction véritable
de ce personnage dans la pièce ? (Vous pourriez, par
exemple, vous demander pourquoi, de tous les adversaires de
Figaro, il est celui qui lui témoigne le plus d'hostilité.)

Écriture

5. Analysez les divers procédés comiques de la scène 10.

6. La joute verbale entre Bazile et Figaro : étudiez la technique de l'enchaînement des répliques, et les effets produits,
depuis « Nous, amis ! » jusqu'à « Il le répète ». Quels sont
ici le rôle et la valeur des mots ? Pourriez-vous citer d'autres
exemples, dans la pièce, et chez d'autres auteurs, d'une semblable utilisation du langage ?

7. Commentez les dernières répliques des scènes 9, 11 et
12 :

a) scène 9 : quel est l'effet recherché ? Cherchez dans le
Mariage d'autres fins de scène semblables.

b) scène 11 : raisons et valeur de cet aparté du Comte.

c) scène 12 : quels enjeux dramatiques restent en suspens ?

SCÈNE 13. FIGARO, MARCELINE

FIGARO.   Quel excès d'attention pour sa femme ! (*Il veut sortir.*)

MARCELINE *l'arrête*.   Deux mots, mon fils. Je veux m'acquitter avec toi : un sentiment mal dirigé m'avait ren-
5   due injuste envers ta charmante femme ; je le supposais d'accord avec le Comte, quoique j'eusse appris de Bazile qu'elle l'avait toujours rebuté.

FIGARO.   Vous connaissiez mal votre fils de le croire ébranlé par ces impulsions féminines[1]. Je puis défier la
10   plus rusée de m'en faire accroire.

MARCELINE.   Il est toujours heureux de le penser, mon fils ; la jalousie...

FIGARO.   ... N'est qu'un sot enfant de l'orgueil, ou c'est la maladie d'un fou. Oh ! j'ai là-dessus, ma mère, une philo-
15   sophie... imperturbable ; et si Suzanne doit me tromper un jour, je le lui pardonne d'avance ; elle aura longtemps travaillé... (*Il se retourne et aperçoit Fanchette qui cherche de côté et d'autre.*)

SCÈNE 14. FIGARO, FANCHETTE, MARCELINE

FIGARO.   Eeeh !... ma petite cousine qui nous écoute !

FANCHETTE.   Oh ! pour ça non : on dit que c'est malhonnête.

FIGARO.   Il est vrai ; mais comme cela est utile, on fait
5   aller souvent l'un pour l'autre.

FANCHETTE.   Je regardais si quelqu'un était là.

FIGARO.   Déjà dissimulée, friponne ! vous savez bien qu'il n'y peut être.

FANCHETTE.   Et qui donc ?

---

1. *ces impulsions féminines* : la jalousie éprouvée sans réel sujet. « Ces » renvoie à l'expression « sentiment mal dirigé », employée par Marceline.

10 FIGARO.   Chérubin.

FANCHETTE.   Ce n'est pas lui que je cherche, car je sais fort bien où il est ; c'est ma cousine Suzanne.

FIGARO.   Et que lui veut ma petite cousine ?

FANCHETTE.   À vous, petit cousin, je le dirai. – C'est... ce
15 n'est qu'une épingle que je veux lui remettre.

FIGARO, *vivement*.   Une épingle ! une épingle !... Et de quelle part, coquine ? À votre âge, vous faites déjà un mét... (*Il se reprend et dit d'un ton doux.*) Vous faites déjà très bien tout ce que vous entreprenez, Fanchette ; et ma
20 jolie cousine est si obligeante...

FANCHETTE.   À qui donc en a-t-il de se fâcher ? Je m'en vais.

FIGARO, *l'arrêtant*.   Non, non, je badine. Tiens, ta petite épingle est celle que Monseigneur t'a dit de remettre à
25 Suzanne, et qui servait à cacheter un petit papier qu'il tenait : tu vois que je suis au fait.

FANCHETTE.   Pourquoi donc le demander, quand vous le savez si bien ?

FIGARO, *cherchant*.   C'est qu'il est assez gai de savoir com-
30 ment Monseigneur s'y est pris pour t'en donner la commission.

FANCHETTE, *naïvement*.   Pas autrement que vous le dites : *Tiens, petite Fanchette, rends cette épingle à ta belle cousine, et dis-lui seulement que c'est le cachet des grands marronniers.*

35 FIGARO.   Des grands ?...

FANCHETTE.   *Marronniers.* Il est vrai qu'il a ajouté : *Prends garde que personne ne te voie.*

FIGARO.   Il faut obéir, ma cousine : heureusement per-sonne ne vous a vue. Faites donc joliment votre commis-
40 sion, et n'en dites pas plus à Suzanne que Monseigneur n'a ordonné.

FANCHETTE.   Et pourquoi lui en dirais-je ? Il me prend pour une enfant, mon cousin. (*Elle sort en sautant.*)

SCÈNE 15. FIGARO, MARCELINE

FIGARO.   Hé bien, ma mère ?

MARCELINE.   Hé bien, mon fils ?

FIGARO, *comme étouffé*.   Pour celui-ci[1] !... Il y a réellement des choses !...

5   MARCELINE.   Il y a des choses ! Hé, qu'est-ce qu'il y a ?

FIGARO, *les mains sur sa poitrine*.   Ce que je viens d'entendre, ma mère, je l'ai là comme un plomb.

MARCELINE, *riant*.   Ce cœur plein d'assurance n'était donc qu'un ballon gonflé ? une épingle a tout fait partir !

10   FIGARO, *furieux*.   Mais cette épingle, ma mère, est celle qu'il a ramassée !

MARCELINE, *rappelant ce qu'il a dit*.   La jalousie ! oh ! j'ai là-dessus, ma mère, une philosophie... imperturbable ; et si Suzanne m'attrape un jour, je le lui pardonne...

15   FIGARO, *vivement*.   Oh, ma mère ! on parle comme on sent : mettez le plus glacé des juges à plaider dans sa propre cause, et voyez-le expliquer la loi ! – Je ne m'étonne plus s'il avait tant d'humeur sur ce feu[2] ! – Pour la mignonne aux fines épingles, elle n'en est pas où elle le

20   croit, ma mère, avec ses marronniers ! Si mon mariage est assez fait pour légitimer ma colère, en revanche il ne l'est pas assez pour que je n'en puisse épouser une autre, et l'abandonner...

MARCELINE.   Bien conclu ! Abîmons tout sur un soupçon.

25   Qui t'a prouvé, dis-moi, que c'est toi qu'elle joue, et non le Comte ? L'as-tu étudiée de nouveau, pour la condamner sans appel ? Sais-tu si elle se rendra sous les arbres, à quelle intention elle y va ? ce qu'elle y dira, ce qu'elle y fera ? Je te croyais plus fort en jugement !

30   FIGARO, *lui baisant la main avec respect*.   Elle a raison, ma mère ; elle a raison, raison, toujours raison ! Mais accor-

---

1. *pour celui-ci* : pour ce tour-ci.
2. *sur ce feu* : à propos de ce feu d'artifice, qu'on devait tirer sous les marronniers.

dons, maman, quelque chose à la nature : on en vaut
mieux après. Examinons en effet avant d'accuser et d'agir.
Je sais où est le rendez-vous. Adieu, ma mère. *(Il sort.)*

SCÈNE 16. MARCELINE, *seule*

Adieu. Et moi aussi, je le sais. Après l'avoir arrêté,
veillons sur les voies de Suzanne[1], ou plutôt avertissons-
la ; elle est si jolie créature ! Ah ! quand l'intérêt personnel
ne nous arme point les unes contre les autres, nous
5   sommes toutes portées à soutenir notre pauvre sexe
opprimé contre ce fier, ce terrible... *(En riant.)* et pourtant
un peu nigaud de sexe masculin. *(Elle sort.)*

J.-B. Chardin (1699-1779), *Figure de jeune homme, Louvre.*

---

1. *les voies de Suzanne* : les moyens que va prendre Suzanne.

Compréhension

1. Quelle péripétie• donne son unité à ce dernier mouve-ment• de l'acte ? À quoi sert-elle dans la marche générale de l'action ? Quelle est, dans ce mécanisme, l'utilité propre de la scène 13 ?

2. Dans quelle situation se retrouve Figaro, lors des scènes 14 et 15 ? Cherchez dans le rôle du Comte des situations analogues.

3. Pourquoi Beaumarchais laisse-t-il à Marceline le mot de la fin (sc. 15) ? A qui s'adresse-t-elle ?

Écriture

4. Etudiez le rôle de l'épingle dans la construction de l'intrigue et dans sa conduite.

5. « Il se reprend, et dit d'un ton doux... » : qu'essaie donc là de faire Figaro, et pourquoi ? Est-ce difficile ? Réussit-il ? Cherchez dans la pièce un autre exemple de situation et de jeu analogues.

6. Etudiez le mélange des tons dans la scène 15. Par quels moyens stylistiques cela se manifeste-t-il ?

Bilan

L'action

• Ce que nous savons
Bartholo consent à épouser Marceline (sc. 1). Le dernier obstacle au mariage paraît levé. Du reste, le déroulement de la fête nuptiale (sc. 9) ne semble-t-il pas tout dénouer ? Ce serait se méprendre. L'intrigue principale se poursuit bel et bien.

• À quoi nous attendre ?
– Les projets du Comte (le droit du seigneur, et sa condition de possibilité, le secret) demeurent en suspens. Almaviva ne sait toujours pas avec certitude si Suzanne a parlé. Le protagoniste• n'a donc pas renoncé à ses vues. Malgré la réapparition de Chérubin (sc. 4 et 5), le seul dont il soit sûr qu'il sait, il n'hésite pas à accepter le rendez-vous que lui confirme un billet de Suzanne (sc. 9). Sa « fantaisie » (cf. III, 5) l'emporte sur la prudence.
– Suzanne, la deutéragoniste•, et son allié Figaro, n'ont pas non plus atteint tous leurs objectifs : reste à « empocher l'or et les présents ». (S'ils veulent se voir reconnaître le droit à une existence privée, l'argent est une condition non moins nécessaire que des origines connues ou un foyer !) Or, le seul moyen d'y parvenir sans exposer la vertu de Suzanne reste de confondre **publiquement** « l'époux suborneur ».
– À ce dessein, qui se poursuit depuis le premier acte (sc. 1), vient s'ajouter le « petit projet » de la Comtesse. Apparu dès la fin du deuxième acte (sc. 24 à 26), il revient au premier plan de l'action : ramener à elle son époux, en se rendant au rendez-vous à la place de Suzanne.
– Enfin, ce que Figaro prend pour la trahison de Suzanne (sc. 14 et 15), met à nouveau le mariage lui-même en péril. Durant tout cet acte, comme le suggère l'écritoire présente dans cette galerie ornée, sous la fête, le drame continue.

Les personnages

• Le personnage du « Comte », bien qu'il soit celui du protagoniste, commence à se décomposer : il se sent lui-même devenir une créature de théâtre, soumise au libre arbitre de *l'auteur. Son personnage peu à peu se réduit au masque (sc. 5 et 6). Celui de son allié « Bazile » n'est plus que l'emploi•* d'un comparse de farce. Antonio demeure une utilité.

• *Le personnage de « Figaro »* suit une course inverse et devient peu à peu une personne. Écarté de l'intrigue, il philosophe déjà plus qu'il n'agit (sc. 1 et 13), et s'éloigne de son emploi de valet de comédie pour devenir une conscience qui doute, sent, et s'émeut (sc. 1 et 15). Il gagne en autonomie et en profondeur, de même que sa mère « Marceline », dont on oublie l'habit de duègne•.

• *« Suzanne »* demeure l'un des moteurs de l'intrigue, *« la Comtesse »* en devient un, mais l'une et l'autre continuent d'être égales à leurs rôles•, déjà complexes : *« Suzanne »* se définit toujours comme un mixte des rôles d'ingénue• libertine et de suivante de bonne compagnie, *« la Comtesse »* reste dans celui de grande coquette•.

• *« Chérubin »* pâlit, et rejoint son double féminin, l'ingénie *« Fanchette »*, au rang des utilités.

L'écriture

• **Habileté horlogère** avec laquelle Beaumarchais file une intrigue complexe, lui maintient son unité, et parvient à la faire sans cesse rebondir en multipliant les péripéties• (sc. 14), parfois très brèves (sc. 5 à 8).

• *Art de mélanger les tons* (sc. 3, ou l'opposition entre les sc. 10 et 15).

• *Art d'organiser sur scène des fresques* à grand spectacle (sc. 9).

• *Poésie si particulière des symétries*, tant entre les répliques d'une joute oratoire (sc. 10), qu'entre les situations du début et de la fin de la pièce (sc. 5 et 6).

Du Mariage aux Noces

La scène de tendresse entre Figaro et Suzanne (sc. 1) a été supprimée par Da Ponte, alors qu'elle aurait pu donner lieu à une adaptation lyrique. Que pensez-vous de ce choix ?

ACTE V

*Le théâtre représente une salle de marronniers[1], dans un parc ;
deux pavillons, kiosques, ou temples de jardins, sont à droite et
à gauche ; le fond est une clairière ornée, un siège de gazon sur
le devant. Le théâtre est obscur.*

SCÈNE 1. Fanchette, *seule, tenant d'une main deux biscuits et une orange, et de l'autre une lanterne de papier, allu-
mée*

Dans le pavillon à gauche, a-t-il dit. C'est celui-ci. – S'il
allait ne pas venir à présent ! mon petit rôle[2]. Ces vilaines
gens de l'office qui ne voulaient pas seulement me donner
une orange et deux biscuits ! – Pour qui, mademoiselle ? –
5 Eh bien, monsieur, c'est pour quelqu'un. – Oh ! nous
savons. – Et quand ça serait ? Parce que Monseigneur ne
veut pas le voir, faut-il qu'il meure de faim ? – Tout ça
pourtant m'a coûté un fier baiser sur la joue !... Que sait-
on ? il me le rendra peut-être. (*Elle voit Figaro qui vient*
10 *l'examiner : elle fait un cri.*) Ah... (*Elle s'enfuit, et elle entre
dans le pavillon à sa gauche.*)

SCÈNE 2. Figaro, *un grand manteau sur les épaules, un
large chapeau rabattu,* Bazile, Antonio, Bartholo,
Brid'oison, Gripe-Soleil, troupe de valets et de
travailleurs

Figaro, *d'abord seul.* C'est Fanchette ! (*Il parcourt des
yeux les autres à mesure qu'ils arrivent, et dit d'un ton
farouche.*) Bonjour, messieurs ; bonsoir : êtes-vous tous ici ?

---

1. *salle de marronniers* : dans un parc, espace délimité en son pourtour
par des marronniers plantés très régulièrement, afin de former comme
une salle couverte de verdure.
2. *mon petit rôle* : d'ingénue ; *cf.* acte I, sc. 7.

BAZILE.   Ceux que tu as pressés d'y venir.

5 FIGARO.   Quelle heure est-il bien à peu près ?

ANTONIO *regarde en l'air.*   La lune devrait être levée.

BARTHOLO.   Eh ! quels noirs apprêts fais-tu donc ? Il a l'air d'un conspirateur !

FIGARO, *s'agitant.*   N'est-ce pas pour une noce, je vous
10 prie, que vous êtes rassemblés au château ?

BRID'OISON.   Cè-ertainement.

ANTONIO.   Nous allions là-bas, dans le parc, attendre un signal pour ta fête.

FIGARO.   Vous n'irez pas plus loin, messieurs ; c'est ici,
15 sous ces marronniers, que nous devons tous célébrer l'honnête fiancée que j'épouse, et le loyal seigneur qui se l'est destinée.

BAZILE, *se rappelant la journée.*   Ah ! vraiment, je sais ce que c'est. Retirons-nous, si vous m'en croyez : il est ques-
20 tion d'un rendez-vous ; je vous conterai cela près d'ici.

BRID'OISON, *à Figaro.*   Nou-ous reviendrons.

FIGARO.   Quand vous m'entendrez appeler, ne manquez pas d'accourir tous ; et dites du mal de Figaro, s'il ne vous fait voir une belle chose.

25 BARTHOLO.   Souviens-toi qu'un homme sage ne se fait point d'affaires[1] avec les grands.

FIGARO.   Je m'en souviens.

BARTHOLO.   Qu'ils ont quinze et bisque sur nous[2], par leur état.

30 FIGARO.   Sans leur industrie[3], que vous oubliez. Mais souvenez-vous aussi que l'homme qu'on sait timide est dans la dépendance de tous les fripons.

---

1. *d'affaires* : de querelles.
2. *ils ont quinze et bisque sur nous* : ils ont au départ un avantage sur nous. Terme du jeu de paume ; rendre quinze et bisque à un joueur, c'est lui concéder une avance de quinze points. Ici la partie, c'est la vie sous l'Ancien Régime, où la « bisque » est accordée aux nobles par la naissance, donc par leur état•.
3. *leur industrie* : l'art qu'ils déploient dans l'intrigue, ou la politique, qui, pour Figaro, sont « germaines » (III, 5).

BARTHOLO. Fort bien.

FIGARO. Et que j'ai nom *de Verte-Allure,* du chef honoré
35 de ma mère[1].

BARTHOLO. Il a le diable au corps.

BRID'OISON. I-il l'a.

BAZILE, *à part.* Le Comte et sa Suzanne se sont arrangés
sans moi ? Je ne suis pas fâché de l'algarade[2].

40 FIGARO, *aux valets.* Pour vous autres, coquins, à qui j'ai
donné l'ordre, illuminez-moi ces entours ; ou, par la mort
que je voudrais tenir aux dents, si j'en saisis un par le
bras... *(Il secoue le bras de Gripe-Soleil.)*

GRIPE-SOLEIL *s'en va en criant et pleurant.* A, a, o, oh !
45 damné brutal !

BAZILE, *en s'en allant.* Le ciel vous tienne en joie, monsieur du marié[3] ! *(Ils sortent.)*

---

1. *du chef de ma mère* : expression juridique ; en vertu du droit à ce nom
que détient ma mère, mon *auteur,* et qui, de ce fait *m'autorise* à en jouir
(*cf.* « de son propre chef » : de sa propre *autorité*).
2. *algarade* : brusque et violente sortie contre quelqu'un. Le mot est
d'origine espagnole.
3. *monsieur du marié* : ironique ; le mot fait écho au « Monsieur du
Bazile » de Figaro (I, 2), que l'intéressé n'a pourtant pas entendu !

Compréhension

1. *Scène 1 : de qui parle Fanchette sans le nommer ? Pourquoi ces sous-entendus ? Quelle est la fonction de la scène ?*

2. *Que révèlent la liste des personnages figurant en tête de la scène 2 et les indications qui l'accompagnent ? (Faites un rapprochement avec les scènes 12, 14 et 16.)*

3. *Quel est à présent le but de Figaro ?*

Mise en scène

4. *Commentez les indications relatives au décor de ce dernier acte en les comparant à ceux qui l'ont précédé.*

J.-B. Greuze (1725-1805), Portrait de jeune homme, Leningrad.

SCÈNE 3. FIGARO, *seul, se promenant dans l'obscurité, dit du ton le plus sombre :*

Ô femme ! femme ! femme ! créature faible et décevante !... nul animal créé ne peut manquer à son instinct : le tien est-il donc de tromper ?... Après m'avoir obstinément refusé quand je l'en pressais devant sa maîtresse ; à l'instant qu'elle
5   me donne sa parole, au milieu même de la cérémonie... Il riait en lisant, le perfide ! et moi comme un benêt... Non, monsieur le Comte, vous ne l'aurez pas... vous ne l'aurez pas. Parce que vous êtes un grand seigneur, vous vous croyez un grand génie[1] !... Noblesse, fortune, un rang, des
10   places, tout cela rend si fier ! Qu'avez-vous fait pour tant de biens ? Vous vous êtes donné la peine de naître, et rien de plus. Du reste, homme assez ordinaire ; tandis que moi, morbleu ! perdu dans la foule obscure, il m'a fallu déployer plus de science et de calculs pour subsister seulement, qu'on
15   n'en a mis depuis cent ans à gouverner toutes les Espagnes : et vous voulez jouter... On vient... c'est elle... ce n'est personne. – La nuit est noire en diable, et me voilà faisant le sot métier de mari, quoique je ne le sois qu'à moitié ! *(Il s'assied sur un banc.)* Est-il rien de plus bizarre que ma destinée ? Fils
20   de je ne sais pas qui, volé par des bandits, élevé dans leurs mœurs, je m'en dégoûte et veux courir une carrière honnête ; et partout je suis repoussé ! J'apprends la chimie, la pharmacie, la chirurgie, et tout le crédit d'un grand seigneur peut à peine me mettre à la main une lancette[2] vétéri-
25   naire ! – Las d'attrister des bêtes malades, et pour faire un métier contraire[3], je me jette à corps perdu dans le théâtre : me fussé-je mis une pierre au cou ! Je broche[4] une comédie dans[5] les mœurs du sérail[6]. Auteur espagnol, je crois pouvoir

---

1. *génie* : jeu sur l'étymologie du mot (lat. *ingenium*) ; les dons, comme la noblesse, sont héréditaires.
2. *lancette* : instrument à faire les saignées.
3. *un métier contraire* : réjouir les hommes bien portants !
4. *je broche* : j'écris à la hâte (les livres brochés étaient moins soignés que les livres reliés).
5. *dans* : dans la manière de.
6. *les mœurs du sérail* : le sérail, le palais des sultans en Turquie, abritait le harem, ses femmes et ses eunuques. Depuis *Les Mille et Une Nuits*, traduites par Galland de 1704 à 1715, l'Orient était un thème à la mode. Sous les voiles transparents d'un érotisme aimable, il permettait aux Philosophes de critiquer le gouvernement du roi, assimilé au « despotisme oriental ».

y fronder Mahomet sans scrupule : à l'instant un envoyé...
30 de je ne sais où se plaint que j'offense dans mes vers la
Sublime Porte[1], la Perse, une partie de la presqu'île de l'Inde,
toute l'Égypte, les royaumes de Barca[2], de Tripoli, de Tunis,
d'Alger et de Maroc : et voilà ma comédie flambée, pour
plaire aux princes mahométans, dont pas un, je crois, ne
35 sait lire, et qui nous meurtrissent l'omoplate, en nous
disant : *chiens de chrétiens !* – Ne pouvant avilir l'esprit, on se
venge en le maltraitant. – Mes joues creusaient, mon terme
était échu : je voyais de loin arriver l'affreux recors[3], la
plume fichée dans sa perruque : en frémissant je m'évertue.
40 Il s'élève une question[4] sur la nature des richesses ; et,
comme il n'est pas nécessaire de tenir les choses pour en rai-
sonner, n'ayant pas un sol, j'écris sur la valeur de l'argent et
sur son produit net[5] sitôt je vois du fond d'un fiacre baisser
pour moi le pont d'un château fort, à l'entrée duquel je lais-
45 sai l'espérance et la liberté[6]. *(Il se lève.)* Que je voudrais bien
tenir un de ces puissants de quatre jours[7], si légers sur le mal
qu'ils ordonnent, quand une bonne disgrâce a cuvé son
orgueil ! Je lui dirais... que les sottises imprimées n'ont
d'importance qu'aux lieux où l'on en gêne le cours ; que
50 sans la liberté de blâmer, il n'est point d'éloge flatteur ; et
qu'il n'y a que les petits hommes qui redoutent les petits
écrits. *(Il se rassied.)* Las de nourrir un obscur pensionnaire,
on me met un jour dans la rue ; et comme il faut dîner,

---

1. *la Sublime Porte* : dénomination traditionnelle de l'empire Ottoman,
1354-1918 (la Turquie).
2. *Barca* : royaume arabe de la Cyrénaïque (aujourd'hui dénommée Libye).
3. *recors* : officier de justice, qui assistait l'huissier lors des saisies.
4. *question* : sujet qu'une académie avait mis au concours. L'espoir de remporter le prix avait dû attirer Figaro... Les sociétés de pensée, académies,
« musées », loges maçonniques, « salons » ou « cafés » étaient les lieux d'une
nouvelle sociabilité, où diffusaient les idées des Lumières.
5. *produit net* : différence entre le produit de la vente et le montant total des frais
de production. Notion définie par l'un des premiers économistes, Quesnay, fondateur de l'école des Physiocrates.
6. *l'espérance et la liberté* : double allusion, d'une part à l'expérience personnelle de Beaumarchais, qui fut embastillé, et à l'épigraphe sous laquelle Dante voit s'ouvrir la porte de l'Enfer dans sa *Divine Comédie* : « Vous
qui entrez, laissez toute espérance. » (Chant III, v. 9).
7. *puissants de quatre jours* : allusion à la rapide succession des ministres
sous Louis XVI.

quoiqu'on ne soit plus en prison, je taille encore ma plume,
55 et demande à chacun de quoi il est question : on me dit que,
pendant ma retraite économique[1], il s'est établi dans Madrid
un système de liberté sur la vente des productions, qui
s'étend même à celles de la presse ; et que, pourvu que je ne
parle en mes écrits ni de l'autorité, ni du culte, ni de la poli-
60 tique, ni de la morale, ni des gens en place, ni des corps[2] en
crédit, ni de l'Opéra[3], ni des autres spectacles, ni de personne qui tienne à quelque chose, je puis tout imprimer librement, sous l'inspection de deux ou trois censeurs. Pour pro-
fiter de cette douce liberté, j'annonce un écrit périodique, et,
65 croyant n'aller sur les brisées d'aucun autre, je le nomme
Journal inutile. Pou-ou ! je vois s'élever contre moi mille
pauvres diables à la feuille[4], on me supprime, et me voilà
derechef sans emploi ! – Le désespoir m'allait saisir ; on
pense à moi pour une place, mais par malheur j'y étais
70 propre : il fallait un calculateur, ce fut un danseur qui
l'obtint. Il ne me restait plus qu'à voler ; je me fais banquier
de pharaon[5] : alors, bonnes gens ! je soupe en ville, et les
personnes dites *comme il faut* m'ouvrent poliment leur maison[6] en retenant pour elles les trois quarts du profit.
75 J'aurais bien pu me remonter ; je commençais même à
comprendre que, pour gagner du bien, le savoir-faire vaut
mieux que le savoir. Mais comme chacun pillait autour de
moi, en exigeant que je fusse honnête, il fallut bien périr
encore. Pour le coup je quittais le monde, et vingt brasses
80 d'eau m'en allaient séparer, lorsqu'un dieu bienfaisant
m'appelle à mon premier état. Je reprends ma trousse et
mon cuir anglais[7], puis, laissant la fumée aux sots qui s'en

---

1. *retraite économique* : la prison, où l'on ne dépense guère.
2. *corps* : organes intermédiaires de la puissance souveraine, comme les
parlements ou l'Église.
3. *l'Opéra* : les chanteuses et les danseuses étaient des maîtresses écla-
tantes et ruineuses, donc fort recherchées par l'aristocratie. Elles influen-
çaient nombre de hauts personnages de l'État, dont elles faisaient et défai-
saient les réputations.
4. *pauvres diables à la feuille* : besogneux de la bohème de plume, que l'on
payait « à la feuille », c'est-à-dire à la page.
5. *pharaon* : jeu de hasard, semblable au baccara de nos casinos.
6. *leur maison* : la bonne société organisait les jeux d'argent à domicile.
7. *cuir anglais* : cuir servant à polir le fil des rasoirs. Figaro reprend son
« état » : il redevient barbier.

nourrissent, et la honte au milieu du chemin, comme trop lourde à un piéton, je vais rasant de ville en ville, et je vis
85 enfin sans souci. Un grand seigneur passe à Séville ; il me reconnaît, je le marie ; et pour prix d'avoir eu par mes soins son épouse, il veut intercepter la mienne ! Intrigue, orage à ce sujet. Prêt à tomber dans un abîme, au moment d'épouser ma mère, mes parents m'arrivent à la file. *(Il se*
90 *lève en s'échauffant.)* On se débat, c'est vous, c'est lui, c'est moi, c'est toi, non, ce n'est pas nous ; eh ! mais qui donc ? *(Il retombe assis.)* Ô bizarre suite d'événements ! Comment cela m'est-il arrivé ? Pourquoi ces choses et non pas d'autres ? Qui les a fixées sur ma tête ? Forcé de parcourir
95 la route où je suis entré sans le savoir, comme j'en sortirai sans le vouloir, je l'ai jonchée d'autant de fleurs que ma gaieté me l'a permis : encore je dis ma gaieté sans savoir si elle est à moi plus que le reste, ni même quel est ce *moi* dont je m'occupe : un assemblage informe de parties
100 inconnues ; puis un chétif être imbécile[1] ; un petit animal folâtre ; un jeune homme ardent au plaisir, ayant tous les goûts pour jouir, faisant tous les métiers pour vivre ; maître ici, valet là, selon qu'il plaît à la fortune ; ambitieux par vanité, laborieux par nécessité, mais paresseux... avec
105 délices ! orateur selon le danger ; poète par délassement ; musicien par occasion ; amoureux par folles bouffées, j'ai tout vu, tout fait, tout usé. Puis l'illusion s'est détruite et, trop désabusé... Désabusé... ! Suzon, Suzon, Suzon ! que tu me donnes de tourments !... J'entends marcher... on
110 vient. Voici l'instant de la crise[2]. *(Il se retire près de la première coulisse à sa droite.)*

---

1. *imbécile :* sens originel ; sans force.
2. *crise :* moment d'un choix qui engage tout un destin. Terme technique propre à la tragédie. Figaro, croit-il, lutte contre la fatalité qui l'accable.

Questions

Compréhension

1. *Quel est le mouvement d'ensemble de ce monologue ? Comment Beaumarchais l'a-t-il souligné ? Vous semble-t-il logique ?*

2. *Comment ce monologue parvient-il à s'articuler avec la situation, l'intrigue et l'intérêt** *? Montrez que ce moment a été soigneusement préparé.*

3. *Identifiez les divers abus que la satire prend ici pour cibles. Classez-les, et précisez la nature exacte et le fondement de chaque critique. Appréciez l'importance relative de chacune dans le morceau. Beaumarchais a-t-il voulu ici se montrer original ?*

4. *Relevez les allusions de caractère autobiographique. Dans quelle mesure Figaro est-il Beaumarchais, au cours de ce monologue, et dans l'ensemble de la pièce ?*

Écriture

5. *Quels problèmes pose un tel monologue, eu égard aux exigences habituelles du langage théâtral ?*

6. *Par quels procédés de composition (comparez par exemple les toutes dernières phrases et la première), et surtout d'écriture, Beaumarchais s'est-il efforcé de pallier ces difficultés tout au long de ce morceau de bravoure ? Analysez-en la verve : invention verbale, rythme, variété des tons... Quels sont les effets produits ?*

7. *Ici, le personnage de Figaro ressortit moins du théâtre que du roman. Relevez dans le texte, avec précision, les indications ou les indices qui attestent ce glissement d'un genre à l'autre. À quel genre de roman Beaumarchais fait-il ici précisément référence ? Ne pourrait-on pas voir également dans ce monologue celui d'un « Hamlet comique » ? Quel peut être le sens de ces allusions à d'autres genres ? Par rapport à l'histoire de la littérature, vous semblent-elles faire signe vers le passé, vers l'avenir, ou vers les deux ?*

SCÈNE 4. FIGARO, LA COMTESSE *avec les habits de Suzon,* SUZANNE *avec ceux de la Comtesse,* MARCELINE

SUZANNE, *bas à la Comtesse.*   Oui, Marceline m'a dit que Figaro y serait.

MARCELINE.   Il y est aussi ; baisse la voix.

SUZANNE.   Ainsi l'un[1] nous écoute, et l'autre[1] va venir me
5   chercher. Commençons.

MARCELINE.   Pour n'en pas perdre un mot, je vais me cacher dans le pavillon. *(Elle entre dans le pavillon où est entrée Fanchette.)*

SCÈNE 5. FIGARO, LA COMTESSE, SUZANNE

SUZANNE, *haut.*   Madame tremble ! est-ce qu'elle aurait froid ?

LA COMTESSE, *haut.*   La soirée est humide, je vais me retirer.

5   SUZANNE, *haut.*   Si madame n'avait pas besoin de moi, je prendrais l'air un moment sous ces arbres.

LA COMTESSE, *haut.*   C'est le serein[2] que tu prendras.

SUZANNE, *haut.*   J'y suis toute faite.

FIGARO, *à part.*   Ah oui, le serein ! *(Suzanne se retire près*
10   *de la coulisse, du côté opposé à Figaro.)*

---

1. *l'un* : Figaro... *l'autre* : le Comte.
2. *le serein* : jeu de mots ; au sens propre, fraîcheur qui se forme les soirs d'été, alors que le ciel semble sans nuages, serein, mais aussi « serin » !

SCÈNE 6. Figaro, Chérubin, Le Comte, La Comtesse, Suzanne (*Figaro et Suzanne retirés de chaque côté sur le devant.*)

Chérubin, *en habit d'officier, arrive en chantant gaiement la reprise de l'air de la romance.*
La, la, la, etc.

J'avais une marraine,
Que toujours adorai.

5

La Comtesse, *à part.*   Le petit page !

Chérubin *s'arrête.*   On se promène ici ; gagnons vite mon asile, où la petite Fanchette... C'est une femme !

La Comtesse *écoute.*   Ah, grands dieux !

10   Chérubin *se baisse en regardant de loin.*   Me trompé-je ? à cette coiffure en plumes qui se dessine au loin dans le cré-puscule, il me semble que c'est Suzon.

La Comtesse, *à part.*   Si le Comte arrivait !... (*Le Comte paraît dans le fond.*)

15   Chérubin *s'approche et prend la main de la Comtesse qui se défend.*   Oui, c'est la charmante fille qu'on nomme Suzanne. Eh ! pourrais-je m'y méprendre à la douceur de cette main, à ce petit tremblement qui l'a saisie ; surtout au battement de mon cœur ! (*Il veut y appuyer le dos de la*
20   *main de la Comtesse ; elle la retire.*)

La Comtesse, *bas.*   Allez-vous-en !

Chérubin.   Si la compassion t'avait conduite exprès dans cet endroit du parc, où je suis caché depuis tantôt ?...

La Comtesse.   Figaro va venir.

25   Le Comte, *s'avançant, dit à part.*   N'est-ce pas Suzanne que j'aperçois ?

Chérubin, *à la Comtesse.*   Je ne crains point du tout Figaro, car ce n'est pas lui que tu attends.

La Comtesse.   Qui donc ?

30   Le Comte, *à part.*   Elle est avec quelqu'un.

Chérubin.   C'est Monseigneur, friponne, qui t'a demandé ce rendez-vous ce matin, quand j'étais derrière le fauteuil.

211

LE COMTE, *à part, avec fureur.*   C'est encore le page infernal !

35 FIGARO, *à part.*   On dit qu'il ne faut pas écouter !

SUZANNE, *à part.*   Petit bavard !

LA COMTESSE, *au page.*   Obligez-moi de[1] vous retirer.

CHÉRUBIN.   Ce ne sera pas au moins sans avoir reçu le prix de mon obéissance.

40 LA COMTESSE, *effrayée.*   Vous prétendez ?...

CHÉRUBIN, *avec feu.*   D'abord vingt baisers pour ton compte, et puis cent pour ta belle maîtresse.

LA COMTESSE.   Vous oseriez ?...

CHÉRUBIN.   Oh ! que oui, j'oserai. Tu prends sa place
45 auprès de Monseigneur ; moi celle du Comte auprès de toi : le plus attrapé, c'est Figaro.

FIGARO, *à part.*   Ce brigandeau !

SUZANNE, *à part.*   Hardi comme un page. (*Chérubin veut embrasser la Comtesse ; le Comte se met entre deux et reçoit le*
50 *baiser.)*

LA COMTESSE, *se retirant.*   Ah ! ciel !

FIGARO, *à part, entendant le baiser.*   J'épousais une jolie mignonne ! (*Il écoute.*)

CHÉRUBIN, *tâtant les habits du Comte. (À part.)*   C'est
55 Monseigneur ! (*Il s'enfuit dans le pavillon où sont entrées Fanchette et Marceline.)*

---

1. *obligez-moi de* : ayez l'obligeance de.

Compréhension

1. *Comment Figaro interprète-t-il les propos de Suzanne dans la scène 5 ?*

2. *Scènes 4 et 5 : montrez quel décalage existe entre les divers personnages, selon ce que chacun d'eux sait : a) de la situation, b) du degré d'information des autres. Qu'est-ce qui entretient ce décalage ? Quel genre d'effets• une telle situation peut-elle produire au théâtre ?*

3. *Scène 6 : les personnages pouvaient-ils entrer dans un ordre différent ?*

4. *Dans quelle situation se trouve chacun de ceux qui sont en scène en ce moment ?*

5. *Chérubin est-il différent de lui-même ? Pourquoi ?*

Écriture

6. *Scène 6 : quels sont les divers procédés comiques mis en œuvre ici ?*

Mise en scène

7. *Scènes 4 et 5 : combien de personnages sont sur le plateau en ce moment, où se trouvent-ils et pourquoi ?*

8. *Quelle est l'utilité de l'indication « haut » qui précède chacune des répliques de la scène 5 ?*

SCÈNE 7. FIGARO, LE COMTE, LA COMTESSE, SUZANNE

FIGARO *s'approche.* Je vais...

LE COMTE, *croyant parler au page.* Puisque vous ne redoublez pas le baiser... *(Il croit lui donner un soufflet.)*

FIGARO, *qui est à portée, le reçoit.* Ah !

5 LE COMTE. ... Voilà toujours le premier payé.

FIGARO, *à part, s'éloigne en se frottant la joue.* Tout n'est pas gain non plus, en écoutant.

SUZANNE, *riant tout haut, de l'autre côté.* Ah ! ah ! ah ! ah !

LE COMTE, *à la Comtesse, qu'il prend pour Suzanne.*
10 Entend-on quelque chose à ce page ? il reçoit le plus rude soufflet, et s'enfuit en éclatant de rire.

FIGARO, *à part.* S'il s'affligeait de celui-ci !...

LE COMTE. Comment ! je ne pourrai faire un pas... *(À la Comtesse.)* Mais laissons cette bizarrerie ; elle empoisonne-
15 rait le plaisir que j'ai de te trouver dans cette salle.

LA COMTESSE, *imitant le parler de Suzanne.* L'espériez-vous ?

LE COMTE. Après ton ingénieux billet ! *(Il lui prend la main.)* Tu trembles ?

LA COMTESSE. J'ai eu peur.

20 LE COMTE. Ce n'est pas pour te priver du baiser que je l'ai pris. *(Il la baise au front.)*

LA COMTESSE. Des libertés !

FIGARO, *à part.* Coquine !

SUZANNE, *à part.* Charmante !

25 LE COMTE *prend la main de sa femme.* Mais quelle peau fine et douce, et qu'il s'en faut que la Comtesse ait la main aussi belle !

LA COMTESSE, *à part.* Oh ! la prévention[1] !

LE COMTE. A-t-elle ce bras ferme et rondelet ? ces jolis
30 doigts pleins de grâce et d'espièglerie ?

---

1. *prévention* : préjugé.

LA COMTESSE, *de la voix de Suzanne.*   Ainsi l'amour ?...

LE COMTE.   L'amour... n'est que le roman du cœur : c'est le plaisir qui en est l'histoire ; il m'amène à tes genoux.

LA COMTESSE.   Vous ne l'aimez plus ?

35 LE COMTE.   Je l'aime beaucoup ; mais trois ans d'union rendent l'hymen si respectable !

LA COMTESSE.   Que vouliez-vous en elle ?

LE COMTE, *la caressant.*   Ce que je trouve en toi, ma beauté...

40 LA COMTESSE.   Mais dites donc[1].

LE COMTE.   ... Je ne sais : moins d'uniformité peut-être, plus de piquant dans les manières, un je ne sais quoi qui fait le charme ; quelquefois un refus, que sais-je ? Nos femmes croient tout accomplir en nous aimant : cela dit
45 une fois, elles nous aiment, nous aiment (quand elles nous aiment) et sont si complaisantes et si constamment obligeantes, et toujours, et sans relâche, qu'on est tout surpris, un beau soir, de trouver la satiété où l'on recherchait le bonheur.

50 LA COMTESSE, *à part.*   Ah ! quelle leçon !

LE COMTE.   En vérité, Suzon, j'ai pensé mille fois que si nous poursuivons ailleurs ce plaisir qui nous fuit chez elles, c'est qu'elles n'étudient pas assez l'art de soutenir notre goût, de se renouveler à l'amour, de ranimer, pour
55 ainsi dire, le charme de leur possession par celui de la variété.

LA COMTESSE, *piquée.*   Donc elles doivent tout ?...

LE COMTE, *riant.*   Et l'homme rien ? Changerons-nous la marche de la nature ? Notre tâche, à nous, fut de les obte-
60 nir ; la leur...

LA COMTESSE.   La leur ?...

LE COMTE.   Est de nous retenir : on l'oublie trop.

LA COMTESSE.   Ce ne sera pas moi.

LE COMTE.   Ni moi.

---

1. *mais dites donc* : mais parlez donc.

65 FIGARO, *à part.*   Ni moi.

SUZANNE, *à part.*   Ni moi.

LE COMTE *prend la main de sa femme.*   Il y a de l'écho ici, parlons plus bas. Tu n'as nul besoin d'y songer, toi que l'amour a faite et si vive et si jolie ! Avec un grain de capri-
70 ce, tu seras la plus agaçante[1] maîtresse ! *(Il la baise au front.)* Ma Suzanne, un Castillan n'a que sa parole. Voici tout l'or promis pour le rachat du droit que je n'ai plus sur le délicieux moment que tu m'accordes. Mais comme la grâce que tu daignes y mettre est sans prix, j'y joindrai
75 ce brillant, que tu porteras pour l'amour de moi.

LA COMTESSE, *une révérence.*   Suzanne accepte tout.

FIGARO, *à part.*   On n'est pas plus coquine que cela.

SUZANNE, *à part.*   Voilà du bon bien qui nous arrive.

LE COMTE, *à part.*   Elle est intéressée ; tant mieux !

80 LA COMTESSE *regarde au fond.*   Je vois des flambeaux.

LE COMTE.   Ce sont les apprêts de ta noce. Entrons-nous un moment dans l'un de ces pavillons, pour les laisser passer ?

LA COMTESSE.   Sans lumière ?

LE COMTE *l'entraîne doucement.*   À quoi bon ? Nous
85 n'avons rien à lire.

FIGARO, *à part.*   Elle y va, ma foi ! Je m'en doutais. *(Il s'avance.)*

LE COMTE *grossit sa voix en se retournant.*   Qui passe ici ?

FIGARO, *en colère.*   Passer ! on vient exprès.

90 LE COMTE, *bas, à la Comtesse.*   C'est Figaro !... *(Il s'enfuit.)*

LA COMTESSE.   Je vous suis. *(Elle entre dans le pavillon à sa droite, pendant que le Comte se perd dans le bois au fond.)*

---

1. *agaçante* : excitante, piquante.

SCÈNE 8. FIGARO, SUZANNE, *dans l'obscurité*

FIGARO *cherche à voir où vont le Comte et la Comtesse, qu'il prend pour Suzanne.* Je n'entends plus rien ; ils sont entrés ; m'y voilà. (*D'un ton altéré.*) Vous autres, époux maladroits, qui tenez des espions à gages et tournez des
5   mois entiers autour d'un soupçon, sans l'asseoir[1], que ne m'imitez-vous ? Dès le premier jour, je suis ma femme et je l'écoute ; en un tour de main, on est au fait : c'est charmant ; plus de doutes ; on sait à quoi s'en tenir. (*Marchant vivement.*) Heureusement que je ne m'en soucie guère, et
10 que sa trahison ne me fait plus rien du tout. Je les tiens donc enfin !

SUZANNE, *qui s'est avancée doucement dans l'obscurité.* (À part.)   Tu vas payer tes beaux soupçons. (*Du ton de voix de la Comtesse.*) Qui va là ?

15 FIGARO, *extravagant.*   Qui va là ? Celui qui voudrait de bon cœur que la peste eût étouffé en naissant...

SUZANNE, *du ton de la Comtesse.*   Eh ! mais, c'est Figaro !

FIGARO *regarde et dit vivement.*   Madame la Comtesse !

SUZANNE.   Parlez bas.

20 FIGARO, *vite.*   Ah ! madame, que le ciel vous amène à propos ! Où croyez-vous qu'est Monseigneur ?

SUZANNE.   Que m'importe un ingrat ? Dis-moi...

FIGARO, *plus vite.*   Et Suzanne, mon épousée, où croyez-vous qu'elle soit ?

25 SUZANNE.   Mais parlez bas !

FIGARO, *très vite.*   Cette Suzon qu'on croyait si vertueuse, qui faisait de la réservée ! Ils sont enfermés là-dedans. Je vais appeler.

SUZANNE, *lui fermant la bouche avec sa main, oublie de
30 déguiser sa voix.*   N'appelez pas !

FIGARO, *à part.*   Et c'est Suzon ! God-dam !

SUZANNE, *du ton de la Comtesse.*   Vous paraissez inquiet.

---

1. *asseoir (un soupçon)* : l'établir sur des fondements assurés.

FIGARO, *à part.* Traîtresse ! qui veut me surprendre !

SUZANNE. Il faut nous venger, Figaro.

35 FIGARO. En sentez-vous le vif désir ?

SUZANNE. Je ne serais donc pas de mon sexe ! Mais les hommes en ont cent moyens.

FIGARO, *confidemment.* Madame, il n'y a personne ici de trop. Celui des femmes... les vaut tous.

40 SUZANNE, *à part.* Comme je le souffletterais !

FIGARO, *à part.* Il serait bien gai qu'avant la noce...

SUZANNE. Mais qu'est-ce qu'une telle vengeance, qu'un peu d'amour n'assaisonne pas ?

FIGARO. Partout où vous n'en voyez point, croyez que le 45 respect dissimule[1].

SUZANNE, *piquée.* Je ne sais si vous le pensez de bonne foi, mais vous ne le dites pas de bonne grâce.

FIGARO, *avec une chaleur comique, à genoux.* Ah ! madame, je vous adore. Examinez le temps, le lieu, les circons-50 tances, et que le dépit supplée en vous aux grâces qui manquent à ma prière.

SUZANNE, *à part.* La main me brûle !

FIGARO, *à part.* Le cœur me bat.

SUZANNE. Mais, monsieur, avez-vous songé ?...

55 FIGARO. Oui, madame ; oui, j'ai songé.

SUZANNE. ... Que pour la colère et l'amour...

FIGARO. ... Tout ce qui se diffère est perdu. Votre main, madame ?

SUZANNE, *de sa voix naturelle et lui donnant un soufflet.* La 60 voilà.

FIGARO. Ah ! demonio[2] ! quel soufflet !

SUZANNE *lui en donne un second.* Quel soufflet ! Et celui-ci ?

---

1. *le respect dissimule* : le respect oblige à dissimuler quand on aime au-dessus de sa condition.
2. *demonio !* : diable ! (Juron espagnol.)

FIGARO.   Et *quès-à-quo*[1] ? de par le diable ! est-ce ici la
65   journée des tapes ?

SUZANNE *le bat à chaque phrase*.   Ah ! *quès-à-quo* ?
Suzanne ; et voilà pour tes soupçons, voilà pour tes vengeances et pour tes trahisons, tes expédients, tes injures et
tes projets. C'est-il ça de l'amour ? dis donc comme ce
70   matin ?

FIGARO *rit en se relevant*. *Santa Barbara !* oui, c'est de
l'amour. Ô bonheur ! ô délices ! ô cent fois heureux
Figaro ! Frappe, ma bien-aimée, sans te lasser. Mais quand
tu m'auras diapré tout le corps de meurtrissures, regarde
75   avec bonté, Suzon, l'homme le plus fortuné qui fût jamais
battu par une femme.

SUZANNE.   *Le plus fortuné !* Bon fripon, vous n'en sédui-
siez pas moins la Comtesse, avec un si trompeur babil,
que m'oubliant moi-même, en vérité, c'était pour elle que
80   je cédais.

FIGARO.   Ai-je pu me méprendre au son de ta jolie voix ?

SUZANNE, *en riant*.   Tu m'as reconnue ? Ah ! comme je
m'en vengerai !

FIGARO.   Bien rosser et garder rancune est aussi par trop
85   féminin ! Mais dis-moi donc par quel bonheur je te vois
là, quand je te croyais avec lui ; et comment cet habit, qui
m'abusait, te montre enfin innocente...

SUZANNE.   Eh ! c'est toi qui es un innocent, de venir te
prendre au piège apprêté pour un autre ! Est-ce notre
90   faute, à nous, si voulant museler un renard, nous en attra-
pons deux ?

FIGARO.   Qui donc prend l'autre ?

SUZANNE.   Sa femme.

FIGARO.   Sa femme ?

95   SUZANNE.   Sa femme.

---

1. *quès-à-quo ?* : qu'est-ce que c'est ? Cette expression provençale termi-
nait en fanfare le portrait burlesque du conseiller Marin, dans le IVe
Mémoire : « ...quès-à-quo ? Marin ! » Aussitôt célèbre dans l'opposition
libérale, le mot était devenu un symbole, et les modistes avaient même
créé le bonnet « à la quès-à-quo » !

FIGARO, *follement.*   Ah ! Figaro ! pends-toi ! tu n'as pas deviné celui-là[1]. – Sa femme ? Oh ! douze ou quinze mille fois spirituelles femelles ! – Ainsi les baisers de cette salle ?...

100 SUZANNE.   Ont été donnés à Madame.

FIGARO.   Et celui du page ?

SUZANNE, *riant.*   À monsieur.

FIGARO.   Et tantôt, derrière le fauteuil ?

SUZANNE.   À personne.

105 FIGARO.   En êtes-vous sûre ?

SUZANNE, *riant.*   Il pleut des soufflets, Figaro.

FIGARO *lui baise la main.*   Ce sont des bijoux que les tiens. Mais celui du Comte était de bonne guerre.

SUZANNE.   Allons, superbe[2], humilie-toi !

110 FIGARO *fait tout ce qu'il annonce.*   Cela est juste : à genoux, bien courbé, prosterné, ventre à terre.

SUZANNE, *en riant.*   Ah ! ce pauvre Comte ! quelle peine il s'est donnée...

FIGARO *se relève sur ses genoux.*   ... Pour faire la conquête
115 de sa femme.

SCÈNE 9. LE COMTE *entre par le fond du théâtre et va droit au pavillon à sa droite ;* FIGARO, SUZANNE

LE COMTE, *à lui-même.*   Je la cherche en vain dans le bois, elle est peut-être entrée ici.

SUZANNE, *à Figaro, parlant bas.*   C'est lui.

LE COMTE, *ouvrant le pavillon.*   Suzon, es-tu là dedans ?

5 FIGARO, *bas.*   Il la cherche, et moi je croyais...

SUZANNE, *bas.*   Il ne l'a pas reconnue.

FIGARO.   Achevons-le, veux-tu ? *(Il lui baise la main.)*

---

1. *celui-là* : cela.
2. *superbe* : orgueilleux. Suzanne parodie le ton de la tragédie.

Le Comte *se retourne.* Un homme aux pieds de la Comtesse !... Ah ! je suis sans armes. *(Il s'avance.)*

10 Figaro *se relève tout à fait en déguisant sa voix.* Pardon, madame, si je n'ai pas réfléchi que ce rendez-vous ordinaire était destiné pour la noce.

Le Comte, *à part.* C'est l'homme du cabinet de ce matin. *(Il se frappe le front.)*

15 Figaro *continue.* Mais il ne sera pas dit qu'un obstacle aussi sot aura retardé nos plaisirs.

Le Comte, *à part.* Massacre ! mort ! enfer !

Figaro, *la conduisant au cabinet.* *(Bas.)* Il jure. *(Haut.)* Pressons-nous donc, madame, et réparons le tort qu'on
20 nous a fait tantôt, quand j'ai sauté par la fenêtre.

Le Comte, *à part.* Ah ! tout se découvre enfin.

Suzanne, *près du pavillon à sa gauche.* Avant d'entrer, voyez si personne n'a suivi. *(Il la baise au front.)*

Le Comte *s'écrie :* Vengeance ! *(Suzanne s'enfuit dans le*
25 *pavillon où sont entrés Fanchette, Marceline et Chérubin.)*

Questions

Compréhension

1. *La situation créée dans chacune des trois scènes : montrez-en la symétrie, c'est-à-dire les similitudes, mais aussi les contrastes.*

2. *Faites ressortir le mouvement d'ensemble des trois scènes, en identifiant dans chacune les quiproquos• qui s'y enchaînent.*

3. *Dans les scènes 7 et 8, les déguisements ont un effet paradoxal : lequel ? Connaissez-vous d'autres exemples au théâtre de ce paradoxe ?*

4. *Ces situations identiques produisent des effets• opposés. Pourquoi ? Quel est le propos de l'auteur ?*

5. *Que veut dire le Comte en opposant « roman » et « histoire » ?*

6. *Quelle péripétie• se dénoue dans la scène 8 ? Comment se situent désormais Suzanne et Figaro par rapport à l'action générale ?*

7. *Quelle péripétie se produit dans la scène 9 ?*

Écriture

8. *Au cours des scènes 1 à 9, combien de personnages se trouvent impliqués dans l'action ? Combien de lieux distincts Beaumarchais crée-t-il pour eux dans l'espace scénique• ? Les personnages peuvent-ils les occuper longtemps ?*

9. *Appréciez le rôle et l'importance des apartés dans les scènes 7 à 9.*

10. *Rappelez-vous un procédé remarquable d'enchaînement des répliques utilisé dans la scène 16 de l'acte III (« Figaro. – Elle a raison... etc. ») Où le retrouve-t-on ici ? Cherchez-en d'autres exemples dans les scènes ultérieures, la dernière notamment. Analysez le mécanisme et ses effets.*

11. *Récapitulez les divers effets de comédie utilisés dans ces trois scènes.*

SCÈNE 10. Le Comte, Figaro *(Le Comte saisit le bras de Figaro.)*

Figaro, *jouant la frayeur excessive.*   C'est mon maître !
Le Comte *le reconnaît.*   Ah ! scélérat, c'est toi ! Holà ! quelqu'un, quelqu'un !

SCÈNE 11. Pédrille, Le Comte, Figaro

Pédrille, *botté.*   Monseigneur, je vous trouve enfin.
Le Comte.   Bon, c'est Pédrille. Es-tu tout seul ?
Pédrille.   Arrivant de Séville, à étripe-cheval.
Le Comte.   Approche-toi de moi, et crie bien fort !
5   Pédrille, *criant à tue-tête.*   Pas plus de page que sur ma main. Voilà le paquet[1].
Le Comte *le repousse.*   Eh ! l'animal !
Pédrille.   Monseigneur me dit de crier.
Le Comte, *tenant toujours Figaro.*   Pour appeler. – Holà,
10   quelqu'un ! Si l'on m'entend, accourez tous !
Pédrille.   Figaro et moi, nous voilà deux ; que peut-il donc vous arriver ?

SCÈNE 12. Les acteurs précédents, Brid'oison, Bartholo, Bazile, Antonio, Gripe-Soleil, *toute la noce accourt avec des flambeaux*

Bartholo, *à Figaro.*   Tu vois qu'à ton premier signal...
Le Comte, *montrant le pavillon à sa gauche.*   Pédrille, empare-toi de cette porte. *(Pédrille y va.)*
Bazile, *bas à Figaro.*   Tu l'as surprise avec Suzanne ?

---

1. *le paquet* : contenant le brevet, que Pédrille n'a pu remettre à Chérubin, faute de l'avoir trouvé (*cf.* III, 3).

5 LE COMTE, *montrant Figaro.* Et vous tous, mes vassaux, entourez-moi cet homme, et m'en répondez sur la vie.

BAZILE. Ha ! ha !

LE COMTE, *furieux.* Taisez-vous donc ! (*À Figaro, d'un ton glacé.*) Mon cavalier[1], répondez-vous à mes questions ?

10 FIGARO, *froidement.* Eh ! qui pourrait m'en exempter, Monseigneur ? Vous commandez à tout ici, hors à vous-même.

LE COMTE, *se contenant.* Hors à moi-même !

ANTONIO. C'est ça parler.

15 LE COMTE, *reprenant sa colère.* Non, si quelque chose pouvait augmenter ma fureur, ce serait l'air calme qu'il affecte.

FIGARO. Sommes-nous des soldats qui tuent et se font tuer pour des intérêts qu'ils ignorent ? Je veux savoir, moi,
20 pourquoi je me fâche.

LE COMTE, *hors de lui.* Ô rage ! (*Se contenant.*) Homme de bien qui feignez d'ignorer, nous ferez-vous au moins la faveur de nous dire quelle est la dame actuellement par vous amenée dans ce pavillon ?

25 FIGARO, *montrant l'autre avec malice.* Dans celui-là ?

LE COMTE, *vite.* Dans celui-ci.

FIGARO, *froidement.* C'est différent. Une jeune personne qui m'honore de ses bontés particulières.

BAZILE, *étonné.* Ha ! ha !

30 LE COMTE, *vite.* Vous l'entendez, messieurs.

BARTHOLO, *étonné.* Nous l'entendons ?

LE COMTE, *à Figaro.* Et cette jeune personne a-t-elle un autre engagement, que vous sachiez ?

FIGARO, *froidement.* Je sais qu'un grand seigneur s'en est
35 occupé quelque temps, mais, soit qu'il l'ait négligée ou que je lui plaise mieux qu'un plus aimable, elle me donne aujourd'hui la préférence.

---

1. *mon cavalier* : ironique ; vous qui jouez les chevaliers servants.

Le Comte, *vivement.*   La préf... *(Se contenant.)* Au moins il est naïf ! car ce qu'il avoue, messieurs, je l'ai ouï, je vous
40 jure, de la bouche même de sa complice.

Brid'oison, *stupéfait.*   Sa-a complice !

Le Comte, *avec fureur.*   Or, quand le déshonneur est public, il faut que la vengeance le soit aussi. *(Il entre dans le pavillon.)*

SCÈNE 13. Tous les acteurs précédents, *hors* Le Comte

Antonio.   C'est juste.

Brid'oison, *à Figaro.*   Qui-i donc a pris la femme de l'autre ?

Figaro, *en riant.*   Aucun n'a eu cette joie-là.

SCÈNE 14. Les acteurs précédents, Le Comte, Chérubin

Le Comte, *parlant dans le pavillon, et attirant quelqu'un qu'on ne voit pas encore.*   Tous vos efforts sont inutiles ; vous êtes perdue, madame, et votre heure est bien arrivée ! *(Il sort sans regarder.)* Quel bonheur qu'aucun
5 gage d'une union aussi détestée...

Figaro *s'écrie.*   Chérubin !

Le Comte.   Mon page ?

Bazile.   Ha ! ha !

Le Comte, *hors de lui, à part.*   Et toujours le page endia-
10 blé ! *(À Chérubin.)* Que faisiez-vous dans ce salon ?

Chérubin, *timidement.*   Je me cachais, comme vous me l'avez ordonné.

Pédrille.   Bien la peine de crever un cheval !

Le Comte.   Entres-y toi, Antonio ; conduis devant son
15 juge l'infâme qui m'a déshonoré.

BRID'OISON.   C'est madame que vous y-y cherchez ?

ANTONIO.   L'y a, parguenne, une bonne Providence : vous en avez tant fait dans le pays[1]...

LE COMTE, *furieux*.   Entre donc ! (*Antonio entre.*)

SCÈNE 15. LES ACTEURS PRÉCÉDENTS, *excepté* ANTONIO

LE COMTE.   Vous allez voir, messieurs, que le page n'y était pas seul.

CHÉRUBIN, *timidement*.   Mon sort eût été trop cruel, si quelque âme sensible n'en eût adouci l'amertume.

SCÈNE 16. LES ACTEURS PRÉCÉDENTS, ANTONIO, FANCHETTE

ANTONIO, *attirant par le bras quelqu'un qu'on ne voit pas encore*.   Allons, madame, il ne faut pas vous faire prier pour en sortir, puisqu'on sait que vous y êtes entrée.

FIGARO *s'écrie*.   La petite cousine !

5   BAZILE.   Ha ! ha !

LE COMTE.   Fanchette !

ANTONIO *se retourne et s'écrie*.   Ah ! palsambleu, Monseigneur, il est gaillard de[2] me choisir pour montrer à la compagnie que c'est ma fille qui cause tout ce train-là !

10   LE COMTE, *outré*.   Qui la savait là dedans ? (*Il veut rentrer.*)

---

1. *dans le pays...* : variante : « *Tous les paysans l'un après l'autre, d'un ton bas et comme un murmure général : Il a raison, c'est bien fait, c'est juste, il a raison, etc. etc.* » (B.N.). Le premier éditeur de cette variante, Lintilhac, donne ce commentaire : « Il nous semble que ce murmure général, cet *"etc., etc."* était la plus grande audace de la pièce. C'était une révolution en miniature. »

2. *il est gaillard de* : (fam.) c'est un peu fort de.

Bartholo, *au devant*.   Permettez, monsieur le Comte, ceci n'est pas plus clair. Je suis de sang-froid, moi... (*Il entre.*)

15 Brid'oison.   Voilà une affaire au-aussi trop embrouillée.

SCÈNE 17. Les acteurs précédents, Marceline

Bartholo, *parlant en dedans et sortant*.   Ne craignez rien, madame, il ne vous sera fait aucun mal. J'en réponds. (*Il se retourne et s'écrie :*) Marceline !

Bazile.   Ha ! ha !

5 Figaro, *riant*.   Hé, quelle folie ! ma mère en est ?

Antonio.   À qui pis fera.

Le Comte, *outré*.   Que m'importe à moi ? La Comtesse...

SCÈNE 18. Les acteurs précédents, Suzanne, *son éventail sur le visage*

Le Comte.   ... Ah ! la voici qui sort. (*Il la prend violemment par le bras.*) Que croyez-vous, messieurs, que mérite une odieuse... (*Suzanne se jette à genoux la tête baissée.*) – Le Comte : Non, non ! (*Figaro se jette à genoux de l'autre*

5 *côté.*) – Le Comte, *plus fort* : Non, non ! (*Marceline se jette à genoux devant lui.*) – Le Comte, *plus fort* : Non, non ! (*Tous se mettent à genoux, excepté Brid'oison.*) – Le Comte *hors de lui* : Y fussiez-vous un cent !

SCÈNE 19 ET DERNIÈRE. Tous les acteurs précédents, La Comtesse *sort de l'autre pavillon*

La Comtesse *se jette à genoux*.   Au moins je ferai nombre.

Le Comte, *regardant la Comtesse et Suzanne*.   Ah ! qu'est-ce que je vois ?

5 BRID'OISON, *riant.* Eh pardi, c'è-est madame.

LE COMTE *veut relever la Comtesse.* Quoi ! c'était vous, Comtesse ? (*D'un ton suppliant.*) Il n'y a qu'un pardon bien généreux...

LA COMTESSE, *en riant.* Vous diriez : *Non, non,* à ma
10 place ; et moi, pour la troisième fois d'aujourd'hui[1], je l'accorde sans condition. (*Elle se relève.*)

SUZANNE *se relève.* Moi aussi.

MARCELINE *se relève.* Moi aussi.

FIGARO *se relève.* Moi aussi, il y a de l'écho ici[2] ! (*Tous se*
15 *relèvent.*)

LE COMTE. De l'écho ! – J'ai voulu ruser avec eux ; ils m'ont traité comme un enfant !

LA COMTESSE, *en riant.* Ne le regrettez pas, monsieur le Comte.

20 FIGARO, *s'essuyant les genoux avec son chapeau.* Une petite journée comme celle-ci forme bien un ambassadeur !

LE COMTE, *à Suzanne.* Ce billet fermé d'une épingle ?...

SUZANNE. C'est madame qui l'avait dicté.

LE COMTE. La réponse lui en est bien due. (*Il baise la*
25 *main de la Comtesse.*)

LA COMTESSE. Chacun aura ce qui lui appartient. (*Elle donne la bourse à Figaro et le diamant à Suzanne.*)

SUZANNE, *à Figaro.* Encore une dot !

FIGARO, *frappant la bourse dans sa main.* Et de trois.
30 Celle-ci fut rude à arracher !

SUZANNE. Comme notre mariage.

GRIPE-SOLEIL. Et la jarretière[3] de la mariée, l'aurons-je[4] ?

---

1. *pour la troisième fois d'aujourd'hui* : cf. II, sc. 18, et IV, sc. 5.
2. *de l'écho ici* : cf. V, 7.
3. *jarretière* : ruban qui sert à retenir les bas. A la fin de la noce, parmi les garçons, c'était à qui s'emparerait le premier de la jarretière de la mariée. Le trophée était censé porter chance en amour.
4. *l'aurons-je* : il est traditionnel dans les scènes de farce ou dans les parades• d'attribuer aux paysans ce genre d'expressions pseudo-dialectales dites « *parlures* » (*cf.* Molière, *Dom Juan*, II, 1).

LA COMTESSE *arrache le ruban qu'elle a tant gardé dans son sein et le jette à terre.* La jarretière ? Elle était avec ses
35 habits ; la voilà. *(Les garçons de la noce veulent la ramasser.)*

CHÉRUBIN, *plus alerte, court la prendre, et dit.* Que celui qui la veut vienne me la disputer !

LE COMTE, *en riant, au page.* Pour un monsieur si chatouilleux, qu'avez-vous trouvé de gai à certain soufflet de
40 tantôt ?

CHÉRUBIN *recule en tirant à moitié son épée.* À moi, mon Colonel ?

FIGARO, *avec une colère comique.* C'est sur ma joue qu'il l'a reçu : voilà comme les Grands font justice !

45 LE COMTE, *riant.* C'est sur sa joue ? Ah ! ah ! ah ! qu'en dites-vous donc, ma chère Comtesse !

LA COMTESSE, *absorbée, revient à elle et dit avec sensibilité :* Ah ! oui, cher Comte, et pour la vie, sans distraction, je vous le jure.

50 LE COMTE, *frappant sur l'épaule du juge.* Et vous, don Brid'oison, votre avis maintenant ?

BRID'OISON. Su-ur tout ce que je vois, monsieur le Comte ?... Ma-a foi, pour moi je-e ne sais que vous dire : voilà ma façon de penser.

55 TOUS ENSEMBLE. Bien jugé !

FIGARO. J'étais pauvre, on me méprisait. J'ai montré quelque esprit, la haine est accourue. Une jolie femme et de la fortune...

BARTHOLO, *en riant.* Les cœurs vont te revenir en foule.

60 FIGARO. Est-il possible ?

BARTHOLO. Je les connais.

FIGARO, *saluant les spectateurs.* Ma femme et mon bien mis à part, tous me feront honneur et plaisir. *(On joue la ritournelle du vaudeville. Air noté.)*

Compréhension

1. *Dans la scène 12, sur quel ton Figaro répond-il désormais à son maître (observez les didascalies•) ? À qui obéissent les comparses et comment réagissent-ils à cette confrontation (voir également leurs réactions, sc. 13 à 15) ? Quelle est l'importance de cet affrontement pour la moralité générale de la fable• (relevez les propos de Figaro dont la portée dépasse la seule situation présente) ?*

2. *Montrez que la péripétie• qui s'est produite dans la scène 9 provoque tous les événements ultérieurs et amène le dénouement de la pièce.*

3. *Quelle modification importante de la situation se produit dans la scène 13 ?*

Écriture

4. *Qu'y a-t-il de remarquable dans les événements qui se déroulent à partir de la scène 14 ? Comment Beaumarchais utilise-t-il l'espace scénique• ? Qui choisit-il pour aller chercher chacun dans le pavillon ? Quel est l'effet produit, et à quel genre théâtral peut-on alors penser ?*

5. *Commentez le rôle de Bazile dans les scènes 12 à 17.*

6. *Dans la scène 19, et dernière, quelle didascalie• donne le signal du dénouement ?*

7. *Montrez que presque tous les obstacles étant faux, le dénouement consiste essentiellement dans la mise à nu des stratagèmes. Identifiez les divers éléments de dévoilement, et les répliques où ils se produisent.*

8. *Quels sont les autres éléments du dénouement ? Chacun obtient-il « ce qui lui appartient » ? Identifiez vainqueurs et vaincus.*

9. *Expliquez et appréciez la dernière réplique de la Comtesse : interprétez la didascalie• et justifiez l'expression « sans distraction, je vous le jure ».*

10. *En quoi ce dénouement est-il conforme aux lois du genre « comédie » ? En quoi s'en écarte-t-il ?*

11. *La situation finale vous paraît-elle stable ? Toutes les tensions induites par le désir perturbateur du grand seigneur sont-elles dissipées ?*

VAUDEVILLE

Premier couplet
BAZILE

Triple dot, femme superbe,
Que de biens pour un époux !
5   D'un seigneur, d'un page imberbe,
Quelque sot serait jaloux.
Du latin d'un vieux proverbe
L'homme adroit fait son parti.

FIGARO.   Je le sais... *(Il chante.)* Gaudeant bene nati[1].
10   BAZILE.   Non... *(Il chante.)* Gaudeat bene *nanti*.

Deuxième couplet
SUZANNE

Qu'un mari sa foi trahisse,
Il s'en vante, et chacun rit ;
15   Que sa femme ait un caprice,
S'il l'accuse, on la punit.
De cette absurde injustice
Faut-il dire le pourquoi ?
Les plus forts ont fait la loi.   *(Bis.)*

Troisième couplet
FIGARO

Jean Jeannot[2], jaloux risible,
Veut unir femme et repos ;
Il achète un chien terrible,
Et le lâche en son enclos.
La nuit, quel vacarme horrible !
Le chien court, tout est mordu,
Hors l'amant qui l'a vendu.   *(Bis.)*

20   *Quatrième couplet*
LA COMTESSE

Telle est fière et répond d'elle,
Qui n'aime plus son mari ;
Telle autre, presque infidèle,
25   Jure de n'aimer que lui.
La moins folle, hélas ! est celle
Qui se veille[3] en son lien,
Sans oser jurer de rien.   *(Bis.)*

Cinquième couplet
LE COMTE

D'une femme de province,
À qui ses devoirs sont chers,
Le succès est assez mince ;
Vive la femme aux bons airs !
Semblable à l'écu du prince,
Sous le coin[4] d'un seul époux,
Elle sert au bien de tous.   *(Bis.)*

---

1. *gaudeant bene nati* : jeu de mots ; le proverbe latin signifie : « Heureux les gens bien nés » ; Bazile, suivant son rôle, transpose la sagesse universelle des nations en vérité singulière du moment : « Heureux l'homme bien nanti ». La richesse ne vaut-elle pas mieux que la « naissance » ?
2. *Jean Jeannot* : nom de personnage de fabliau.
3. *qui se veille* : qui se surveille.
4. *coin* : poinçon servant à frapper l'écu à l'effigie du souverain.

Sixième couplet

30 MARCELINE

Chacun sait la tendre mère
Dont il a reçu le jour ;
Tout le reste est un mystère,
C'est le secret de l'amour.

35 FIGARO *continue l'air.*

Ce secret met en lumière
Comment le fils d'un butor
Vaut souvent son pesant d'or. *(Bis.)*

Septième couplet

FIGARO

Par le sort de la naissance,
L'un est roi, l'autre est berger[1] :
Le hasard fit leur distance ;
L'esprit seul peut tout changer.
De vingt rois que l'on encense,
Le trépas brise l'autel ;
Et Voltaire est immortel. *(Bis.)*

Huitième couplet

40 CHÉRUBIN

Sexe aimé, sexe volage,
Qui tourmentez nos beaux jours,
Si de vous chacun dit rage,
Chacun vous revient toujours.
45 Le parterre est votre image :
Tel paraît le dédaigner,
Qui fait tout pour le gagner. *(Bis.)*

Neuvième couplet

SUZANNE

Si ce gai, ce fol ouvrage,
Renfermait quelque leçon,
En faveur du badinage
Faites grâce à la raison[2].
Ainsi la nature sage
Nous conduit, dans nos désirs,
À son but par les plaisirs. *(Bis.)*

Dixième couplet

BRID'OISON

50 Or, messieurs, la co-omédie,
Que l'on juge en cè-et instant,
Sauf erreur, nous pein-eint la vie
Du bon peuple qui l'entend.
Qu'on l'opprime, il peste, il crie,
55 Il s'agite en cent fa-açons ;
Tout fini-it par des chansons.

---

1. *l'un est roi, l'autre est berger :* c'est le thème de *Tarare,* l'opéra de Beaumarchais (1787).
2. *raison :* leçon, moralité de la « fable• ». « *En faveur du badinage... etc.* » : au nom de ce qu'elle a d'espiègle et d'amusant, pardonnez à la pièce les leçons qu'elle peut renfermer.

Écriture

1. Montrez que ce vaudeville reflète en abîme• tous les thèmes qui composent la moralité de la fable•.

2. Montrez qu'il reflète aussi tous les conflits qui ont structuré l'intrigue, et qu'il donne ainsi une deuxième version du dénouement, parfois contradictoire avec la première. Quelles sont les ressemblances et les différences ? La bouffonnerie suffit-elle à expliquer les incohérences ?

3. Montrez enfin qu'il réfléchit encore l'image de Beaumarchais écrivant Le Mariage de Figaro.

4. Comparez la chute de chacun des cinq actes. Quelles réflexions pouvez-vous faire ?

Le Mariage de Figaro, *acte V, mise en scène Antoine Vitez, 1989, Comédie-Française.*

L'action

• *Ce que nous savons*
Il s'agit ici de dénouer l'un des imbroglios les plus complexes de l'histoire de la comédie. En multipliant péripéties et qui-proquos*, Beaumarchais a su retarder jusqu'au dernier moment l'affrontement central du Comte et de Figaro.*

– *Au cours des scènes 6 à 18 la fureur d'Almaviva et son impuissance ne font que croître, tandis que Figaro, dès la scène 8, au grand étonnement des comparses appelés en renfort, maîtrise la situation.*

– *Le renversement en sera d'autant plus saisissant (sc. 19), quand le rire de la Comtesse donne enfin le signal du dénouement : l'époux suborneur, qui s'est déclaré à sa propre épouse, se voit publiquement confondu, et voici réduit à implorer pour la troisième fois le pardon de la Comtesse.*

– *Quant à Figaro, il « empoche l'or et les présents » (cf. I, 2). Il a triomphé de son maître et de sa destinée.*

– *Mais les femmes l'emportent aussi sur les hommes jaloux, et les sentiments naturels sur le libertinage.*
Comme l'exige la comédie, le dénouement est heureux. Il consacre, avec leur mise à nu, la réussite des stratagèmes de Figaro, Suzanne et la Comtesse.

• *À quoi nous attendre ?*
Cependant, des incertitudes subsistent : que fera Chérubin, qui part en emportant son cher ruban ? Le Comte et la Comtesse resteront-ils vraiment unis « pour la vie » ? Le peuple, qui a murmuré, se révoltera-t-il ? Mais pour l'heure tout peut « fini-ir par des chansons ».

L'écriture

Ce nocturne sous les grands marronniers reste l'un des moments les plus poétiques de notre répertoire comique.

• *Virtuosité étourdissante du rythme dans le dénouement de cette comédie d'intrigue.*

• *Art des préparations (la sc. 1 prépare la réapparition de Chérubin, la sc. 2 l'intervention du « peuple » et un affrontement imminent par son atmosphère de complot).*

• **Tension dramatique** savamment entretenue et graduée, par des péripéties indéfiniment prodiguées et des situations montées avec une précision d'horlogerie.

• **Effets comiques** à répétition, provoqués par les surprises et l'opposition des caractères et des situations.

• **Utilisation intensive des moyens spécifiques du théâtre :**
– le masque : déguisements, quiproquos, apartés se multiplient,
– la scène : l'auteur recourt à toutes les ressources visuelles qu'offrent le jeu (soufflets, déguisement des voix), et l'espace scénique*, où il multiplie les lieux dynamiques (pavillons, coulisses, devant des coulisses, fond de scène),
– le langage : toutes les virtualités en sont exploitées : répliques en échos, ressources pragmatiques* de la parole en acte (l'implicite*, notamment), et mélange des tons : on passe du drame, que l'on effleure (sc. 2, 3), au vaudeville.

Les personnages

Il vous appartient désormais de vous demander pourquoi Figaro est devenu un type, littéraire, certes, mais aussi populaire.
Si l'un de ces personnages vous a plus particulièrement séduit ou touché, demandez-vous pourquoi.

Les stratagèmes du Mariage

Étudiez quatre ou cinq des stratagèmes principaux que la pièce met en œuvre (par exemple billets, déguisements, mensonges par omission ou sous-entendu). Pour chacun d'eux, reproduisez et renseignez un tableau sur le modèle suivant :

• **Moyens du stratagème**
– Faire ou ne pas faire quelque chose : ....
– Dire ou ne pas dire : mentir ....
                              omettre ....
                              laisser entendre ....
– Paraître ce que l'on n'est pas (déguisement) : ....

• **Repères dans la marche de l'action (acte, scène)**
– Point de départ du stratagème dans l'action : ....
– Péripéties éventuelles auxquelles donne lieu le stratagème : ....
– Mise(s) à nu partielle(s) ou réversible(s) du stratagème :

– Mise à nu définitive : . . . .

• *Analyse des données*

– *Qui est toujours trompé, qui ne l'est pas, qui l'est à l'occasion ?*

– *Quels étaient les buts et les volontés motrices véritables de l'intrigue ?*

– *En quoi consistent la plupart du temps les obstacles et les actions ?*

– *Comment de tels stratagèmes favorisent-ils la conduite d'une comédie d'intrigue ?*

Du Mariage aux Noces

• Da Ponte a placé le moment de révolte de Figaro au début de l'opéra (I, 2 : « Si Monsieur le petit Comte veut danser, je serai son guitariste. S'il veut venir à mon école, je lui apprendrai la cabriole… »). Au dernier acte, en revanche, il a réduit le fameux monologue à presque rien. Montrez que ce déplacement modifie du tout au tout le sens de la révolte de Figaro. Ces modifications sont-elles justifiées à vos yeux ?

• le déguisement des voix est impossible à l'opéra : par quel trait de génie Mozart a-t-il tourné la difficulté ?

• Chez Mozart, bien qu'il s'agisse d'un opéra-bouffe, le pardon n'est plus accordé « en riant », mais dans une atmosphère que rendent pathétique la tonalité de sol mineur et le recours au chœur polyphonique. Le drame du couple seigneurial passe au premier plan. Il est vrai que la « fantaisie » du Comte pour Suzanne est devenue dans l'opéra une véritable passion amoureuse. En quoi le sens et le ton de la pièce se trouvent-ils ainsi radicalement modifiés ?

Le Mariage de Figaro, *acte V, scène 19, gravure de 1785.*

DATES	ÉVÉNEMENTS HISTORIQUES	ÉVÉNEMENTS CULTURELS
1723	Début du règne personnel de Louis XV.	
1732		Destouches, *Le Glorieux* (comédie).
		Voltaire, *Zaïre* (tragédie).
		Naissance du peintre Fragonard.
1733-1734	Guerre de Succession de Pologne.	
		Bach, *Oratorio de Noël*.
		Rameau, *Les Indes galantes* (opéra).
1735		Lesage, *Gil Blas* (roman).
1737		Marivaux, *Les Fausses Confidences*.
		Premier Salon de peinture.
1740		Richardson, *Pamela* (roman).
		Chardin, *Benedicite* (peinture).
1741		Marivaux, *La Vie de Marianne* (roman).
1742	Guerre de Succession d'Autriche.	Boucher, *Le Repos de Diane* (peinture).
1748		Montesquieu, *De l'Esprit des Lois*.
1751		Début de l'*Encyclopédie*.
1754		L'architecte Gabriel édifie la place Louis XV aujourd'hui de la *Concorde*.
1755	Conflit franco-anglais.	Mort de Montesquieu.
	Tremblement de terre de Lisbonne.	Rousseau, *Discours sur l'origine de l'inégalité parmi les hommes*.
1756	Guerre de Sept Ans.	Naissance de Mozart.
1757		Diderot, *Le Fils naturel* (drame), *Entretiens sur le Fils naturel* (théorie du drame).
1758		Diderot, *Le Père de famille* (drame).
1761		Greuze, *L'Accordée de village* (peinture).
1762	Procès et exécution de Calas.	
	Avènement de Catherine de Russie.	
1764		Voltaire, *Le Dictionnaire philosophique*.
1765		Sedaine, *Le Philosophe sans le savoir* (drame).
		Fusion des troupes de l'Opéra-Comique et des Italiens.
1766	Conflit en France entre le Roi et les parlements.	
1767	Expulsion des jésuites de France.	
1769	Naissance de Napoléon Bonaparte.	*Hamlet* adapté en français (drame).
1770		Mort du peintre Boucher.
		Naissance de Beethoven.
1771	Le chancelier Maupéou réforme les parlements et exile les parlementaires.	
1773		Diderot, *Jacques le fataliste* (roman).
1774	Mort de Louis XV, avènement de Louis XVI. Ministère Turgot.	Goethe, *Werther* (roman).
		Gluck, *Iphigénie en Aulide* (opéra).

VIE ET ŒUVRE DE BEAUMARCHAIS	DATES
Naissance de Pierre-Augustin Caron, à Paris, d'un père horloger. Tous sont musiciens dans la famille ; il en gardera le goût des divertissements musicaux.	1732
Apprend chez son père le métier d'horloger.	1745
Ses émois d'amoureux précoce lui inspireront ceux de Chérubin. Invente un procédé d'horlogerie utilisé aujourd'hui encore : l'échappement. Lepaute s'approprie l'invention. Le jeune Caron fait appel à l'opinion publique et à l'académie des Sciences, qui lui rend le mérite de son invention. Commande de montres pour les filles de Louis XV et la Pompadour.	1751-1753
Entre à la Cour comme « Contrôleur de la bouche du Roi ».	1755
Épouse la veuve Franquet ; prend le nom de Caron de Beaumarchais. Mort de sa femme.	1756 1757
Professeur de harpe des filles du Roi. Cultive ses relations à la Cour. S'associe à l'homme d'affaires Pâris-Duverney, fournisseur aux armées. Commence à écrire pour le théâtre, compose des parades (Jean Bête à la foire) pour Lenormand d'Étioles, écrit son premier drame, Eugénie.	1758 1760
Obtient le titre de « Secrétaire du Roi », qui l'anoblit, et la charge de « Lieutenant général des chasses ».	1761
Voyage à Madrid, afin d'aider sa sœur à faire exécuter une promesse de mariage signée en sa faveur (cf. Mariage).	1764
Première représentation d'Eugénie : échec. Remanie sa pièce. Essai sur le genre dramatique sérieux, texte théorique.	1767
Nouveau mariage avec une riche veuve, Mme Lévêque.	1768
Mort de sa deuxième femme. Les Deux Amis ou le Négociant de Lyon, drame : semi-échec. Mort de Pâris-Duverney qui avait signé une reconnaissance de dettes de 15 000 livres en sa faveur. Son héritier, le comte de La Blache prétend que l'acte est un faux et intente un procès à B. qui le gagne. Le comte fait appel.	1770
Dispute avec le duc de Chaulnes. Trois mois de prison. Le Conseiller Goezman, hostile à B., est nommé rapporteur dans l'affaire La Blache. B. sollicite une audience du Conseiller, moyennant le versement de gratifications au secrétaire et à la femme de Goezman. Le Conseiller refuse de le recevoir une seconde fois, mais ne restitue pas toutes les sommes perçues. Condamnation et saisie des biens de B. : ruine. Demande la révision du procès. Quatre Mémoires contre Goezman.	1773
Nouveau procès. Obtient gain de cause, mais est déchu de ses droits civiques. Se réfugie à Londres d'où, pour se réhabiliter, il propose ses services au roi. Pourchasse les libelles imprimés à Londres contre les favorites du Roi.	1774

DATES	ÉVÉNEMENTS HISTORIQUES	ÉVÉNEMENTS CULTURELS
1776	Déclaration d'Indépendance des États-Unis d'Amérique. Renvoi de Turgot.	
1778	Ministère Necker. La France entre en guerre aux côtés des insurgés américains. La Fayette en Amérique.	Morts de Voltaire et de Rousseau.
1781		Mozart, *L'Enlèvement au sérail* (opéra).
1782		Rousseau, *Les Confessions* (1ʳᵉ partie), les *Rêveries*. Choderlos de Laclos, *Les Liaisons dangereuses* (roman).
1783	Ministère Calonne. Traité de Versailles : indépendance des États-Unis.	
1784		Mort de Diderot.
1785		André Chénier, *Premières Idylles* (poésie).
1786		Mozart, *Les Noces de Figaro* (opéra). David, *Le Serment des Horaces* (peinture).
1787	Constitution des États-Unis d'Amérique. Loménie de Brienne succède à Calonne.	Mozart, *Dom Juan* (opéra). Bernardin de Saint-Pierre, *Paul et Virginie* (roman).
1788	Disgrâce de Brienne. Deuxième ministère Necker. Crise financière et convocation des États Généraux pour 1789.	
1789	Début de la Révolution en France : Assemblée nationale constituante.	
1791	Assemblée législative.	Mozart, *La Flûte enchantée* (opéra).
1792	Sur la proposition de Vergniaud, chef des Girondins et président de l'Assemblée, la Monarchie est suspendue. Massacres de Septembre. Élection de la Convention : proclamation de la Première République.	Mort de Mozart.
1793	Exécution de Louis XVI. Coalition de l'Europe contre la République. Proscription et assassinat des Girondins. Fuite en avant vers la Terreur. Despotisme de Robespierre.	
1794	Exécutions de Danton et de Robespierre.	Exécutions de Chénier et du savant Lavoisier.
1795	Début du Directoire. Bonaparte vaincu à Campo-Formio.	Condorcet, proscrit comme député girondin, écrit l'*Esquisse d'un tableau historique des progrès de l'esprit humain*. Exécution de Condorcet.
1798		Beethoven, *La Sonate pathétique*.
1799	Coup d'État du 18 brumaire. Début du Consulat.	

VIE ET ŒUVRE DE BEAUMARCHAIS	DATES
Première du *Barbier de Séville* à la Comédie-Française, dans une version en cinq actes : demi-échec. Supprime le dernier acte : très large succès. *Lettre modérée sur la chute et la critique du Barbier de Séville*, texte théorique. Suggère, dans des rapports adressés au roi, de soutenir la guerre d'indépendance d'Amérique. Louis XVI se laisse convaincre. Rétabli dans ses droits civiques, B. organise les livraisons d'armes aux insurgés américains.	1775
Création, avec Sedaine et Marmontel, de la Société des Auteurs dramatiques, chargée de protéger les droits des écrivains.	1777
Le parlement d'Aix casse l'arrêt de 1774, donnant raison à B. contre La Blache. B. est porté en triomphe dans les rues d'Aix.	1778
Entreprend d'éditer à Kehl (Bade) l'œuvre de Voltaire, interdite en France.	1780
Début de la bataille pour *Le Mariage de Figaro*. Louis XVI déclare que « cela ne sera jamais joué ».Le manuscrit est lu et applaudi dans les salons. Six censeurs sont successivement nommés.	1781
Première du *Mariage*, le 27 avril, à la Comédie-Française : événement littéraire.	1784
Représentation de *Tarare,* opéra sur une musique de Saliéri.	1787
Se fait construire une demeure fastueuse près de la Bastille.	1789
Première de la troisième pièce de la trilogie de Figaro, *La Mère coupable,* un drame. Compromis dans une affaire de livraison de fusils aux armées de la Révolution. Emprisonné, échappe de justesse aux massacres de Septembre, part en Hollande puis revient pour plaider sa cause. Contraint de s'exiler, il est inscrit sur la liste des émigrés. Ses biens sont pillés.	1792
Autorisé par le Directoire à rentrer en France. Se remet dans les affaires, tente de convaincre le gouvernement de percer l'isthme de Panama.	1796
Reprise de *La Mère coupable* : grand succès.	1797
Meurt le 18 mai à Paris.	1799

L'HORIZON INTELLECTUEL

Le siècle des Lumières représente à bien des égards la troisième époque de l'Humanisme. Au XVIe siècle, la découverte de l'Amérique, ce continent qu'ignore la Bible, avait ébranlé l'autorité de la Révélation. Au contact des peuples exotiques, la relativité des mœurs était apparue. Au XVIIe siècle, Galilée avait montré que la nature était écrite « en langage mathématique », et Descartes compris que pour fonder ses jugements l'homme devait ne compter que sur les lumières naturelles de la raison. Le Sujet pensant était devenu la source des valeurs aux yeux des Modernes. Il appartenait aux Lumières de tirer toutes les conséquences de l'idée que, dans l'humanité, le donné naturel n'est pas le groupe organique, mais l'individu, que glorifiera Figaro. Nul ne croit plus dépendre d'un « ordre » par une quelconque attache organique, nouée à jamais par la naissance : le privilège se voit frappé d'illégitimité. L'homme ne devient humain qu'en s'arrachant à sa naissance, à sa nature biologique, aux traditions et aux préjugés obscurs de sa caste, par le continuel progrès des Lumières : tel est le message impérissable laissé par Voltaire et son siècle. Beaumarchais, son éditeur, animera son théâtre du combat des talents contre la naissance.

LE 1er GRAND DÉCOLLAGE ÉCONOMIQUE

Le Philosophe se veut cosmopolite. Philanthrope, il concourt par ses talents à accroître le bien-être matériel de ses semblables. L'intérêt pour les sciences et les techniques grandit soudain : machine à vapeur, électricité, aérostats, métiers mécaniques et machines-outils changent le paysage manufacturier et l'horizon mental des Européens : Beaumarchais se passionne pour l'expérience « d'aérostat dirigeable » de Scott, et songe, avant Lesseps, à percer l'isthme de Panama ! La croissance donne de plus en plus d'importance aux capitaux et aux hommes de finance. Fermiers généraux et traitants aux armées se retrouvent le plus souvent dans le camp des Philosophes. C'est ainsi que le père de Figaro sert Pâris-Duverney. La noblesse libérale et la bourgeoisie éclairée sont l'âme de cet extraordinaire développement. Leur ascension condamne à terme l'Ancien Régime à se réformer ou à disparaître. C'est ce qu'annoncent les *lazzi* de Figaro contre la noblesse.

ESSOR DE LA PRESSE ET DE L'ÉDITION

Les sociétés de pensée
•

La vieille société d'ordres se décompose comme d'elle-même au contact des valeurs et des intérêts nouveaux. Des hommes des trois ordres et de diverses conditions prennent l'habitude de se fréquenter, sur un pied d'égalité, pour débattre des idées du temps. Salons et académies, cafés ou loges maçonniques, clubs et sociétés de pensée diffusent des Lumières et deviennent les lieux d'une nouvelle sociabilité égalitaire.

La presse

•

La presse connaît un essor sans précédent. Les journalistes payés à la feuille se multiplient (Suard, Gorsas, Brissot). Par les salons et les journaux, l'opinion devient la maîtresse des gouvernements. Parmi les gens de lettres, certains parcourent des carrières sans fautes : ces privilégiés constituent ce que Voltaire nommait « son Église ». Le type même en est Suard, le censeur acharné de Beaumarchais. Mais à côté d'eux, combien de pauvres hères ne connaissent-ils pas les affres d'une vraie « bohème littéraire » ! Diderot campe l'un d'eux dans son *Neveu de Rameau*. L'historien américain Robert Darnton nous fait comprendre la détresse de tous ces Figaros, auteurs de comédies censurées, ou « feuillistes » que l'on « supprime » : « Les provinciaux affluaient vers Paris à la recherche de la gloire, de l'argent et de l'"état" plus favorable qui semblaient promis à tout écrivain ayant quelque talent. (...) Mais le sommet parisien, le "Tout-Paris", laissait peu de place pour les jeunes gens ambitieux (...), peut-être parce que (...) la France souffrait de ce mal endémique de tous les pays en voie de développement : une surpopulation de littérateurs et d'hommes de loi suréduqués et sous-employés. (...) Une fois déchus dans la bohème littéraire, les jeunes provinciaux, qui avaient rêvé de prendre d'assaut le Parnasse, ne pouvaient plus en sortir. (...) Ils ne pouvaient plus pénétrer dans la bonne société, où se distribuaient les meilleures places. (...) Ils survivaient (...) en espionnant pour la police ou en colportant de la pornographie » et maudissaient les « aristocrates de la littérature », qui avaient accaparé les places. « Ces hommes », conclut Darnton, « sont devenus révolutionnaires dans les bas-fonds intellectuels, et c'est là qu'est née la détermination jacobine de liquider "l'aristocratie de l'esprit". » (Robert Darnton, *Bohème littéraire et Révolution*, Le Seuil, 1983.)

L'édition

•

L'édition offre aux Lumières l'arme de leurs combats. Diderot est l'un des premiers éditeurs de métier (l'*Encyclopédie*), et Beaumarchais édite Voltaire. De Renaudot à Panckoucke, l'essor de l'édition est remarquable, de même que celui de la presse, comme le souligne P. Goubert : « Peut-on dire que les livres n'ont pas fait la Révolution ? Certainement pas, mais il faut élargir la question et mettre à l'honneur, à côté du livre, tous les imprimés qui le débordent largement et contribuent à faire du peuple lisant l'arbitre et parfois l'acteur des luttes politiques : canards, libelles occasionnels et surtout journaux. (...) Les journalistes s'émancipent, d'abord dans le combat philosophique et littéraire où s'affrontent les rédacteurs du *Journal de Trévoux*, du *Journal des Savants*, du *Mercure de France* ou de l'*Année littéraire* avec Fréron, ensuite dans la réflexion politique et religieuse. (...) La fin du siècle voit se multiplier les périodiques spécialisés, les affiches de Paris et de province, la presse féminine. (...) Cafés, salles de lecture et abonnements (...) permettent à un bon nombre de lecteurs, urbains essentiellement, d'y avoir accès. » (P. Goubert et D. Roche, *Les Français et l'Ancien Régime*, A. Colin, 1984.)

La censure

•

Mais, si libéral qu'il fût, l'Ancien Régime restait sur ce point tributaire de l'Église. Dispensant un enseignement fondé sur une tradition, celle de la Bible et de l'Évangile, celle-ci voyait d'un mauvais œil se développer les idées d'une morale, d'une religion et d'un droit naturels, qui prétendaient renier la Révélation et toute tradition de droit divin comme autant de préjugés obscurantistes. Aussi l'Église contraignit-elle souvent le gouvernement à persécuter les entreprises éditoriales des Philosophes. En 1742, fut créé le corps des « censeurs royaux », chargés de contrôler les productions de l'esprit. Sur soixante-dix-neuf censeurs, trente-six régentaient les belles lettres. Aucun livre ne pouvait être imprimé sans le « privilège du roi » ; cela constituait un crime, comme on le fait savoir à Figaro, embastillé pour délit d'opinion. Certes, la censure sévit, mais modérément, et souvent pour d'autres raisons que celles qu'on croit : « La création définitive de la censure », note Goubert (*op. cit.*), « coïncide avec l'affirmation du monopole parisien, elle est l'expression idéologique d'une offensive économique ». (...) Les nouveaux censeurs « autorisent (ou refusent) l'impression publique au profit d'un libraire, le plus souvent de Paris ».

ESSOR DU THÉÂTRE

L'ascension du Tiers État, l'essor des lettres, le règne de l'opinion, et l'obstacle impopulaire de la censure devaient faire du théâtre la caisse de résonance des aspirations et des combats du siècle. S'ajoutant à cela, le goût des plaisirs et des divertissements de société ne pouvait manquer de provoquer en sa faveur un véritable engouement. Le théâtre devint le miroir de cette société affamée de bonheur, et qui se cherchait elle-même.

Les salles de théâtre et d'opéra

•

Une certaine disposition scénique se perfectionne et s'impose quasi définitivement : la « scène d'illusion ». Le XVIIIe siècle consacre la séparation totale de la scène et de la salle, qui jusque là s'interpénétraient.

En tête des salles de la capitale, viennent toujours l'Opéra et la Comédie-Française. Celle-ci s'installe en 1770 dans la salle des Tuileries dite « des machines », en raison de ses équipements spéciaux pour la manœuvre des décors, devenus très importants, puis en 1782 à l'Odéon. L'Opéra est au service de la danse et de la dramaturgie lyrique.

Les Comédiens-Italiens, expulsés en 1697, rappelés par Marivaux, ont fusionné en 1762 avec l'Opéra-Comique. On y joue des comédies réputées plus légères, et souvent accompagnées de chants et de musique.

Le théâtre populaire est celui des comédiens de la Foire, où même de grands personnages viennent écouter les truculentes « parades » que les forains jouent au balcon de leurs salles afin d'attirer le chaland. L'expulsion des Comédiens-Italiens avait favorisé, à titre de substitution, l'essor de ce théâtre de la Foire, dans le domaine des divertissements lestes et bouffons.

Les genres
•

La mode s'était répandue des théâtres de société, réservés à des coteries privées, souvent du meilleur monde. Le goût des parades• passa ainsi des balcons de la Foire aux salons de la bonne société. C'est dans ce genre de la « parade littéraire » que Beaumarchais fit ses premières armes, chez Lenormand d'Etioles (*Jean Bête à la Foire, Colin et Colette,* etc.).

La grande comédie s'était au début du siècle éloignée de la tradition de Molière. L'intrigue et ses péripéties romanesques, le comique de caractères avaient laissé place à un réalisme inspiré de l'actualité sociale : la comédie de mœurs tendait au « naturel ». Les sujets tournaient autour de questions d'argent : ce n'étaient qu'héritages, banqueroutes ou riches veuves à séduire. Seul Marivaux était parvenu à renouveler profondément la dramaturgie, en faisant du langage lui-même un des moteurs du dévoilement du cœur et des progrès de l'action.

Toutefois, la bourgeoisie aspirait à un théâtre proche de ses valeurs, célébrant le travail, la vertu et la sensibilité naturelle. La tragédie (Voltaire) était jugée trop éloignée de la vie, artificielle. La comédie ridiculisait le bien. On voulait un théâtre moralisateur, et naturel. Il fallait des sujets sérieux et d'actualité, mélangeant les genres pour imiter la variété de la vie, comme dans les pièces de Calderon, Goldoni, ou surtout Shakespeare. Diderot se fait l'interprète de ces aspirations, et crée ce qu'il nomme le drame•. *Le Fils naturel* devait en être le premier exemple, et les *Entretiens sur le Fils naturel* la première théorie : le drame est un mélange de comédie larmoyante• et de tragédie domestique et bourgeoise, qui met en scène les conditions• (le père de famille, le financier) plus que les caractères. Ses trois mots d'ordre sont : vérité, sensibilité, moralité, c'est-à-dire réalisme de la vie quotidienne, émotion et larmes, spectacle de la vertu... Le drame est inséparable du mouvement philosophique, dont il exprime les idées à la scène. Les disciples de Diderot seront Sedaine (*Le Philosophe sans le savoir*) et, surtout, Beaumarchais. C'est lui qui donne ses lettres de noblesse à l'école des « dramatistes », en apportant au drame sa griffe personnelle (*Eugénie, La Mère coupable, Les Deux Amis*).

Les élargissements
•

L'influence des auteurs étrangers s'était accrue. Le théâtre s'ouvrait même à celle des romanciers, comme Richardson, aussi n'est-il pas étonnant de le voir chercher à imiter le roman. Beaumarchais n'en fait pas mystère : « Il faut lire les romans de Richardson », écrit-il, « qui sont de vrais drames, de même que le drame est la conclusion et l'instant le plus intéressant d'un roman quelconque ». Mais le théâtre s'ouvre en fait à tous les genres, selon le goût du siècle pour le décloisonnement : la peinture (Diderot prend Greuze pour modèle de mise en scène) et la musique (Beaumarchais y tient avec prédilection) se mêlent désormais à la comédie ou au drame.

Les goûts conjugués du théâtre et de la musique conduisent au développement de l'opéra, qui connaît au XVIIe siècle un essor tout à fait remarquable. En témoignent l'œuvre de Mozart, et le succès de ses *Noces de Figaro,* composées d'après la comédie de Beaumarchais. Déjà, Beaumarchais y faisait la part belle au chant et à la danse. Lui-même ne devait-il pas écrire un opéra, *Tarare,* en collaboration avec Saliéri ?

245

BEAUMARCHAIS ET SON TEMPS

Voici le résumé, composé par Beaumarchais lui-même[1]. Il l'avait intitulé : « *Programme du Mariage de Figaro* ». On ne saurait mieux faire ni mieux dire !

« Figaro, concierge au château d'Aguas-Frescas, a emprunté dix mille francs de Marceline, femme de charge du même château, et lui a fait son billet de les rendre dans un terme ou de l'épouser à défaut de payement. Cependant, très amoureux de Suzanne, jeune camériste de la Comtesse Almaviva, il va se marier avec elle, car le Comte, épris lui-même de la jeune Suzanne, a favorisé ce mariage, dans l'espoir qu'une dot, promise par lui à la fiancée, va lui faire obtenir d'elle en secret la séance du droit du seigneur, droit auquel, en se mariant, il a renoncé entre les mains de ses vassaux. Cette petite intrigue domestique est conduite pour le Comte par le peu scrupuleux Bazile, maître de musique du château. Mais la jeune et honnête Suzanne croit devoir avertir sa maîtresse et son fiancé des galantes intentions du Comte ; d'où naît une union entre la Comtesse, Suzanne et Figaro, pour faire avorter les desseins de Monseigneur. Un petit page, aimé de tout le monde au château, mais espiègle et brûlant comme tous les enfants spirituels de treize ou quatorze ans, fuyant dans ses gaietés son maître, et qui, par sa vivacité et son étourderie perpétuelles, dérange plus d'une fois sans le vouloir le Comte dans sa marche, autant qu'il en est dérangé lui-même, ce qui amène quelques incidents assez heureux dans la pièce... Le Comte enfin s'apercevant qu'il est joué, sans deviner comment on s'y prend, se résout à se venger en favorisant les prétentions de Marceline. Ainsi, désespéré de ne pouvoir faire sa maîtresse de la jeune, il va faire épouser la vieille à Figaro, que tout cela désole. Mais, à l'instant qu'il croit s'être vengé en jugeant, et que comme premier magistrat d'Andalousie, Almaviva condamne Figaro à épouser Marceline dans le jour ou à lui rendre ses dix-mille francs, ce qui est impossible à ce dernier, on apprend que Marceline est mère inconnue de Figaro, ce qui détruit tous les projets du Comte, lequel ne peut plus se flatter d'être heureux ni vengé. Pendant ce temps la Comtesse, qui n'a pas renoncé à l'espoir de ramener son infidèle époux en le surprenant en faute, est convenue avec Suzanne que celle-ci feindrait enfin d'accorder un rendez-vous dans le jardin au Comte et que l'épouse s'y trouverait en place de la maîtresse. Mais un incident imprévu vient d'instruire Figaro du rendez-vous donné par sa fiancée. Furieux de se croire trompé, il va se cacher au lieu bien indiqué pour surprendre le Comte et Suzanne. Au milieu de ses fureurs, il est agréablement surpris lui-même en apprenant que tout ceci n'est qu'un jeu entre la Comtesse et sa caméristе pour abuser le Comte ; il finit par entrer de bonne grâce dans la plaisanterie ; Almaviva, convaincu d'infidélité par sa femme, se jette à genoux, lui demande un pardon qu'elle lui accorde en riant, et Figaro épouse Suzanne. »

---

1. Ce plan autographe de la pièce a été découvert et publié par Lintilhac. Gaiffe le date de 1778, mais il est douteux en vérité que ce document ait été composé au début de la création du *Mariage*. Beaumarchais le reproduira, presque mot pour mot, dans un article de 1784, écrit dans le *Courrier de l'Europe* du 9 juillet.

LE GENRE COMIQUE

Source fondamentale : le genre comique lui-même

•

Jusqu'à la révolution introduite par Bertolt Brecht, au XXᵉ siècle, le théâtre, par essence, relève des contraintes propres à ses différents genres. La comédie plus que tout autre. Une comédie, et particulièrement de Beaumarchais, s'inscrit d'abord dans un genre, c'est dire que ses sources sont à rechercher dans des structures très codifiées, aux stéréotypes nombreux. La comédie fonctionne selon une « grammaire » intemporelle. Les termes en sont des couples convenus : maîtres et domestiques, jeunes amants et vieillards grincheux, la « syntaxe », un certain nombre de scénarios types, comme les reconnaissances, les mariages contrariés, ou les déguisements générateurs de quiproquos... Une telle stéréotypie peut surprendre. Elle a pourtant ses raisons, qui tiennent à la nature même de la communication théâtrale.

Une comédie, c'est d'abord un texte de théâtre. Certes, comme le roman, celle-ci développe bien une histoire, où des personnages sont engagés dans un conflit, que l'on nomme l'action ou le drame. Mais là s'arrête la ressemblance. Le texte de théâtre s'offre au lecteur comme un simple échange de répliques : toute intervention directe de l'auteur en est, en principe, exclue : il ne peut ni raconter, ni commenter. Tout doit contenir dans ce qui peut être manifesté sur le théâtre. Or, la lisibilité exige la stylisation des situations et leur stéréotypie. De plus, si, en apparence, les personnages parlent entre eux, en réalité, par leur truchement, c'est l'auteur qui s'adresse à nous. Cette duplicité de la communication théâtrale éloigne autant que possible le dialogue de la conversation, et ce, d'autant plus qu'il ne s'y trouve nulle place pour l'improvisation : le langage dramatique est écrit avant que d'être dit. Loin d'être naturel, malgré les prétentions de la plupart des auteurs, à commencer par Beaumarchais, il doit tout à l'art, c'est-à-dire à l'artifice. Les personnages n'ont donc point de réalité psychologique. Ils ne sont que des « êtres de papier », ou plutôt « de dialogue ». On retrouve donc surtout dans les multiples sources de Beaumarchais l'effet des lois propres à un genre qui s'est fixé au fil des siècles depuis Plaute et Térence.

Farce, parade et théâtre dans le théâtre

•

Beaumarchais, par exemple, excelle aux jeux du théâtre dans le théâtre. Ses personnages rappellent souvent qu'ils ne sont que des acteurs jouant un rôle. Mais ce faisant, il s'inscrit dans une tradition dramaturgique invétérée. « Les formes élémentaires du théâtre populaire », note J. Schérer, « ont toujours aimé cette rupture de l'illusion scénique qui met le public dans la complicité du jeu dramatique. L'ancienne farce en offrait de nombreux exemples ; elle savait qu'elle était farce et le disait volontiers à son public. Le XVIIIᵉ siècle, parce qu'il s'intéresse aux techniques et parce qu'il se veut blasé, introduit cette désinvolture dans des genres littéraires plus relevés. » (*op. cit.* p. 235.) De fait, dans certains romans de Diderot, comme *Jacques le fataliste et son Maître*, l'auteur se mêle sans cesse à ses personnages et se montre ostensiblement comme le seul maître des événements qu'il raconte. La parade• des comédiens forains avait conservé les traditions de la farce, sur ce point comme sur tant d'autres. En en faisant un genre littéraire, Beaumarchais « n'a garde d'oublier cette coquetterie que connaissait déjà la farce populaire » (*ibidem*).

Panurge
•

Beaumarchais, toutefois, est un homme naturellement gai ; jusque dans ses grandes comédies, il conserve le souvenir des facilités de la parade, et sacrifie volontiers à la muse comique la plus délurée. Désireux de restaurer « la franche et vraie gaieté qui distinguait de tout autre le comique de notre nation » (Préface), il trouve un modèle de son Figaro dans le Panurge de Rabelais. Il y fait de multiples références, à commencer par le personnage de Brid'oison, réminiscence voulue du célèbre juge Bridoye, qui ébahit Panurge en décidant le procès à coups de dés. Beaumarchais et Rabelais sont des écrivains de même tempérament. L'un et l'autre partagent le goût du comique de mots et des accumulations verbales. À cet égard, le monologue du cinquième acte est souvent d'une virtuosité toute pantagruélique. La tradition du rire français, des fabliaux aux contes de La Fontaine, passe par Maître Alcofribas et aboutit à Beaumarchais.

La commedia dell'arte
•

Aux préceptes hérités de la comédie humaniste, le XVIIᵉ siècle avait ajouté deux apports notables, ceux de la comédie italienne, puis de la comédie espagnole.

La *commedia dell'arte* multipliait les péripéties romanesques et imprévues : Turcs, pirates, naufrages, enlèvements, reconnaissances... : Beaumarchais n'hésite nullement à user de ces moyens traditionnels (la reconnaissance de Figaro par Marceline, notamment). De même il lui emprunte le scénario du « dépit amoureux » (III, 18 et V, 8). Remplaçant Léandre par Figaro et Isabelle par Suzanne, il greffe des rôles de maîtres sur des rôles de valets, conformément à la philosophie égalitaire du *Mariage*. Dans la comédie italienne, les rôles n'étaient guère que des masques, à la figure invariable. D'abord simples *zanni* (pitres) indifférenciés, ils s'étaient ensuite fixés en types idéaux : Isabelle et son amoureux Léandre, Arlequin, Pierrot et Colombine, ou le vieillard Pantalon. Ces masques ne sont que des fonctions : le parasite, le pédant, le fanfaron, l'ingénue, ou encore le valet. Habile et rusé, Scaramouche ou Scapin, il est héritier lui-même d'un couple célèbre de la comédie latine : l'esclave et le parasite, dont se souvient Beaumarchais, quand il met aux prises le jardinier Antonio et Figaro le valet.

La comédie espagnole

•

La comédie espagnole avait quant à elle apporté deux ressorts spécifiques : *l'amour,* et *l'honneur* le plus chatouilleux. *Une fille courtisée,* telle ici Suzanne, *deux rivaux* qui s'affrontent, comme le Comte et Figaro, à l'arrière-plan, souvent une autre fille trahie... À ce second rôle, Marceline, duègne et fille-mère, doit presque tout, hormis ses tirades féministes. Le Comte, « libertin par ennui, jaloux par vanité ; cela va sans dire (I, 4) » sort du même univers.

La comédie espagnole avait elle aussi son valet type, hérité des Latins, Sganarelle (que l'on retrouve chez Molière au service de Don Juan). Figaro est d'abord le frère des Scapin et des Sganarelle. Mais Beaumarchais l'a beaucoup individualisé et approfondi : il dote Figaro d'un passé, et en fait ainsi une sorte de héros de roman.

Les leçons de Molière

•

Italienne ou espagnole, la comédie vivait avant tout des rebondissements de l'intrigue. C'était contre cette tradition qu'avait réagi Molière : retournant au rire franc, diminuant considérablement la part du romanesque et de l'intrigue, il avait fait évoluer le genre vers la comédie de mœurs ou de caractères. Ce faisant, il avait engagé la comédie dans un combat satirique contre les abus du monde comme il va. L'ambition de Beaumarchais est de réunir les surprises de la comédie d'intrigue aux flèches du combat moliéresque, de conjoindre spectacle et philosophie engagée. Mais, conformément aux leçons de Diderot, il tend à remplacer la critique des caractères individuels par celle des conditions• sociales : le Comte face à Figaro, c'est un peu la noblesse confrontée aux revendications de la roture.

La comédie de mœurs du début du siècle

•

À partir de 1680, la comédie de mœurs, héritée de Molière, avait prétendu au « naturel ». Elle s'était heurtée à l'impossibilité même du réalisme au théâtre. Aussi Beaumarchais renoue-t-il avec la poésie des conventions comiques traditionnelles. Mais il conserve certains éléments de cette comédie du début du siècle. Elle offrait la peinture aimable d'un monde corrompu, où les femmes étaient séduisantes, les chevaliers libertins, où chacun pétillait d'esprit, et recherchait le plaisir ou la fortune, ce dont se souvient à l'évidence l'intrigue même du *Mariage.* Ici, celui qui inspire le plus Beaumarchais, c'est encore Lesage, dont certains valets, Frontin dans *Turcaret,* ou le héros de *Crispin rival de son maître,* persifleurs, habiles et dénués de scrupules, préfigurent Figaro. Les thèmes du grand seigneur libertin et de la grande dame délaissée peuvent également provenir du *Préjugé à la mode* de Nivelle de La Chaussée. Et, de l'aveu même de Beaumarchais, Chérubin doit beaucoup à ce jeune Lindor qui, dans *Heureusement* de Rochon de Chabannes, partage l'amour d'une maîtresse et de sa servante.

Beaumarchais, homme de théâtre amateur, mais ambitieux à la scène comme à la ville, réussit une extraordinaire synthèse de tous les types, procédés et scénarios qui ont pu réussir avant lui. Ses *Notes et Réflexions* contiennent de nombreuses ébauches de la pièce. Sans doute le secret de sa réussite est-il là : Beaumarchais s'est livré à un très long travail de maturation, d'assimilation, et de remaniement, avant de parvenir à la synthèse accomplie dont il rêvait. Ses deux comédies, deux chefs-d'œuvre, résument à elles seules tous les charmes du genre. Il y ajoute un sens de la scène qui n'appartient qu'à Molière et lui : d'où la brièveté d'un dialogue toujours rapide, brillant et efficace, et l'art des effets spectaculaires.

L'HÉRITAGE PICARESQUE

L'auteur puise aussi ses sources dans un univers littéraire voisin de la comédie espagnole, mais qui relève d'*un autre genre :* le roman picaresque espagnol (*La Vie de Guzman d'Alfarache*, par exemple, de Matéo Aleman), transposé en France par l'un des maîtres de Beaumarchais, Lesage, dans son immortel *Gil Blas*. Figaro, retrouvant sa mère au troisième acte, ou monologuant au cinquième, doit beaucoup au « picaro » : origine inconnue, enlèvement par des brigands, vie errante et solitaire que la « Fortune » seule semble conduire, exercice de mille métiers, recherche perpétuelle d'un établissement et d'une ascension sociale, le tout dans un monde où chaque condition se distinguant par son costume, les ruses les plus fréquentes consistent à se déguiser... Là se trouvent les véritables références thématiques de la pièce.

Cette Espagne, qu'elle soit celle de la comédie ou du roman picaresque, n'est pas par hasard le cadre du *Mariage*. En homme du XVIIIᵉ siècle qui s'adresse à un public souvent blasé, Beaumarchais a délibérément inscrit sa pièce dans un certain type de fables• et de scénarios narratifs. Il se donne ainsi la faculté de jouer à l'intérieur d'un univers codé, laissant à la salle un plaisir délicat : celui de montrer assez d'esprit pour décrypter l'ironie narrative mise en œuvre.

LES PRÉCEPTES DE DIDEROT ET L'ESTHÉTIQUE DU « GENRE SÉRIEUX »

S'inspirant en outre des principes de Diderot, il semble annoncer le théâtre romantique. Par le mélange du drame• et de la comédie, auquel il se livre avec une prédilection certaine. Par la sensibilité délicate dont il dote ses personnages : Figaro pleure devant sa mère, la Comtesse souffre et « s'évente fortement », Chérubin rêve et soupire... Mais surtout par l'individualisation et l'approfondissement romanesques qu'il donne à son valet de comédie, mâtiné du picaro. Le miracle est tel que son Figaro est devenu à son tour un « type », prenant place parmi les héros éternels de l'intelligence rusée, aux côtés d'Ulysse, de Renart ou de Panurge.

AU XVIIIe SIÈCLE

Les critiques se montrent d'autant plus sévères que le succès de la pièce allait grandissant parmi le public.

La critique de l'intrigue

•

On reproche d'abord à Beaumarchais l'incroyable complexité de son intrigue : Geoffroy écrit dans l'*Année littéraire* (1784) :

> *Cette pièce n'est & ne sera jamais une Comédie. Chaque acte, chaque scène même offre une intrigue différente, labyrinthe tortueux & obscur où l'Auteur semble prendre plaisir à s'enfoncer & à perdre les spectateurs. C'est nous ramener à l'enfance du théâtre, au temps où Corneille faisait jouer Mélite & la Galerie du Palais, que de nous donner des intrigues à l'espagnole, bien embrouillées, bien farcies d'incidens & d'imbroglio sans vraisemblance.*

D'autres, tout autant déconcertés, se montrent moins partiaux :

> *La très nouvelle pièce que M. Caron de Beaumarchais vient enfin de faire jouer au Théâtre-Français, sous le titre : La Folle Journée ou le Mariage de Figaro, ... est un amphigouri, un imbroglio, un salmigondis des mieux compliqués ; ou plutôt, car c'est trop peu dire, c'est une monstruosité littéraire des plus raffinées : mais on y rit, on y rit...*
>
> *Correspondance secrète, politique et littéraire*, 12 mai 1784.

La critique du style

•

Un autre sujet de scandale parmi les critiques venait du style de Beaumarchais, auquel on ne pardonnait rien. L'académicien Suard, censeur de la pièce, et rival jaloux, reproche à Beaumarchais de s'exprimer comme un crocheteur :

> *Le bruit de votre nom et de vos succès a retenti jusqu'aux Halles et au port Saint-Nicolas. Il n'y a pas un gagne-denier ni une blanchisseuse un peu renforcée qui n'ait vu au moins une fois Le Mariage de Figaro, et qui n'en ait retenu quelques traits facétieux qui égayent à chaque instant leurs conversations. Vous leur avez appris à rajeunir ingénieusement des proverbes qu'ils commençaient à trouver usés. Tant va la cruche à l'eau qu'enfin elle s'emplit, se répète dix fois de suite dans leurs joyeux propos, et dix fois de suite excite des éclats de rire sans fin.*
>
> *Correspondance littéraire, philosophique et critique*, mars 1785.

La critique de l'immoralité

•

Mais le reproche essentiel sur lequel s'acharnent les critiques de tout poil, c'est l'immoralité, le manque prétendu de « décence théâtrale ». Manifestement, la pièce en avait choqué plus d'un, et le parfum de scandale qu'elle exhalait alors n'est pas pour rien dans son succès. Suard, encore lui, fustige, en séance à l'Académie, la comédie de Beaumarchais :

> *N'est-il pas permis de craindre que, par un abus toujours croissant, on ne voie un jour avilir le théâtre de la nation par des tableaux de mœurs basses et corrompues, qui n'auraient pas même le mérite d'être vraies ; où le vice sans pudeur et la satire sans retenue n'intéresseraient que par la licence, et dont le succès, dégradant l'art en blessant l'honnêteté publique, déroberait à notre théâtre la gloire d'être pour toute l'Europe l'école des bonnes mœurs comme du bon goût.*

En fait, ce qui choquait les contemporains, plus que la décence, c'était l'insolence du talent et de la satire de Beaumarchais. Trop neuf et trop novateur pour ses contemporains, l'art de Beaumarchais ne leur paraissait pas être de « l'art ».

AU XIXe SIÈCLE

Le concert des critiques
•

Le XIXe siècle croit qu'il y va de sa gloire de faire la fine bouche devant le succès de Beaumarchais. Les bégueules, ennemis du romantisme, mettent un point d'honneur à rivaliser de hargne et de sévérité avec les doctes de l'âge classique.

Jules Janin, en 1842, déclare :

> Les longues comédies licencieuses [de Beaumarchais], toutes ridées... font mal à voir, comme le vice quand il est devenu pauvre et vieux.

Sainte-Beuve feint d'aimer les premiers actes, pour mieux insinuer le reproche de mélange des genres, puis incendier l'immoralité subversive du *Mariage* :

> Rien de charmant, de vif, d'entraînant comme les deux premiers actes : la Comtesse, Suzanne, le page, cet adorable Chérubin qui exprime toute la fraîcheur et le premier ébattement des sens, n'ont rien perdu. Figaro, tel qu'il se dessine ici dès l'entrée et tel qu'il se prononce à chaque pas en avançant dans la pièce jusqu'au fameux monologue du cinquième acte, est peut-être celui qui perd le plus. Il a bien de l'esprit ; mais il en veut avoir ; il se pose, il se regarde, il se mire, il déplaît. (...)
> Je n'ai jamais pu goûter les derniers actes du Mariage de Figaro, et c'est tout juste si j'ai jamais bien compris le cinquième. La pièce pour moi se gâte du moment que la Marceline, en étant reconnue la mère de celui qu'elle prétend épouser, introduit dans la comédie un faux élément de drame et de sentiment ; cette Marceline et ce Bartholo père et mère salissent les fraîches sensualités du début. Il y a jusqu'à la fin de délicieux détails ; mais le tout finit dans un parfait imbroglio et dans un tohu-bohu d'esprit. La prétendue moralité finale est une dérision. Une telle pièce où la société entière était traduite en mascarade et en déshabillé comme dans un carnaval de Directoire, où tout était pris à partie et retourné sens dessus dessous, le mariage, la magistrature, la noblesse, toutes les choses de l'État ; où le maître laquais tenait le dé d'un bout à l'autre, et où la licence servait d'auxiliaire à la politique, devenait un signal évident de la révolution.
>
> Causeries du Lundi, tome VI.

Francisque Sarcey, en 1871, au lendemain de la Commune, considère ouvertement la pièce comme dangereuse et critique sans aménité intrigue et personnages :

> On a comme un instinct vague que le moment n'est plus de rire des Figaros. Ce sont eux qui ont fait la Commune... Il n'y en a pas un qui ne s'écrie : « qu'ont-ils fait, ces bourgeois ? Ils ne se sont donné que la peine de naître, tandis que moi, morbleu... » (...) Il est incompréhensible, ce personnage de Figaro, si l'on cherche en lui autre chose qu'un ténor de l'esprit ! Il a l'air de s'agiter sans cesse ; il parle toujours de trois ou quatre intrigues qu'il conduit de front ; il se démène, il s'essouffle, et rien de ce qu'il a proposé n'arrive ; c'est le hasard qui

se charge toujours de dénouer, sans lui, toutes les complications autour desquelles il s'empresse comme la mouche du coche... Figaro n'est point un intrigant, mais un phraseur ; ce n'est pas un caractère mais une machine à mots.

Jules Lemaître, tout en admirant « l'art » et « la vie » de la pièce de Beaumarchais, revient à la charge, et fustige encore son immoralité. Mais cette fois l'acrimonie le cède à une certaine lucidité critique. Les reproches sont dénués d'aménité, non de fondements. C'est toute la sensualité poétique du *Mariage* qui se voit ici dénigrée :

> [Le Mariage est] *une fort belle œuvre d'art et une admirable peinture de la vie, mais tous les personnages sont immoraux. Figaro, c'est bien, si vous voulez une manière de révolutionnaire, mais qui ne songe qu'à son intérêt et à l'argent. La Comtesse est une épouse singulièrement tendre à la tentation. Oh ! que Suzanne est délurée ! oh ! que Chérubin et Fanchette sont de terribles ingénus ! Marceline est une antique farceuse. Les autres ressemblent bien à des coquins. Le plus honnête homme de la pièce, c'est à tout prendre le Comte Almaviva. Et le dénouement ? C'est bien, si vous y tenez, le triomphe de la morale, mais ce n'est guère celui de l'innocence et de la vertu.*

Au reste, Jules Lemaître admire la synthèse qu'a su faire Beaumarchais de tous les procédés de la comédie :

> *Cette vaste machine où se rencontrent des éléments de la comédie espagnole – par la complication de l'intrigue – des éléments de la comédie de Molière, de celle de Le Sage et de Dancourt, de celle de Marivaux, de celle même de La Chaussée et de Diderot et qui en outre fait présager celle de Scribe et de Sardou et même un peu celle de Dumas fils, est un monument unique dans l'histoire de notre théâtre.*

Même équivoque dans l'hommage rendu aux vertus satiriques de l'œuvre :

> *Les audaces du Mariage de Figaro, j'ai vu qu'elles étaient un peu partout dans Pascal, La Bruyère, Montesquieu, Marivaux, Voltaire, Diderot, Rousseau, etc. Beaumarchais a eu l'esprit de les ramasser, de leur donner une forme particulièrement incisive et agressive, et de les avoir au bon moment.*
> *Impressions de théâtre*, 3ᵉ série, 16 avril 1888, Hatier-Boivin ed.

Pour la narine délicate de Michelet, le *Mariage* fleure encore trop l'Ancien Régime et les grâces de la comédie traditionnelle.

> *J'aime peu Figaro. Je n'y sens nullement l'esprit de la Révolution. Stérile, tout à fait négative, la pièce est à cent lieues du grand cœur révolutionnaire. Ce n'est point là tout l'homme du peuble. C'est le laquais hardi, le bâtard insolent de quelque grand seigneur (et point du tout de Bartholo).*

L'aube de la reconnaissance

Seul Hugo, s'il s'effarouche encore un peu de « l'impudeur » de Beaumarchais, a le mérite d'en sentir la poésie et d'en goûter la jovialité voluptueuse.

> *Une des choses qui me charment et m'étonnent le plus dans Beaumarchais, c'est que son esprit ait conservé tant de grâce en étalant tant d'impudeur. J'avoue quant à moi qu'il m'agrée plutôt par la grâce que par l'impudeur, quoique cette impudeur, mêlée aux premières hardiesses d'une révolution commençante, ressemble parfois à l'effronterie magistrale du génie. Au point de vue historique, Beaumarchais est cynique comme Mirabeau ; au point de vue littéraire, il est cynique comme Aristophane. Mais, je le répète, quoi qu'il y ait de puissance, et même de beauté, dans l'impudeur de Beaumarchais, j'admire Figaro, mais j'aime Suzanne.*
> *Tas de pierres* (posthume), 1942.

AU XXᵉ SIÈCLE

On ne discute plus les qualités littéraire du *Mariage*. Elles ont triomphé depuis deux siècles des cris de tous les cris de vierges effarouchées... On célèbre donc l'écriture, le mouvement, le rythme, mais on croit de bon ton de douter de la portée politique et morale de l'œuvre : Beaumarchais n'aurait su que divertir aimablement en peignant avec esprit les grâces d'un monde corrompu... Haï par jalousie avant la Révolution, dénigré après par conformisme contre-révolutionnaire, Beaumarchais fut statufié par la Troisième République, qui vit en Figaro son héros éponyme. Sa leçon de liberté, qui exprime l'aspiration fondamentale des Modernes, ne prend justement son sens que par rapport aux angoisses et aux incertitudes de notre temps, dont elle est le plus sûr antidote : entre 1939 et 1946, si l'on joua le *Barbier*, le *Mariage* en revanche fut interdit de scène. Sans doute craignait-on qu'une salve d'applaudissements ne vînt couvrir la liberté d'imprimer « sous l'inspection de deux ou trois censeurs », comme cela avait été le cas en 1915, durant la Première Guerre mondiale ! « Ce passage de Figaro dans la clandestinité l'honore », souligne à juste titre René Pomeau.

La portée révolutionnaire
•

C'est ce qu'a fort bien vu Verdun-Louis Saulnier, au cœur de la tourmente, en 1943 :

> Plus dur que le don Luis de Molière (question d'époque), parlant peuple, éloquent et précis, Figaro oppose la facilité des existences nobles et désœuvrées à ce qu'il faut de génie tenace au pauvre hère « pour subsister seulement ». Il stigmatise les toutes-puissances « qui ne pouvant avilir l'esprit se vengent en le maltraitant », présente contre les privilèges la revendication de l'insatisfait : une plus juste balance des avantages et des talents. Le Mariage n'est pas seulement une bonne comédie, son succès fou est un signe des temps.

Et, mieux encore, Jean-Louis Barrault, en 1965 :

> Ce qui nous remplit aujourd'hui d'admiration, c'est la précision du cliquetis des répliques, la concision des mots, la nécessité des respirations, la densité des articulations, mais surtout la liberté qui plane sur toutes ces rigueurs ; (...) La Folle Journée (ou Le Mariage de Figaro) ne nous apparaît donc pas comme une œuvre de revendication, mais comme une Fête de l'Émancipation. L'Homme y célèbre sa majorité et l'art y retrouve ce qui le définit essentiellement : la liberté.

Pourtant, la portée révolutionnaire de l'œuvre reste discutée, sans qu'on sache, de la part des détracteurs, si c'est là faiblesse ou vertu.

René Pomeau, qui le connaît et l'aime mieux que personne, craint toujours de s'exagérer les mérites et le talent de Beaumarchais, mais le juge équitablement :

> Son œuvre, dans son ensemble, vaut comme la grande mise en scène de son moi : constatation qui ne la rabaisse nullement, mais plutôt en précise le mérite. Le créateur de Figaro confiait qu'il n'eût point souhaité venir au monde en un autre temps que le sien. Aussi appartient-il pleinement à son siècle. Si la « philosophie » ne brille point chez lui d'un éclat original, il exprime en revanche avec un bonheur singulier ce qu'avaient de joyeux les « Lumières ». Il

> *est comme le poète du plaisir de vivre où s'épanouissait l'ancienne France à son déclin. Par la vertu de son verbe, une ivresse de gaîté se perpétue, transmettant à la postérité l'âme d'une époque, et le meilleur de celui qui fut le « beau, gai, aimable, fripon, sémillant, généreux » Pierre-Augustin Caron de Beaumarchais.*
>
> *Beaumarchais*, Hatier ed., 1967.

En revanche, Annie Ubersfeld, bien qu'elle avoue « qu'il est vain de reprocher à Beaumarchais de ne pas penser comme Robespierre », rend à Figaro, sans l'exagérer, son côté « précurseur de la Révolution française ». De même, relevant l'importance donnée aux personnages muets, elle souligne, à juste titre, qu'il n'existe pas avant le Mariage de Figaro de haute comédie où le peuple joue un si grand rôle.

> *Ce que le roturier Figaro met en lumière avant tout dans son monologue, c'est le scandale des privilèges de la naissance. L'idée fondamentale du Mariage, c'est la revendication par le Tiers État, représenté par Figaro, de ses droits à l'existence et au bonheur. Et une fois admise la revendication de l'intelligence, les droits politiques ne sont pas loin.*
>
> *Le Mariage de Figaro*, Éditions sociales.

Toute cette discussion semble oublier l'essentiel, le *Mariage* n'est ni un roman, ni une tragédie, où l'époux outragé aurait « noblement poignardé le puissant vicieux dans des vers carrés, bien ronflants » (Préface), mais bien une comédie. Beaumarchais en avait le premier conscience : la forme lui imposait tout ce qui a déplu : jadis, l'avilissement des valeurs de la noblesse, et naguère, sa gaîté trop peu révolutionnaire.

L'originalité dramaturgique
•

Jacques Schérer rappelle que l'ambition du théâtre de Beaumarchais est essentiellement d'ordre dramaturgique :

> *Le Mariage de Figaro porte la hardiesse jusqu'au défi et l'ampleur de l'ambition jusqu'à la volonté de rassembler en une seule pièce à peu près tous les ordres d'intérêt que le théâtre de cette époque pouvait offrir. (...) Seize personnages actifs, sans compter les figurants, et quatre-vingt-douze scènes sont nécessaires pour mettre en valeur toutes ces richesses. La pièce est l'une des plus longues et des plus complexes qui existe au théâtre. Elle exige une mise en scène à la fois fastueuse et amusante, ce qui est en général contradictoire. Elle marque, comme Gaiffe l'a montré, la réintroduction de la gaîté à la Comédie-Française, après Le Barbier de Séville. Mais, plus ambitieuse que le Barbier, elle y ajoute les prestiges de l'opéra-comique, dont elle emprunte la musique et qu'elle enrichit grâce à la variété des décors et des costumes et à l'abondance de la figuration, sans oublier, par le personnage de Marceline, un petit frisson de drame. Visiblement, Beaumarchais a voulu tout y mettre ; c'est une sorte de somme du théâtre de son temps. (...) On estimera peut-être que Jean-Jacques Rousseau, Laclos ou Sade sont allés plus loin dans la connaissance de l'homme et ont annoncé avec plus de pénétration un avenir qui est notre présent (...), on chercherait en vain, entre Marivaux et Hugo, un auteur dramatique qui égale Beaumarchais.*
>
> *La Dramaturgie de Beaumarchais*, Nizet ed., Paris, 1954.

La modernité sémantique et philosophique
•

Pourtant, le personnage de Figaro ne cesse de fasciner la conscience contemporaine. Paul-Laurent Assoun se sert avec ingéniosité de la psychanalyse pour déchiffrer dans une circulation des désirs les véritables moteurs et enjeux de cette dramaturgie du *Mariage*.

> *...Beaumarchais fait la mise en scène d'un monde dont la dramaturgie même révèle l'essence... C'est en effet dans la tension de l'ordre social et de l'ordre des désirs qu'intervient la dramaturgie propre de Beaumarchais. Il en a exprimé le principe... dans un passage de son Essai sur le genre dramatique sérieux : « Pour accroître le trouble et l'intérêt, je veux que la situation de tous les personnages soit continuellement en opposition avec leurs désirs... et que l'événement qui les rassemble ait toujours des aspects aussi douloureux que différents pour chacun d'eux »... Quel est en effet le point de départ de l'intrigue ? Un désir déréglant qui est celui du Comte Almaviva... Ce désir intempestif va avoir un effet majeur : faire circuler, avec un affolement générateur d'effets dramatiques, le désir de l'ensemble des partenaires... Ce n'est pas un hasard si la pièce commence par un arpentage de l'emplacement qui va recevoir le lit nuptial. La question crûment évoquée d'emblée est celle de la priorité de l'occupant... Or, Figaro est l'homme de la situation. Suzanne en donne le principe : « De l'intrigue et de l'argent, te voilà dans ta sphère »... « une jolie femme et de la fortune » peut dire Figaro à la fin. De la première à l'ultime scène, la boucle est bouclée, et l'enjeu nommé... Comment va procéder Figaro ?... Il n'a qu'une ressource, génialement exploitée : brouiller les signes de façon que, ne s'y reconnaissant plus, le Comte soit pris de vertige et perde de vue par là-même l'objet convoité. Non pas donc simplement mentir, mais faire mentir la réalité.*

Assoun analyse alors le *Mariage* comme circulation de signes : le cachet absent, symbole d'un maître joué par son propre pouvoir, le « hiéroglyphe » de la reconnaissance, qui inverse les rôles de Marceline et de Bartholo, l'épingle, qui « renvoie au visage des hommes – maris, séducteurs, trompeurs – la violence de leurs propres désirs pour les leurrer ». Cette circulation des signes substitue peu à peu un vertige à la réalité, et provoque une « valse des rôles », une « crise du sujet », chacun en venant à douter de sa propre identité. Cette crise se traduit, entre autres, par le phénomène des « échos » de la scène finale :

> *Si chacun peut faire écho à l'autre, c'est que, en quelque sorte, il n'y a plus qu'un seul Moi démultiplié... Ce n'est pas un hasard si le monologue de Figaro traduit une telle crise d'identité. C'est celle-ci que généralise en quelque sorte l'issue affolante de l'intrigue.*

> Paul-Laurent Assoun, *Analyses et réflexions, op. cit.*

Ainsi, à travers ce jeu éminemment théâtral des « masques », c'est l'identité même de Figaro que sonde la critique d'aujourd'hui.

Pierre Barbéris voit en Figaro un « Hamlet comique », doté du sentiment de l'absurde, et préfigurant le héros moderne : Il constate que son monologue n'est ni « commentatif » ni délibératif, mais « existentiel » :

> *Le monologue existentiel exprime un certain blocage moral et esthétique. Le monde n'est plus dominé par un sens. Le monde n'est plus ouvert à l'action. En conséquence, les formes littéraires, notamment théâtrales, qui disaient l'existence de ce sens... se trouvent bouleversées de l'intérieur... « Tempête sous un crâne », le monologue existentiel est déjà un monologue romanesque qui s'inscrit dans une durée incontrôlable, hémorragique... Par là, il relève d'un certain tragique, mais d'un tragique moderne... c'est tout un certain théâtre, c'est toute une forme-sens qui se trouvent mis en cause. Bien plus que dans ses contenus revendicatifs implicites..., le monologue de Figaro revendique, dans sa forme même, le droit de dire autrement et donc de constituer de nouveaux sujets... Le héros moderne est bien là, témoin, porte-parole de toute cette conscience à la recherche de son langage. Y compris le langage du suicide : Figaro a pensé se suicider, comme un héros romantique ; et il a posé la question, comme Hamlet... Depuis quand un valet de comédie songeait-il à se suicider ?*

> Beaumarchais, *le Mariage de Figaro* (ouvrage collectif), Ellipses, Paris, 1985.

En 1784, les Lumières triomphent de la vieille Europe léguée par le Moyen Âge, c'est l'époque d'une des plus profondes mutations qu'ait connues la civilisation de l'Occident. Vivre au temps de Beaumarchais, c'est vivre le moment même où les valeurs des Lumières, à la veille de la Révolution, pénètrent enfin vraiment des couches de la société de plus en plus larges. De ces Lumières, il faut souligner les traits fondamentaux : caractère élitiste ; propagation à travers les couches sociales du sommet vers la masse de la petite bourgeoisie cultivée ; conversion de la pensée, qui, cessant de s'intéresser à la métaphysique, fait « retour sur les choses », s'investit dans la science et la technique, soucieuse enfin du progrès matériel et du mieux-être des hommes ; choc de la société traditionnelle et de l'individualisme moderne ; accélération du rythme de l'histoire, avec l'apparition de la croissance structurelle. Mais il faut aussi relever les limites d'un message philosophique incomplet sur les questions sociales et religieuses, et d'une civilisation matériellement brillante, mais fondée sur un individualisme que d'aucuns peuvent juger spirituellement médiocre, et moralement frileux.

De cette civilisation des Lumières, nous n'illustrerons ici que certains aspects, nécessaires à la compréhension de la pièce. À la charnière de la société traditionnelle, la société d'ordres, et de la société moderne, fondée sur le primat de l'individu, le temps de Beaumarchais est d'abord celui d'un ordre social contesté, que domine la noblesse.

LA SOCIÉTÉ : NOBLES ET DOMESTIQUES

La société d'ordres
•

Bien que, dès ses origines, le christianisme en fût porteur, l'idée que l'humanité des hommes (ce qui les rend proprement humains) réside tout entière dans les qualités du Sujet pensant (conscience réfléchie de soi, liberté morale, raison), donc de la personne humaine, ou si l'on veut de l'individu, ne s'est imposée avec évidence qu'à partir de la Renaissance. Pour les hommes du Moyen Âge, comme pour les Anciens, à l'exception notable des philosophes stoïciens, l'humanité n'était point naturellement composée d'individus, mais de groupements héréditaires, comme la famille, la tribu, ou le lignage. Ces groupes étaient, croyait-on, dotés, comme un organisme, d'une unité et d'une vie propres. Ils s'articulaient les uns dans les autres comme en de vastes « corps », chrétienté, Église, Saint-Empire et royaumes, qui se rattachaient organiquement à une tête unique : le Christ. Chacun d'eux se décomposait en « corps intermédiaires », comme « l'ordre » de la noblesse, « l'ordre » ecclésiastique, les « corps de ville » ou les « corporations ». C'est sur une telle conception organique de la société que se fondait la « société d'ordres », propre à l'Ancien Régime.

L'appartenance à un ordre, censée naturelle, était irrévocablement fixée par la naissance. Les ordres eux-mêmes étaient organisés et régis par des lois qui leur étaient particulières et les distinguaient entre eux, les privilèges. Ils correspondaient à l'origine à la division fondamentale des tâches au sein de la société, et les privilèges les empêchaient de se faire concurrence, afin que l'ordre « naturel » fût entre eux maintenu : la roture ne pouvait accéder aux commandements militaires, ni la noblesse concurrencer le Tiers État dans le négoce ou la pratique des métiers, sous peine de déroger à sa loi organique. Un tel système pouvait justifier l'esclavage, comme on le voit chez Aristote, ou, au Moyen Âge, avec les serfs, cheptel humain « attaché à la glèbe », c'est-à-dire à un fief. Il justifiait encore l'exclusion des Juifs de la nation, l'éternelle minorité des femmes, ou la toute-puissance à vie du père de famille.

Contestations de la société d'ordres
•

C'est contre une telle vision du monde que se sont développées les revendications de l'Humanisme, de la Réforme, puis des Lumières, à qui revient l'honneur d'avoir fait promulguer les Droits de l'homme, en 1789.

A la veille de la Révolution, trois facteurs avaient déjà bien affaibli la société d'ordres : le développement des *idées humanistes* (Montaigne : « Chaque homme porte la forme entière de l'humaine condition ») ; l'*absolutisation de la monarchie* (c'est-à-dire le développement d'un État moderne, bureaucratique et centralisé, où les talents commencent à compter plus que la naissance : les ministres de Louis XIV sont bourgeois) ; et enfin l'*essor du capitalisme,* encore essentiellement commercial, qui balance le primat de la naissance et des terres par le poids de la fortune mobilière, essentiellement détenue par la bourgeoisie. Marginalisée dans le service de l'État, appauvrie par rapport à une bourgeoisie que les affaires ne cessaient d'enrichir, la noblesse se trouvait en outre privée de légitimité par les idées nouvelles. Montesquieu définissait le noble par « des ancêtres, des dettes et des pensions ». Toutefois, les réalités sont multiples et contrastées : il faut parler des noblesses, non de la noblesse. En bas de l'échelle, les hobereaux de campagne vivaient pauvrement de leurs terres, et tendaient à se raidir dans leurs privilèges. La noblesse de robe, propriétaire de ses charges aux parlements, les équivalents de nos cours d'appel, menait souvent une vie active et laborieuse, comme le montre l'emploi du temps trépidant d'un Lavoisier, par exemple. Beaucoup de nobles l'étaient de fraîche date, et conservaient en secret une mentalité d'affairistes, proche de leur bourgeoisie d'origine. Dès les premières années du siècle, des parvenus, comme le banquier Samuel Bernard, avaient pu inspirer à Saint-Simon certaines pages cinglantes de ses *Mémoires,* ou à Lesage son *Turcaret.* Au sommet, le souci de mieux administrer leurs domaines avait peu à peu conduit bien des membres de la haute aristocratie à se faire, par anglophilie, les adeptes des idées modernes. Cette portion importante de la noblesse a fourni aux Lumières l'essentiel de leurs lecteurs. Ce sont ces nobles libéraux qui, souffrant de l'absolutisme qui les marginalise, applaudiront si fort au *Mariage de Figaro.* Bien souvent ces grands seigneurs, épris sans doute de liberté plus que d'égalité, se montrent libertins, d'idées et de mœurs, afin de tromper leur ennui et de se donner l'illusion d'exister en frondant l'ordre établi. Au fond, la grande noblesse affichait d'autant plus de morgue qu'elle avait souvent cessé de croire en elle-même. Mais elle exploitait ses terres avec plus de rigueur et de méthode, soucieuse enfin de rentabilité et de modernisation éclairée, aussi ses privilèges devenaient-ils de plus en plus odieux aux paysans comme aux bourgeois philosophes. Ce sont ses incertitudes que met en scène Beaumarchais en campant son Comte, le versatile Almaviva, « libertin par ennui, jaloux par vanité » (I, 4).

Persistance des valeurs traditionnelles
•

Toutefois, il restait chez ces nobles, libertins plus que libéraux, des représentations et des valeurs héritées de l'antique féodalité. La première de ces valeurs était assurément l'honneur, dont se targue si fort Almaviva (I, 10 : « Un Espagnol peut vouloir conquérir la beauté par des soins... » ; ou V, 7 : « Un Castillan n'a que sa parole... »), et qui devenait insupportable aux non-nobles. L'honneur, c'est la fierté de ne dépendre que de soi, de faire tout par gloire, et rien par obligation, comme l'a si bien analysé Montesquieu. Or, l'honneur lui-même s'est perverti en masque du libertinage : c'est par honneur que le Comte s'entête à jouir des faveurs de Suzanne ! C'est ce que souligne Francine N. de Martinoir :

> Prendre la virginité d'une jeune fille sans l'épouser ensuite n'est pas du tout opposé à ce code (de l'honneur), bien au contraire. On retrouve là un des thèmes majeurs du Mariage de Figaro, un de ceux qui ont contribué à dessiner le portrait un peu outré de l'aristocratie à la veille de la Révolution. Il est évident que dans l'imaginaire des nobles, tels que Laclos les a dépeints, la conquête des femmes a remplacé la prise des villes. La stratégie militaire a été remplacée par la stratégie amoureuse. Le Mariage de Figaro montre bien la revanche accordée à un homme du peuple dans la conquête des femmes : Figaro, c'est celui qui parvient à l'emporter sur le noble qui se croit autorisé à prendre les femmes des autres.

> *Beaumarchais*, Le Mariage de Figaro, *op. cit.*, p. 136.

Contre la domination de la noblesse s'élèveront plusieurs types de contestations, caractéristiques des mœurs et de la société du temps de Beaumarchais : contestation aristocratique (le libertinage), bourgeoise (revendications du mérite face à la naissance), ou féminine.

Les domestiques
•

Intimement liés à la condition des grands, les domestiques sont comme un corollaire et un reflet inversé de la vie aristocratique, dont leur existence participe tout entière. Souvent d'origine paysanne, la servante, dans une grande maison, sert sous les ordres d'un intendant, d'une femme de charge (Marceline), et d'un maître d'hôtel, à moins qu'elle ne soit comme Suzanne femme de chambre, auquel cas son rôle se rapproche de celui d'une dame de compagnie. Elle assiste sa maîtresse au lever, au coucher, et tout au long de la journée. Elle occupe alors une position intermédiaire, et participe à la fois de la culture populaire dont elle est issue et de la culture aristocratique avec laquelle son service la met en contact permanent. La servante loge sous le toit, ou près de l'appartement de sa maîtresse, si elle est femme de chambre. Quand elle est mariée, comme le remarque D. Godineau, la vie est alors difficile.

Si son mari est aussi domestique, ils louent une chambre pour y élever leurs enfants. L'employeur de la domestique célibataire profite parfois de cette promiscuité pour la séduire, utilisant tour à tour force, promesses, cadeaux, chantage pour vaincre ses résistances : 14 % des grossesses déclarées aux commissaires de police parisiens de 1793 à 1795 sont le fait de domestiques enceintes de leurs patrons, proportion pouvant atteindre 50 % dans d'autres villes.

L'État de la France pendant la Révolution,
(collectif, sous la dir. de M. Vovelle), La découverte, Paris, 1988.

Les domestiques sont beaucoup mieux payés que la plupart des travailleurs manuels, nourris et logés. Mais il n'y a bien sûr ni retraite ni assurance maladie : ils ne peuvent compter que sur la générosité de leurs maîtres, souvent grande à leur égard, du moins tant que l'extrême vieillesse ne leur a pas ôté toute possibilité de servir.

MŒURS ET MENTALITÉS DES ÉLITES

Sensibilité et goût du bonheur
•

Le bonheur, cette « idée neuve en Europe », est ce que recherche tout le siècle, jusque dans la frénésie des plaisirs. Il est le grand objet des Philosophes. Voltaire le fait dépendre de l'effort collectif de civilisation, qui propage les Lumières, fait circuler le flux des marchandises, multiplie les richesses, et répand partout les bienfaits de l'abondance et du bien-être matériel. Rousseau le conçoit comme un accord secret de l'âme avec l'innocence et la simplicité de la nature. Diderot en fait parfois une propriété toute physiologique, le but même de tout être vivant, pour peu qu'on ne contrarie point en lui les tendances naturelles qui le portent instinctivement vers les formes de jouissance qui lui conviennent. Mais pour tous, une chose est certaine : l'homme est fait pour le bonheur sur terre. Pour cela, il lui faut suivre sa vocation naturelle, qu'elle soit aptitude à la raison, comme le pense Voltaire, disposition à cette sensibilité philanthropique chère au cœur de Jean-Jacques, ou appel à l'épanouissement vital, comme le suggère l'auteur du *Rêve de d'Alembert*. Du rationalisme, on glisse insensiblement vers le matérialisme, et du matérialisme vers le libertinage.

D'un bonheur à l'autre
•

Beaumarchais fait de la quête du bonheur individuel l'enjeu même de ses comédies. Mais, sur ce point comme sur tant d'autres, il se livre à une libre synthèse des tendances de la philosophie de son siècle. En amoureux du luxe, comme son maître Voltaire, il incline à le faire dépendre d'une certaine prospérité financière : Suzanne et Figaro auront besoin de l'or de « trois dots » pour parvenir au bonheur ! Il prête à Marceline l'idée rousseauiste que la nature sait toujours faire entendre au cœur la voix vertueuse de l'amour maternel ou filial (III, 16 et 18). Libertin lui-même, il fait du plaisir et de la jouissance les éléments essentiels du bonheur des hommes. Toutefois, le *Mariage* oppose deux conceptions du plaisir. Celle du Comte est condamnée par sa défaite. Elle se réduit à la jouissance (V, 7), et se couvre à peine du voile hypocrite de la politesse aristocratique. C'est le bonheur selon Figaro qui triomphe. Ce bonheur-là est à la fois celui d'un sujet raisonnable qui revendique sa liberté (V, 3), celui de l'âme sensible qui pleure dans les bras de sa « maman » (IV, 15), et celui enfin du « petit animal folâtre » du monologue, dont les accents rappellent ceux du *Rêve de d'Alembert* : « Qu'est-ce qu'un être ?... La somme d'un certain nombre de tendances... ». Le bonheur tel que le rêve Rousseau dans l'*Emile* n'est fait que des charmes d'une vie simple et rustique, parmi des amis choisis. On y retrouve ce goût des fêtes champêtres, si caractéristique du sentiment de la nature au XVIIIe siècle, et dont témoignent les décors du *Mariage* (actes IV et V). Indispensable élément du bonheur, l'amour est l'autre objet chéri du siècle. Le roman lui doit son essor (*Julie ou la Nouvelle Héloïse* de Rousseau, *Manon Lescaut* de l'abbé Prévost). Marivaux lui a consacré une dramaturgie neuve, dont se souvient Beaumarchais quand il suggère les égarements du cœur, chez sa Comtesse, qu'il excelle à camper « distraite » et « rêvant » sur scène.

PARCOURS THÉMATIQUE

L'ÉTAT : LA JUSTICE

L'inadaptation de l'institution judiciaire aux exigences propres aux Temps modernes et aux valeurs nées de l'idéal du droit naturel est une des cibles privilégiées de la fronde des Philosophes contre la monarchie du siècle des Lumières. Sur ce terrain encore, les satires de Beaumarchais le font apparaître comme un témoin de son temps.

Montesquieu avait souligné l'existence d'une naturalité et d'une rationalité du droit :

> *Les lois dans la signification la plus étendue, sont les rapports nécessaires qui dérivent de la nature des choses... Les êtres particuliers intelligents peuvent avoir des lois qu'ils ont faites : mais ils en ont aussi qu'ils n'ont pas faites. Avant qu'il y eût des êtres intelligents, ils étaient possibles ; ils avaient donc des rapports possibles, et par conséquent des lois possibles. Avant qu'il y eût des lois faites, il y avait des rapports de justice possibles. Dire qu'il n'y a rien de juste ni d'injuste que ce qu'ordonnent ou défendent les lois positives, c'est dire qu'avant qu'on eût tracé de cercle, tous les rayons n'étaient pas égaux.*

> De l'Esprit des Lois, 1748.

Voltaire, dans *André Destouches à Siam* (= la France), ironise sur les absurdités qui semblent le partage de l'institution judiciaire :

> *André Destouches. – Et votre jurisprudence, est-elle aussi parfaite que tout le reste de votre administration ?/ Croutef. – Elle est bien supérieure ; nous n'avons point de lois, mais nous avons cinq ou six mille volumes sur les lois. Nous nous conduisons d'ordinaire par des coutumes, car on sait qu'une coutume ayant été établie au hasard est toujours ce qu'il y a de plus sage... C'est une variété de législation que nos voisins ne cessent d'admirer ; c'est une fortune assurée pour les praticiens, une ressource pour tous les plaideurs de mauvaise foi, et un agrément infini pour les juges, qui peuvent, en sûreté de conscience, décider les causes sans les entendre.../ A. Destouches. – Dites-moi, je vous prie, par quels degrés on parvient dans Siam à la magistrature./ Croutef. – Par de l'argent comptant. Vous sentez qu'il serait impossible de juger si l'on n'avait pas trente ou quarante mille pièces d'argent toutes prêtes... C'est encore ce qui nous distingue de ces barbares de Lao, qui ont la manie de récompenser tous les talents, et de ne vendre aucun emploi.*

Le Mariage de Figaro fait signe en direction à la fois de la comédie, du roman et du drame. « Des héros neufs sur de vieilles marionnettes », ainsi André Roussin définissait-il les personnages de Beaumarchais. La formule est judicieuse : elle nous invite à rapprocher Figaro de la famille de « marionnettes » dont il est issu, celle des valets de comédie, mais aussi à voir en quoi chez lui la marionnette devient un héros neuf. C'est que Figaro annonce certains personnages-phares du roman réaliste, qu'on verra naître au siècle suivant.

FIGARO PARMI LES ARLEQUINS

Valets de comédie : quelques ancêtres de Figaro
•

Les valets sont aussi essentiels à la comédie qu'au jeu de cartes ! Leur rôle dramaturgique et symbolique est même si fondamental que, du *Phormion* de Plaute au *Mariage de Figaro,* en passant par *Les Fourberies de Scapin,* ce sont souvent les valets les véritables héros des comédies, et ce sont eux qui leur donnent leur titre.

La comédie latine mettait en scène, face à leur maître, le couple de l'esclave et du parasite, qui fusionneront en un seul emploi• dans la comédie classique. Beaumarchais se souvient parfois de ce couple primitif, quand il oppose Figaro en une joute verbale à Bazile (IV, 10), ou par une mécanique gestuelle au jardinier Antonio (IV, 6). Voici le dialogue, vif et truculent, de deux esclaves, chez Plaute (environ 254-184 avant J.-C.).

> (...) SAGARISTIO (à part). *Le voici. Je vais me présenter élégant, fait à peindre. Avançons, les poings sur les hanches, fièrement drapé.*
> TOXILUS. *Mais qui vient ici, comme un pot à deux anses ?*
> SAGARISTIO (à part). *Un peu de hauteur : crachons ostensiblement.*
> TOXILUS. *Mais c'est Sagaristio ! Comment vont les affaires, Sagaristio ? La santé ? Et la commission dont je t'ai chargé, y a-t-il quelque chose en vue ?*
> SAGARISTIO. *Approche. On verra ; je ne demande pas mieux. Viens ; de quoi s'agit-il ?*
> TOXILUS. *Quelle enflure as-tu au cou, ici ?*
> SAGARISTIO. *Un abcès. Aïe ! n'appuie pas. Si on y touche sans précaution, c'est douloureux.*
> TOXILUS. *Quand cela t'est-il venu ?*
> SAGARISTIO. *Aujourd'hui.*
> TOXILUS. *Fais-toi opérer.*
> SAGARISTIO. *J'ai peur qu'il ne soit pas mûr : j'en aurais encore plus d'ennui.* (...)
> TOXILUS. *Quel joli langage ! Moi, de mon côté, je rapporterai bientôt la somme entière. Car toutes mes machines sont déjà montées, préparées pour enlever cette somme au « leno ».* (...)
>
> Plaute, *Persa,* vv. 306-326.

Le Scapin de Molière est un ancêtre plus direct. Voir à ce sujet *Les Fourberies de Scapin* (notamment I, 2), Classiques Hachette.

Avec le Crispin « rival de son maître » de Lesage, on entre dans le domaine des sources mêmes du *Mariage.* La ressemblance avec Figaro s'accentue encore.

CRISPIN. *Que je suis las d'être valet ! Ah ! Crispin, c'est ta faute ; tu as toujours donné dans la bagatelle : tu devrais présentement briller dans la finance. Avec l'esprit que j'ai, morbleu ! j'aurais déjà fait plus d'une banqueroute.*

Lesage, *Crispin rival de son maître*, sc. 2, 1707.

L'avidité picaresque et légendaire des valets de comédie ne fait que croître avec le règne de l'argent-roi, sensible dès les dernières années de Louis XIV. Le Frontin de Lesage en témoigne, autre aïeul fort direct de Figaro :

SCÈNE XIV. LE MARQUIS, LE CHEVALIER, FRONTIN, LISETTE

LE MARQUIS, riant, au chevalier, qui a l'air tout déconcerté. *Ah ! ah ! ma foi, chevalier, tu me fais rire. Ta consternation me divertit... Allons souper chez le traiteur et passer la nuit à boire.*

FRONTIN, au chevalier. *Vous suivrai-je, monsieur ?*

LE CHEVALIER. *Non ; je te donne congé. Ne t'offre plus jamais à mes yeux.* (Il sort avec le marquis.)

LISETTE. *Et nous, Frontin, quel parti prendrons-nous ?*

FRONTIN. *J'en ai un à te proposer. Vive l'esprit, mon enfant ! Je viens de payer d'audace : je n'ai point été fouillé.*

LISETTE. *Tu as les billets ?*

FRONTIN. *J'en ai déjà touché l'argent ; il est en sûreté ; j'ai quarante mille francs. Si ton ambition veut se borner à cette petite fortune, nous allons faire souche d'honnêtes gens.*

LISETTE. *J'y consens.*

FRONTIN. *Voilà le règne de M. Turcaret fini ; le mien va commencer.*

Lesage, *Turcaret*, acte V, sc. 14 (et dernière), 1709.

« Tantôt maître, tantôt valet », le Trivelin de *La Fausse Suivante*, si grande soit sa dette envers la comédie italienne, tient autant du picaro de roman que du valet de comédie, tout comme Figaro. Après avoir exercé mille métiers, il dialogue ici avec un autre valet, Frontin, qui lui propose de servir le même « maître » que lui. Le couple fondateur de « l'esclave et du parasite » se reconstitue un instant :

FRONTIN. *Eh ! dis-moi, mon ami : qu'est-ce que c'est que ce paquet-là que tu portes ?*

TRIVELIN. *C'est le triste bagage de ton serviteur ; ce paquet enferme toutes mes possessions.*

FRONTIN. *On ne peut pas les accuser d'occuper trop de terrain.*

TRIVELIN. *Depuis quinze ans que je roule dans le monde, tu sais combien je me suis tourmenté, combien j'ai fait d'efforts pour arriver à un état fixe. J'avais entendu dire que les scrupules nuisaient à la fortune ; je fis trêve avec les miens, pour n'avoir rien à me reprocher. Était-il question d'avoir de l'honneur ? j'en avais. Fallait-il être fourbe ? j'en soupirais, mais j'allais mon train. Je me suis vu quelque fois à mon aise ; mais le moyen d'y rester avec le jeu, le vin et les femmes ? Comment se mettre à l'abri de ces fléaux-là ?*

FRONTIN. *Cela est vrai.*

TRIVELIN. *Que te dirai-je enfin ? Tantôt maître, tantôt valet ; toujours prudent, toujours industrieux, ami des fripons par intérêt, ami des honnêtes gens par goût ; traité poliment sous une figure, menacé d'étrivières sous une autre ; changeant à propos de métier, d'habit, de caractère, de mœurs ; risquant beaucoup, réussissant peu ; libertin dans le fond, réglé dans la forme ; démasqué par les uns, soupçonné par les autres, à la fin équivoque à tout le monde, j'ai tâté de tout ; je dois partout ; mes créanciers sont de deux espèces : les uns ne savent pas que je leur dois ; les autres le savent et le sauront longtemps. J'ai logé partout, sur le pavé, chez l'aubergiste, au cabaret, chez le bourgeois, chez l'homme de qualité, chez moi, chez la justice, qui m'a souvent recueilli dans mes malheurs ; mais ses appartements sont trop tristes, et je n'y*

263

faisais que des retraites ; enfin, mon ami, après quinze ans de soins, de travaux et de peines, ce malheureux paquet est tout ce qui me reste ; voilà ce que le monde m'a laissé, l'ingrat ! après ce que j'ai fait pour lui ! tous ses présents, pas une pistole !

Marivaux, *La Fausse Suivante,* acte I, sc. 1, 1724.

Autres rapprochements : Plaute : *Asinaria* (avec les pantomimes de Léonide, type du « servus currens », l'esclave courant, qui arrive sur scène toujours à bout de souffle, et les fourberies de Liban, l'esclave roué, toujours à la recherche d'une ruse pour soustraire de l'argent à son maître) ; **Térence :** *Phormion* (bel exemple du type du « parasite », qui forme la paire avec l'esclave Géta) ; Les *Zanni* (pitres) de la comme-dia dell'arte• : l'intrigant Brighella, le niais Arlequin ; **Molière :** le Sganarelle de *Dom Juan* ; la Toinette du *Malade imaginaire* ; **Marivaux :** *Le Jeu de l'amour et du hasard,* où Arlequin et Lisette prennent le costu-me de leurs maîtres respectifs ; *L'Ile des esclaves,* où les valets sont maîtres.

La dialectique du maître et du valet
•

Dans la comédie, ou le roman picaresque aussi bien, elle est un des ressorts les plus fondamentaux de l'intrigue et de la moralité. « Utilités » du seul point de vue du divertissement, les valets ou les servantes de comédie remettent souvent en cause, par leur franc-parler et leur fonction de diseurs de vérités, la hiérarchie qui les subordonne à leurs maîtres. L'opposition du maître et du valet, comme dans le *Mariage,* est un des moyens les plus sûrs dont dispose le théâtre comique pour refléter les mécanismes réels et mettre à nu les conventions hypocrites qui régissent les rapports sociaux. Ce rôle de dévoilement atteint son efficacité extrême tantôt lorsque les valets se déguisent et miment leurs maîtres (Marivaux, Genet), tantôt lorsqu'ils se substituent à eux dans la conduite de l'intrigue, comme Scapin ou Figaro. Alors, souvent le maître n'est pas celui qu'on pense.

Dorine, dans *Le Tartuffe,* sait tenir la drágée haute à son maître Orgon. Cette « fille suivante, un peu trop forte en gueule et fort impertinente », au goût de Madame Pernelle (I, 1), est l'une des plus truculentes du répertoire. Voir à ce sujet en particulier acte II, scène 2.

On rapprochera également Figaro de lui-même. Déjà, dans *Le Barbier de Séville,* il persiflait allègrement les privilèges en présence de son maître :

FIGARO.   *Voilà précisément la cause de mon malheur, Excellence. Quand on a rapporté au ministre que je faisais, je puis dire assez joliment, des bouquets à Chloris ; que j'envoyais des énigmes aux journaux, qu'il courait des madrigaux de ma façon ; en un mot, quand il a su que j'étais imprimé tout vif, il a pris la chose au tragique et m'a fait ôter mon emploi, sous prétexte que l'amour des lettres est incompatible avec l'esprit des affaires.*
LE COMTE.   *Puissamment raisonné ! Et tu ne lui fis pas représenter...*
FIGARO.   *Je me crus trop heureux d'en être oublié, persuadé qu'un grand nous fait assez de bien quand il ne nous fait pas de mal.*

> Le Comte. *Tu ne dis pas tout. Je me souviens qu'à mon service tu étais un assez mauvais sujet.*
> Figaro. *Eh ! mon Dieu, monseigneur, c'est qu'on veut que le pauvre soit sans défaut.*
> Le Comte. *Paresseux, dérangé...*
> Figaro. *Aux vertus qu'on exige dans un domestique, Votre Excellence connaît-elle beaucoup de maîtres qui fussent dignes d'être valets ?*
> Le Comte, riant. *Pas mal !*
>
> Beaumarchais, *Le Barbier de Séville,* acte I, sc. 2, 1775.

Un maître qui fait l'important, mais n'est qu'un incapable, un valet débrouillard, dont le maître dépend en tout pour l'ordinaire de sa subsistance, la recette est infaillible, et la leçon profonde. Diderot s'en souvient en écrivant très librement *Jacques le fataliste et son Maître* sur cette trame de comédie. Ce valet philosophe, le frère de Figaro, est l'un des plus célèbres de l'histoire littéraire. Il illustre on ne peut mieux le renversement des valeurs auquel peut donner lieu le rapport entre maître et valet.

Le Maître et Jacques vont à cheval, droit devant eux, où les pousse le vent... Au cours du récit sans cesse interrompu que lui fait Jacques de ses amours, le maître découvre qu'une certaine Denise, « jeune brune, à la taille légère, aux yeux noirs », qu'il avait jadis courtisée en vain au château d'un de ses amis, accorda ses faveurs à ce Jacques, qui depuis est devenu son valet. Jalousie soudaine du maître :

> Le Maître. *Eh bien ! Jacques, te voilà chez Desglands, près de Denise, et Denise autorisée par sa mère à te faire au moins quatre visites par jour. La coquine ! préférer un Jacques !* Jacques. *Un Jacques ! un Jacques, monsieur, est un homme comme un autre.*
> Le Maître. *Jacques, tu te trompes, un Jacques n'est point un homme comme un autre.*
> Jacques. *C'est quelquefois mieux qu'un autre.*
> Le Maître. *Jacques, vous vous oubliez. Reprenez l'histoire de vos amours, et souvenez-vous que vous n'êtes cet et que vous ne serez jamais qu'un Jacques.*
> Jacques. *Si, dans la chaumière où nous trouvâmes les coquins, Jacques n'avait pas valu un peu mieux que son maître...*
> Le Maître. *Jacques, vous êtes un insolent : vous abusez de ma bonté. Si j'ai fait la sottise de vous tirer de votre place, je saurai bien vous y remettre. Jacques, prenez votre bouteille et votre coquemar, et descendez là-bas.*
> Jacques. *Cela vous plaît à dire, monsieur ; je me trouve bien ici, et je ne descendrai pas là-bas.*
> Le Maître. *Je te dis que tu descendras.*
>
> Diderot, *Jacques le fataliste et son Maître,* 1796 (posthume).

Avec *Les Bonnes* (1947) de Jean Genet, pièce en un acte, la « dialectique du maître et de l'esclave » perd toute signification sociale. Les domestiques y sont bien des réprouvées, comme souvent les personnages de Genet, et elles jouent, selon le scénario convenu, à prendre le rôle de « Madame », mais il s'agit avant tout pour l'auteur d'user de toutes les ressources de l'illusion théâtrale. Claire et sa sœur Solange, les deux bonnes, incapables d'exister indépendamment de leur maîtresse, mettent en scène les rapports de haine et de fascination qu'elles ont avec elle. Claire tient le rôle de Madame. Après avoir vainement essayé d'empoisonner Madame, Claire et Solange mettent en scène l'assassinat manqué. Mais elles jouent si bien que le jeu menace à tout moment de

265

devenir réalité. Effet de théâtre dans le théâtre : seule un moment, Solange s'imagine meurtrière de Claire. Elle devient « Solange, la fameuse criminelle », revanche hallucinée sur les humiliations subies du fait de sa condition servile :

> J'ai servi. J'ai eu les gestes qu'il faut pour servir. J'ai souri à Madame. Je me suis penchée pour faire le lit, penchée pour laver le carreau, penchée pour éplucher les légumes, pour écouter aux portes, coller mon œil aux serrures. Mais maintenant, je reste droite. Et solide. Je suis l'étrangleuse. Mademoiselle Solange, celle qui étrangla sa sœur! Me taire ? Madame est délicate vraiment. Mais j'ai pitié de Madame. J'ai pitié de la blancheur de Madame, de sa peau satinée, de ses petits poignets... Je suis la poule noire, j'ai mes juges. J'appartiens à la police. Claire ? Elle aimait vraiment beaucoup, beaucoup, Madame !... Non, monsieur l'Inspecteur, je n'expliquerai rien devant eux. Ces choses-là ne regardent que nous... Cela, ma petite, c'est notre nuit à nous ! (Elle allume une cigarette et fume d'une façon maladroite. La fumée la fait tousser.) Ni vous ni personne ne saurez rien, sauf que cette fois Solange est allée jusqu'au bout. (...)
> Le bourreau m'accompagne ! (Elle rit.) Elle sera conduite en cortège par toutes les bonnes du quartier, par tous les domestiques qui ont accompagné Claire à sa dernière demeure. (Elle regarde dehors.) On porte des couronnes, des fleurs, des oriflammes, des banderolles, on sonne le glas. L'enterrement déroule sa pompe. Il est beau, n'est-ce pas ? Viennent d'abord les maîtres d'hôtel, en frac, sans revers de soie. Ils portent leurs couronnes. Viennent ensuite les valets de pied, les laquais en culotte courte et bas blancs. Ils portent leurs couronnes. Viennent ensuite les valets de chambre, puis les femmes de chambre portant nos couleurs. Viennent les concierges, viennent encore les délégations du ciel. Et je les conduis. Le bourreau me berce. On m'acclame. Je suis pâle et je vais mourir.
>
> Jean Genet, Les Bonnes, l'Arbalète, Marc Barbezat, 1947.

On est déjà très loin de la « marionnette » dont parlait A. Roussin... Mais Figaro s'éloigne lui aussi plus qu'on ne croit du monde des valets de comédie. Par certains côtés, il est déjà un « héros neuf », un héros de roman.

FIGARO-PICARO

Le héros picaresque
●

Avec « Fi Caron » (fils Caron), « Picaro » est l'une des étymologies possibles de « Figaro », probablement la moins fantaisiste. Le picaro (littéralement « aventurier », « vaurien ») est en effet le personnage type de certains romans espagnols du siècle d'or (1550-1650), avec lequel le héros de Beaumarchais présente des affinités essentielles. Bien plus que des réminiscences, l'Espagne du Barbier de Séville et du Mariage de Figaro constitue une référence littéraire tout à fait voulue.

Les deux exemples types du roman picaresque sont La Vie de Lazarillo de Tormes (anonyme, vers 1553) et Guzman d'Alfarache (1599-1603), de Mateo Aleman (1547-1614). Le XVIIIᵉ siècle a multiplié les romans picaresques et popularisé la formule. En annexant à leurs codes littéraires la figure du picaro, les Lumières en ont fait un instrument de satire de la société d'ordres, un interprète des revendications de la roture et, en définitive, un type de la littérature universelle : *Moll Flanders,* de Defoe, *Tom Jones,* de Fielding, en Angleterre. En France, l'immortel *Gil Blas* de Lesage, l'un des maîtres de Beaumarchais, ou les romans de Marivaux, comme *La Vie de Marianne* et *Le Paysan parvenu,* s'imposent à la conscience des lecteurs modernes comme des modèles du genre.

Les romans picaresques ont en commun la structure de l'intrigue et un ensemble de thèmes, dont on retrouve de nombreuses traces dans le *Mariage :* naissance infamante et obscure (souvent le picaro est un enfant trouvé) ; éducation négligée ; à partir de là, le roman picaresque devient roman d'apprentissage. Les étapes obligées de l'initiation du picaro sont la fuite, la première tromperie par l'aubergiste ou le muletier, *l'enlèvement par les brigands* et le premier vol commis. Ensuite, le picaro entre au service d'un maître et devient *valet.* Dès lors, le récit n'est qu'une suite d'anecdotes confessées à la première personne, et de récits à tiroirs, qui n'ont d'autre lien entre eux que la personne même du héros. L'on suit ses *errances,* de ville en ville et de maître en maître. Deux épreuves rituelles sont infligées aux picaros : *la prison,* assimilée à l'Enfer, caricature de l'arbitraire et de l'injustice, et *l'amour,* où le picaro découvre qu'il faut se défier des femmes, plus trompeuses encore que lui. *L'ascension sociale* du picaro (au XVIIIe siècle), souvent rendue possible par une *reconnaissance,* sert à dénoncer l'arbitraire de la société traditionnelle. Sous les costumes qui distinguent les conditions selon une stricte hiérarchie, et sous le masque d'un hypocrite respect des valeurs établies, l'homme s'y montre partout le même, « un loup pour l'homme », et le pouvoir ne laisse pas d'être exercé par des coquins.

Les thèmes, on le voit, sont des symboles de la condition humaine : toute-puissance de l'argent et de la faim, solitude essentielle et errance du héros, « théâtre du monde », où tout n'est que masques, destinées conduites par le seul hasard.

Gil Blas

•

Gil Blas quitte sa famille à dix-sept ans pour aller étudier à Salamanque. Dès lors, il ne cessera d'être le jouet de la Fortune. *Enlevé par des brigands,* il devient peu après le valet d'un médecin de Valladolid, le *docteur Sangrado,* qui prétend lui enseigner la médecine.

Plus tard, il retrouve une vieille connaissance, le *barbier Fabrice* qui, déguisé en *alguazil* et assisté de ses garçons barbiers, l'aide à récupérer un joyau que lui avait dérobé une aventurière. Las ! le *corregidor* les fait tous jeter en *prison.* Délivré, Gil a l'infortune de tuer, après d'autres, la femme d'un matamore de jeu de paume, qui crie vengeance. Prudemment, notre héros renonce à la médecine, et quitte Valladolid. Le voici de nouveau en chemin.

Soudain, apparaît un autre des ancêtres de Figaro, le *garçon barbier* Diego Pérès de la Fuente. Lequel Diego entreprend de conter à Gil ses aventures. A Ségovie, ce barbier picaresque qui, comme Figaro, *joue de la guitare*, a séduit sans le vouloir la femme d'un médecin, une certaine *Mergeline*. D'abord « d'une vertu si sauvage, qu'elle ne pouvait souffrir les regards des hommes », Mergeline devient sensible au charme du barbier chantant. *Jalousie du médecin*, qui semble le frère de Bartholo. Le barbier, comme Figaro, en profite pour échapper à cette vertu devenue « tigresse ».

> « *Cruel, vous songez à m'abandonner après m'avoir réduite en l'état où je suis ! Rendez-moi donc auparavant mon orgueil et cet esprit sauvage que vous m'avez ôté. Que n'ai-je encore ces heureux défauts !... Vous avez corrompu mes mœurs en voulant les corriger...* » (II, 7)

Gil Bals, quant à lui, poursuit son errance de ville en ville, se mêle aux comédiens de Grenade, s'éprend d'une actrice, entre au service d'un marquis qui l'introduit à la cour, où il retrouve son ami, le *barbier Fabrice.*

A sa grand surprise, celui-ci semble à présent dans les meilleurs termes avec les grands d'Espagne. Il lui explique qu'il est devenu auteur et qu'il *écrit en vers et en prose.*

> *Je suis devenu auteur. Je me suis jeté dans le bel esprit. J'écris en vers et en prose. Je suis au poil et à la plume. Toi, favori d'Apollon ! m'écriai-je en riant. Voilà ce que je n'aurais jamais deviné. Je serais moins surpris de te voir tout autre chose. Quel charme as-tu donc pu trouver dans la condition des poètes ? Il me semble que ces gens-là sont méprisés dans la vie civile, et qu'ils n'ont pas un ordinaire réglé. Hé fi, s'écria-t-il à son tour, tu me parles de ces misérables auteurs, dont les ouvrages sont le rebut des libraires et des comédiens... Mais les bons, mon ami, les bons sont sur un meilleur pied dans le monde... Mon génie s'élevant peu à peu, comme celui de Plaute, au-dessus de la servitude, je composai une comédie que je fis représenter par des comédiens qui jouaient à Valladolid...* (VII, 13)

Lesage, *Gil Blas de Santillane*, 1715-1735.

Chez un marchand de liqueurs, le barbier-poète présente à Gil une foule d'habitués, parmi lesquels un certain chanoine *Dom Chérubin*...

Un docteur Sangrado qui fait doctement mourir ses malades, un autre aussi jaloux que son confrère Bartholo, des sérénades, des raseurs poètes de comédie, une duègne Mergeline amoureuse d'un barbier guitariste, et jusqu'à un Dom Chérubin, on voit que la parenté est évidente entre l'univers picaresque de Gil Blas et celui du barbier chantant de Beaumarchais.

Mais, comme le montre le monologue, Figaro n'est plus très à l'aise dans ses vêtements de « vieille marionnette », qu'ils soient hérités du valet de comédie ou de son proche cousin, le picaro. A travers son Espagne de convention, Beaumarchais essaie de créer, en une forme vieille, un sujet nouveau, aux deux sens du mot : nouveau personnage, et nouveau thème, celui de l'ascension sociale.

L'ASCENSION SOCIALE

Un thème romanesque
•

Ce thème est spécifiquement romanesque, puisque son développement suppose que l'œuvre puisse embrasser le cours d'une longue durée, et conduise son héros des premières initiations au retour sur soi, de la jeunesse à l'âge mûr ou à la vieillesse. Il est également lié à l'effacement de la société d'ordres et à l'émergence d'une mobilité sociale de type bourgeois, fondée sur le mérite personnel et non sur l'hérédité. Autant dire que c'est un thème particulièrement significatif de l'essor du roman, notamment au XIXᵉ siècle. Pourtant il est déjà présent, sous une forme inattendue, dans la trilogie de Beaumarchais, qui comprend le *Barbier*, le *Mariage* et *La Mère coupable*.

Les héros de Beaumarchais, contrairement aux personnages de théâtre, s'inscrivent dans une durée existentielle, qui dépasse de beaucoup la situation dramatique immédiate et l'instant d'une crise. Ils ont un passé (*Le Barbier de Séville*) et un avenir (*La Mère coupable*). Tout au long de la trilogie, mais aussi du début à la fin du *Mariage*, ils évoluent dans leur être : le Comte se décompose peu à peu en marionnette de théâtre, tandis que Figaro mûrit, accède à l'individualité et à la profondeur subjective d'une authentique personne. Et le drame de cette existence, c'est à la fois la difficulté d'être, sur laquelle roule le monologue du cinquième acte, et les obstacles que doit franchir Figaro pour se faire une place dans la société d'ordres, dans la roture simplement, mais pour s'y enraciner enfin, lui qui n'est qu'un enfant trouvé, sans origines connues. Aussi l'argent (les dots) remplit-il dans le *Mariage* une fonction essentielle, car il est l'instrument et la condition de toute ascension sociale. Par cette ambition de parvenir, Figaro, on l'a vu, est le descendant de Gil Blas. Mais surtout, il annonce et préfigure toute une série de héros plébéiens avides de se hisser au faîte de la société qui hantent les œuvres du XIXᵉ siècle : le Julien Sorel du *Rouge et le Noir,* ou le Rastignac de la *Comédie humaine,* notamment.

Une forme inadéquate
•

Le rapprochement est d'autant plus intéressant qu'entre Figaro et ses petits-neveux du temps de la Restauration s'interposent la Révolution et l'avènement de la société industrielle. Dès lors que la littérature s'intéresse non plus aux caractères de l'éternel humain, mais aux conditions•, comme dit Beaumarchais, c'est-à-dire à l'homme situé, affronté à un milieu et à une société déterminés, donc à l'histoire, le théâtre comique devient inadéquat au projet, en raison de ses conventions, exigées par sa forme même, et de ce fait parfaitement intemporelles.

Le héros ambitieux des romans d'ascension sociale devra lutter contre les conventions de la société qui le rejette, comme Julien Sorel. Aussi sa destinée ne saurait-elle s'accommoder d'une forme narrative dans laquelle le dénouement, loin d'être tragique (l'échec ou le suicide), ou révolutionnaire, ne peut consister que dans l'intégration du héros à la société telle qu'elle est, et dans l'acceptation des conventions reconduites :

Gil Blas finit heureux ; à son tour, et tout en continuant de servir un maître, il a son propre valet... Julien Sorel fera sur l'échafaud l'expérience amère qu'il ne suffit plus d'emprunter le costume d'un état – le rouge ou le noir – pour parvenir. Le temps des masques et des déguisements, le temps du roman picaresque ou de la comédie selon Beaumarchais, ce temps heureux où l'habit faisait le moine, et où « tout finit par des chansons », sera alors bien clos, comme le rappelle Pierre Barbéris à propos de la longueur paradoxale du monologue de Figaro sous les grands marronniers :

> Beaumarchais avait envie et besoin de raconter sa vie, d'en faire la philosophie, mais il devait le faire, hélas, dans le cadre d'une comédie qui excluait la philosophie. Problème d'articulation à l'intrigue, problème aussi de ton, car depuis Le Misanthrope on sait bien quelle difficulté avait la philosophie de la différence et de la dissidence à se faire théâtre. (...) « Comique » avait longtemps désigné non seulement ce qui fait rire, mais ce qui est moderne, contemporain, et qui n'avait droit qu'à un réalisme passant par le rire (voir Molière, Critique de l'Ecole des femmes). Le « comique » était interdit de (réellement) dramatique, encore plus de tragique et de « haut ». (...) Mais (avec le Mariage) voilà le « comique » promu à une dignité scandaleuse et dérangeante. Le voilà qui accède à l'Universel. (...) Que (Figaro) fasse un mariage bourgeois, peu importe : la forme de la comédie, le besoin d'un dénouement l'imposaient. Au passage il aura eu ce moment de lucidité vertigineuse (le monologue) qui débouche moins dans l'action que dans la conscience et dans son expression, vaille que vaille. Une parenthèse s'était ouverte dans la forme « claire » du théâtre. C'est que le théâtre ne pouvait plus dire le réel.

Pierre Barbéris, in *Beaumarchais, le Mariage de Figaro, op. cit.*, p. 152.

Julien Sorel
•

Si Figaro est le dernier des valets de comédie, et le dernier des picaros, il est intéressant de le comparer à l'un de ses proches descendants parmi les plébéiens révoltés du roman réaliste. Comme Figaro, Julien Sorel monologue, mais en prison. Au dénouement, l'échafaud remplacera le mariage, mais il s'agit toujours du même tragique, du tragique moderne du moi qui s'interroge sur son essence et sa destinée.

> A mesure que j'aurais été moins dupe des apparences, se disait-il, j'aurais vu que les salons de Paris sont peuplés d'honnêtes gens tels que mon père, ou de coquins habiles tels que ces galériens. Ils ont raison, jamais les hommes de salon ne se lèvent le matin avec cette pensée poignante : comment dînerai-je ? Et ils vantent leur probité ! et, appelés au jury, ils condamnent fièrement l'homme qui a volé un couvert d'argent. (...) J'ai aimé la vérité... Où est-elle ?... Partout hypocrisie, ou du moins charlatanisme, même chez les plus vertueux, même chez les plus grands. (...) Ah s'il y avait une vraie religion (...) un vrai prêtre... Alors les âmes tendres auraient un point de réunion dans le monde... Nous ne serions pas isolés. (...) Il fut agité par les souvenirs de cette Bible qu'il savait par cœur. (...) Vivre isolé !... Quel tourment !... Je devient fou et injuste, se dit Julien en se frappant le front. Je suis isolé ici dans ce cachot ; mais je n'ai pas vécu isolé sur la terre. (...) C'est l'air humide de cachot qui me fait penser à l'isolement... Et être encore hypocrite en maudissant l'hypocrisie ? Ce n'est ni la mort, ni le cachot, ni l'air humide, c'est l'absence de Mme de Rênal qui m'accable. (...) J'oublie de vivre et d'aimer, quand il me reste si peu de jours à vivre... Hélas ! Mme de Rênal est absente.

Stendhal, *Le Rouge et le Noir*, 1831.

INDIVIDU ET DESTIN

Beaumarchais est l'homme d'un temps d'où achèvent de s'effacer les vieilles représentations. Le cosmos traditionnel et sa société organique était emboîtés l'un en l'autre comme des matriochkas. Ils composaient une harmonie, ordonnée une fois pour toutes par la nature et la divinité. La place de chacun, immuable, s'y trouvait inscrite de toute éternité. Cet univers mental n'est plus : l'histoire de Figaro est déjà celle de l'individu en quête d'un destin. C'est par là que le valet de Beaumarchais fait penser à un héros de roman moderne. Qu'est-ce qu'une destinée ? C'est chercher à donner une fin et un sens à l'existence, un but à sa liberté. Mais que d'obstacles à cette quête d'un sens ! L'opacité absurde des distinctions sociales, bien sûr, mais aussi ces forces aveugles qui semblent nous conduire malgré nous, la Providence, ou plutôt le hasard : « O bizarre suite d'événements ! », soupire Figaro, « comment cela m'est-il arrivé ? Pourquoi ces choses et non pas d'autres ? Qui les a fixées sur ma tête ?... » (V, 3). L'homme moderne, et le héros des romans modernes, ne croient plus guère à une prédestination. Ils ne croient plus, contrairement à Jacques le fataliste, que « tout est écrit là-haut, sur le grand rouleau ». Reste le hasard, et son absurdité. Notre liberté peut-elle en triompher, peut-elle imposer un sens aux événements de l'existence et leur donner valeur ?

Cette interrogation est déjà au cœur de la réflexion de Voltaire, quand il écrit *Zadig ou la Destinée*. Voltaire ne pouvait se résigner à l'idée qu'une fatalité aveugle menât le monde. Celui-ci peut bien avoir un but général, fixé par les vues de la Providence, mais ces desseins d'ensemble laissent une place aux choix que peuvent faire les hommes, libres en partie du destin. Ce refus du providentialisme ira s'accentuant, jusqu'à la morale de *Candide* : « Il faut cultiver notre jardin ». Le travail permet à l'homme de progresser, seul il l'émancipe de la tutelle du destin.

Les Romantiques essaieront de croire à nouveau que les destins des hommes sont conduits par la Providence : Lamartine, dans les *Méditations*, Chateaubriand, à travers les *Mémoires d'outre-tombe*, sondent en vain le destin et s'en remettent au mystère de la volonté de Dieu. Vigny doute cependant : Dieu laisse les hommes dans l'ignorance de leur destin. À Jésus qui meurt sur la Croix, seul répond « le silence » :

> Si le Ciel nous laissa comme un monde avorté,/Le juste opposera le dédain à l'absence/Et ne répondra plus que par un froid silence/Au silence éternel de la Divinité.
>
> Les Destinées, Le Mont des Oliviers, 1839-1843.

Et de fait, cette interrogation sur la destinée, qu'inaugure Figaro, revient au cœur de l'angoisse de l'homme moderne. C'est elle qui s'exprime par la bouche des personnages de Malraux, de Camus, ou de Sartre ; l'angoisse de l'homme absurde, dont la liberté, privée de sens et de destin, recherche en vain l'accord perdu de l'âme et de la terre. Ainsi le vieux révolutionnaire Gisors, qui, au soir de sa vie, fume l'opium et se confie à la jeune May, tandis que « le ciel rayonne dans les trous des pins » :

> Tous souffrent, songea-t-il, et chacun souffre parce qu'il pense. (...) Tout homme est fou, pensa-t-il encore, mais qu'est-ce qu'une destinée humaine sinon une vie d'efforts pour unir ce fou et l'univers...
>
> Malraux, La Condition humaine, Gallimard, 1946.

271

Si riche que puissent être les suggestions philosophiques auxquelles nous invite la destinée hors du commun de Figaro, le *Mariage* demeure avant tout théâtre, et théâtre comique.

Parmi les thèmes que peut suggérer l'art de la comédie chez Beaumarchais, on retiendra, non sans quelque arbitraire, la satire de la justice, et la comédie de l'amour.

LA SATIRE DE LA JUSTICE

Il s'agit là d'une cible éternelle de la littérature satirique, quel qu'en soit le genre, fable, pamphlet ou comédie, et quel que soit le régime : Brid'oison est-il mort ?

Rabelais

Le juge Brid'oye, qui décide les procès à coups de dés, est l'ancêtre de Brid'oison. Lui aussi a un respect religieux de « la-la forme ». La référence est voulue : Beaumarchais, soucieux de ramener sur le théâtre « la franche et vraie gaieté », se veut un émule de Rabelais, et inscrit son Figaro dans la descendance de Panurge, vaurien drolatique de haute volée, dont le nom signifie, on le sait, « propre à tout »...

> *Voire, mais (demandait Trinquamelle) mon ami, puisque par sort et jet de dés vous faites vos jugements, pourquoi ne livrez-vous pas cette chance le jour et heure propre que les parties controverses comparaissent par devant vous, sans autre délai ? De quoi vous servent les écritures et autres procédures contenues dedans les sacs ?*
> *Comme à vous autres, Messieurs, répondit Bridoye, elles me servent de trois choses exquises, requises et authentiques. Premièrement pour la forme, en omission de laquelle ce qu'on a fait n'être valable prouve très bien. Davantage vous savez trop mieux que souvent, en procédures judiciaires, les formalités détruisent les matérialités et substances.*

> Rabelais, *Tiers Livre*, 1546.

Pascal
•

Pascal dénonçait aussi les prestiges trompeurs de la robe des magistrats, qui n'impressionne que l'imagination, cette reine des « puissances trompeuses » :

> *Nos magistrats ont bien connu ce mystère. Leurs robes rouges, leurs hermines dont ils s'emmaillotent en chaffourés, les palais où ils jugent, les fleurs de lys, tout cet appareil auguste était fort nécessaire, et si les médecins n'avaient des soutanes et des mules, et que les docteurs n'eussent des bonnets carrés et des robes trop amples de quatre parties, jamais ils n'auraient dupé le monde qui ne peut résister à cette montre si authentique. S'ils avaient la véritable justice, et si les médecins avaient le vrai art de guérir, ils n'auraient que faire de bonnets carrés. La majesté de ces sciences serait assez vénérable d'elle-même, mais n'ayant que des sciences imaginaires il faut qu'ils prennent ces vains instruments qui frappent l'imagination à laquelle ils ont affaire et par là en effet ils s'attirent le respect.*

> Pascal, *Pensées*, Lafuma 44 (Br. 82),
> *Papiers classés, Imagination*, 1670 (posthume).

Bergson

•

Le philosophe Bergson se sert de Brid'oison dans une page célèbre de son essai sur le rire. Il s'interroge sur la formule par laquelle il vient de définir la source des phénomènes comiques : « du mécanique plaqué sur du vivant », et il l'élargit : « la loi de ces phénomènes », écrit-il, « pourrait se formuler ainsi : Est comique tout incident qui appelle notre attention sur le physique d'une personne alors que le moral est en cause ».

> *Dès que le souci du corps intervient, une infiltration comique est à craindre. (...) Élargissons maintenant cette image : le corps prenant le pas sur l'âme. Nous allons obtenir quelque chose de plus général : la forme voulant primer sur le fond, la lettre cherchant chicane à l'esprit. Ne serait-ce pas cette idée que la comédie cherche à nous suggérer quand elle ridiculise une profession ? Elle fait parler l'avocat, le juge, le médecin, comme c'était peu de chose que la santé et la justice, l'essentiel étant qu'il y ait des avocats, des médecins, des juges, et que les formes extérieures de la profession soient respectées scrupuleusement. (...) Le mot de Brid'oison (...) est significatif : « La-a forme, voyez-vous, la-a forme. Tel rit d'un juge en habit court, qui tremble au seul aspect d'un procureur en robe. La-a forme, la-a forme ».*

Bergson, *Le Rire*, 1899.

Autres rapprochements : on peut comparer les scènes du procès à **Rabelais**, *Tiers Livre*, chap. 39 à 43 ; **Racine**, *Les Plaideurs* (notamment acte III, sc. 3) ; **Pascal**, *Pensées*, Lafuma 828 (Br. 304) : « cordes de nécessité, cordes d'imagination » ; 66 (Br. 326) ; 74 (Br. 454) ; **La Fontaine**, *Fables* (I, 21 ; II, 3 ; VII, 1, vv. 63-64 : « Selon que vous serez puissant ou misérable... » ; VII, 16 ; IX, 9).

AMOURS DE COMÉDIE, COMÉDIES DE L'AMOUR

L'amour est devenu au XVIIIe siècle l'élément indispensable, tout à fait central, de toute comédie, et ce depuis Marivaux.

Coquettes et mondaines

•

La Comtesse aime se donner à elle-même le spectacle de l'amour qu'elle inspire à Chérubin (II, 3 à 9). Ses « vapeurs » la tourmentent, qui sont, comme le dit Suzanne (III, 9), « un mal de condition ». Elle s'évente furieusement avec son éventail et, sous prétexte de ramener son époux, se pique volontiers au jeu des comédies successives qu'elle lui joue (II, 10 à 19 et V, 7). Son emploi•, dans le jargon des comédiens, est du reste celui de grande coquette•. Cela peut nous inviter à passer en revue quelques-unes de ces coquettes, créatures délicieuses, et parfois perverses, dont les charmes vaporeux hantent romans et comédies.

La Célimène du *Misanthrope* en est le prototype :

> ALCESTE. *Je ne querelle point. Mais votre humeur, madame,*
> *Ouvre au premier venu trop d'accès dans votre âme :*
> *Vous avez trop d'amants qu'on voit vous obséder ;*
> *Et mon cœur de cela ne peut s'accommoder.*
> CÉLIMÈNE. *Des amants que je fais me rendez-vous coupable ?*
> *Puis-je empêcher les gens de me trouver aimable ?*
> *Et lorsque pour me voir ils font de doux efforts,*
> *Dois-je prendre un bâton pour les mettre dehors ? (...)*
>
> Molière, *Le Misanthrope*, acte II, sc. 1, 1666.

La blonde Hélène de Giraudoux, par qui la guerre de Troie pourrait n'avoir pas lieu, est douée pour les plaisirs, pour l'amour facile plus que pour la tragédie, où elle se trouve un peu déplacée. Aime-t-elle Pâris, le Troyen qui l'enleva ? Pâris lui-même l'aime-t-il ? Face au jeune Troïlus, elle a des coquetteries qui rappellent, en plus cru, la Comtesse s'apprêtant à recevoir Chérubin...

> SCÈNE PREMIÈRE
> HÉLÈNE, LE JEUNE TROÏLUS
>
> HÉLÈNE. *Hé ! là-bas ! Oui, c'est toi que j'appelle !... Approche !*
> TROÏLUS. *Non.*
> HÉLÈNE. *Comment t'appelles-tu ?*
> TROÏLUS. *Troïlus.*
> HÉLÈNE. *Viens ici !*
> TROÏLUS. *Non.*
> HÉLÈNE. *Viens ici, Troïlus !... (Troïlus approche.) Ah ! te voilà ! Tu obéis quand on t'appelle par ton nom : tu es encore très lévrier. C'est d'ailleurs gentil. Tu sais que tu m'obliges pour la première fois à crier, en parlant à un homme ? Ils sont toujours tellement collés à moi que je n'ai qu'à bouger les lèvres. J'ai crié à des mouettes, à des biches, à l'écho, jamais à un homme. Tu me paieras cela... Qu'as-tu ? Tu trembles ?*
> TROÏLUS. *Je ne tremble pas.*
> HÉLÈNE. *Tu trembles, Troïlus.*
> TROÏLUS. *Oui, je tremble.*
> HÉLÈNE. *Pourquoi es-tu toujours derrière moi ? Quand je vais dos au soleil et que je veux marcher, la tête de ton ombre bute toujours contre mes pieds. C'est tout juste si elle ne les dépasse pas. Dis-moi ce que tu veux.*
> TROÏLUS. *Je ne veux rien.*
> HÉLÈNE. *Dis-moi ce que tu veux. Troïlus !*
> TROÏLUS. *Tout ! Je veux tout !*
> HÉLÈNE. *Tu veux tout. La lune ?*
> TROÏLUS. *Tout ! Plus que tout !*
> HÉLÈNE. *Tu parles déjà comme un vrai homme : tu veux m'embrasser, quoi !*
> TROÏLUS. *Non !*
> HÉLÈNE. *Tu veux m'embrasser, n'est-ce pas, mon petit Troïlus ?*
> TROÏLUS. *Je me tuerais aussitôt après !*
> HÉLÈNE. *Approche... Quel âge as-tu ?*
> TROÏLUS. *Quinze ans... Hélas !*
> HÉLÈNE. *Bravo pour « hélas ! »...*
>
> Giraudoux, *La Guerre de Troie n'aura pas lieu*, acte II, sc. 1, 1935.

Autres rapprochements : quelques personnages de coquettes mondaines : dans Stendhal, Mathilde de la Mole (*Le Rouge et le Noir*) ; chez Proust, Odette de Crécy (*À la Recherche du temps perdu, un Amour de Swann*) ; dans les *Illusions perdues* de Balzac, Madame de Bargeton ; dans *Les Cloches de Bâle* d'Aragon, Diane de Nettencourt.

Coquetterie, certes, mais aussi comédie des sentiments, joués plus qu'éprouvés, l'Hélène de Giraudoux nous conduit à ce « jeu devant le miroir » qu'est la comédie dans la comédie. Déjà, dans le *Mariage,* il arrive au Comte de se demander : « Jouons-nous une comédie ? » (IV, 6).

« Le jeu devant le miroir » : la comédie dans la comédie

•

Beaumarchais, comme tous les dramaturges nés, aime jouer aux limites de l'illusion comique, ainsi que le montre excellemment J. Schérer : « Les coulisses sont cachées au spectateur (...), les pièces de théâtre, dans leur immense majorité, se gardent bien de dire qu'elles sont pièces de théâtre. Or, Beaumarchais met parfois le public dans le secret. »

Ce « jeu devant le miroir », on le retrouve dans *L'Illusion comique* de Corneille, à laquelle il fournit la trame de l'intrigue : Pridamant est à la recherche de son fils, Clindor. Il consulte le magicien Alcandre, qui lui fait apparaître son fils disparu. Clindor fait à présent partie d'une troupe de comédiens. On le voit jouer successivement la comédie, puis, au cinquième acte, la tragédie. Mais dans les visions suscitées par la magie, Pridamant ne peut s'apercevoir que les épisodes auxquels il assiste ne sont pas ceux de la vie réelle de son fils : l'illusion comique est un parfait magicien.

Le théâtre dans le théâtre est un facteur fondamental de la dramaturgie de Marivaux, qui joue toujours aux frontières entre l'être et le paraître. Tantôt on échange les rôles, comme dans *Le Jeu de l'amour et du hasard,* tantôt on mime la répétition d'une comédie, comme dans *Les Acteurs de bonne foi.* Merlin impose un scénario qui soumettra ces acteurs improvisés à l'épreuve de l'infidélité, puisque la « comédie » va obliger chacun à changer de partenaire. Mais, selon le mot judicieux de l'un d'entre eux, Blaise, ne feront-ils pas « semblant de faire semblant » ?

> MERLIN.   *Et moi, je suis charmé de vous rencontrer, Colette.*
> COLETTE.   *Ça est bien obligeant.*
> MERLIN.   *Ne vous êtes-vous pas aperçu du plaisir que j'ai à vous voir ?*
> COLETTE.   *Oui, mais je n'ose pas bonnement m'apercevoir de ce plaisir-là, à cause que j'y en prendrais aussi.*
> MERLIN, interrompant.   *Doucement, Colette ; il n'est pas décent de vous déclarer si vite.*
> COLETTE.   *Dame ! comme il faut avoir de l'amiquié pour vous dans cette affaire-là, j'ai cru qu'il n'y avait point de temps à perdre.*
> MERLIN.   *Attendez que je me déclare tout à fait, moi.*
> BLAISE, interrompant de son siège.   *Voyez en effet comme alle se presse : an dirait qu'alle y va de bon jeu, je crois que ça m'annonce du guignon. (...)*

SCÈNE IV.   MERLIN, COLETTE,
(LISETTE et BLAISE, assis)

> MERLIN.   *Bonjour, ma belle enfant : je suis bien sûr que ce n'est pas moi que vous cherchez.*
> COLETTE.   *Non, Monsieur Merlin ; mais ça n'y fait rien ; je suis bien aise de vous y trouver.*
> LISETTE, assise et interrompant.   *Je n'aime pas trop cette saillie-là, non plus.*

275

MERLIN. *C'est qu'elle ne sait pas mieux faire.*
COLETTE. *Eh bien ! velà ma pensée tout sens dessus dessous ; pisqu'ils me blâmont, je sis trop timide pour aller en avant, s'ils ne s'en vont pas.*
MERLIN. *Éloignez-vous donc pour l'encourager.*
BLAISE, se levant de son siège. *Non, morguié, je ne veux pas qu'alle ait du courage, moi ; je veux tout entendre.*
LISETTE, assise et interrompant. *Il est vrai, m'amie, que vous êtes plaisante de vouloir que nous nous en allions.*
COLETTE. *Pourquoi aussi me chicanez-vous ?*
BLAISE, interrompant, mais assis. *Pourquoi te hâtes-tu tant d'être amoureuse de Monsieur Merlin ? Est-ce que tu en sens de l'amour ?*
COLETTE. *Mais, vrament ! je sis bien obligée d'en sentir pisque je sis obligée d'en prendre dans la comédie. Comment voulez-vous que je fasse autrement ?*
LISETTE, assise, interrompant. *Comment ! vous aimez réellement Merlin !*
COLETTE. *Il faut bien, pisque c'est mon devoir. (...)*

Marivaux, *Les Acteurs de bonne foi,* sc. 3 et 4, 1757.

Le rapprochement s'impose, sur ce point, avec Anouilh, qui reprit l'argument de la pièce de Marivaux en imaginant le scénario de *La Répétition ou l'Amour puni* (1950), où des comédiens amateurs répètent une autre pièce de Marivaux, *La Double Inconstance,* et se prennent au jeu des sentiments qu'ils jouent.

On n'aura garde d'oublier que ce thème, si consubstantiel au théâtre contemporain, fournit la trame même et la problématique entière de l'œuvre de Luigi Pirandello, par exemple *Six Personnages en quête d'auteur* (1921) ou *Ce soir, on improvise* (1930).

DU MARIAGE AUX NOCES DE FIGARO DE MOZART

Peu à peu l'habitude s'était prise en Italie d'intercaler entre les passages d'un opéra des intermèdes comiques, qui, bientôt représentés seuls, avaient donné naissance à *l'opera buffa.* Les sujets en sont simples, et empruntés à la vie bourgeoise ou paysanne. Le nombre des personnages est réduit à trois ou quatre, l'un d'entre eux devant toujours être un « bouffon », dont l'allure vive et endiablée rappelle celle des valets de la comédie italienne. Le genre est à *l'opera seria* ce que la comédie est à la tragédie. C'est dans ce cadre, inauguré par *La Servante Maîtresse* de Pergolèse en 1752, que Mozart a composé son interprétation du *Mariage, Les Noces de Figaro.* Malgré le talent du librettiste Da Ponte, cela ne pouvait aller sans altérer profondément la comédie de Beaumarchais, bien trop sophistiquée pour un opéra bouffe !

On se référera aux rubriques intitulées « Du *Mariage* aux *Noces* » : suppressions de Da Ponte : la tirade de « God-dam », la scène du procès (bilan de l'acte III) ; la scène d'amour heureux (bilan de l'acte IV) ; modification du plan d'ensemble, déplacement du moment et du sens de la révolte de Figaro, remplacement des déguisements de l'acte V, déplacement de l'intérêt et modification du ton (bilan de l'acte V).

276

PARCOURS THÉMATIQUE

ADOLESCENCE

•

Avec Chérubin, elle fait son entrée parmi les emplois de théâtre. *Cf.* I, 7 : « Si ce n'était pas un morveux sans conséquence » ; Chérubin se caractérise par l'éveil à la sensualité et à l'amour : « On vous surprend chez (Fanchette), et vous soupirez pour madame ; et vous m'en contez à moi, par-dessus le marché » (I, 7) ; lui-même avoue son trouble : « mon cœur palpite au seul aspect d'une femme ; les mots *amour* et *volupté* le font tressaillir et le troublent ». Fanchette fait pendant à Chérubin. Elle n'est guère plus qu'une « utilité », mais elle est dessinée avec esprit, comme une innocente jouant à contre-emploi ; c'est une ingénue perverse. La jeunesse est encore représentée par les groupes de jeunes du village.

Rapprochements : J.-J. Rousseau, *Emile* ; Bernardin de Saint-Pierre, *Paul et Virginie* ; Chateaubriand, *René* ; Rimbaud, *Une Saison en enfer* ; Gide, *La Porte étroite, Si le grain ne meurt* ; Colette, *La Maison de Claudine* ; S. de Beauvoir, *Mémoires d'une jeune fille rangée.*

ADULTÈRE

•

L'obstacle, dans toutes les intrigues de la pièce, est un risque d'adultère pesant sur un mariage fait, à faire, ou simplement envisagé à un moment ou à un autre. Le mariage de Suzanne et de Figaro est menacé par les fantaisies du Comte ; celui-ci a auprès de la Comtesse un rival virtuel en la personne de Chérubin, que voudrait bien à son tour épouser Fanchette, n'était, là encore, la rivalité du seigneur. L'adultère libertin qu'envisage Almaviva est porteur du drame ; il se reflète, en s'inversant, dans l'adultère poétique dont rêve Chérubin, parodiant la structure narrative des romans courtois (II, sc. 4 à 9 : la romance du « troubadour », & sc. 14 : la « prouesse » du saut par la fenêtre…) ; et il trouve encore un écho très atténué, sur le mode de la pastorale, dans le flirt de Fanchette et Chérubin. Les intrigues s'emboîtent en abyme•, jusque dans le vaudeville final, leur ultime forme théâtrale. L'adultère est donc ici l'occasion d'un jeu de reflets à travers les différents modes de l'illusion comique, la tragédie et le merveilleux exceptés.

Rapprochements : pour l'amour courtois, voir Chrétien de Troyes, *Le Chevalier de la Charrette*, ou *Le Conte du Graal* ; voir aussi la poésie des troubadours, que le page imite en sa romance, par exemple Jaufré Rudel, chantant son « *amor de lonh* », « l'amour pour sa dame lointaine ».

AMOUR

•

Souvent simple prétexte à mariage, au XVIIIᵉ siècle, l'amour devient le sujet même de la plupart des grandes comédies, notamment chez Marivaux et Beaumarchais. L'amour reste le ressort romanesque par excellence (*Manon Lescaut, Julie, Paul et Virginie*…). Il se confond souvent avec le libertinage. Dans les comédies, et notamment chez Beaumarchais, l'amour intervient sous plusieurs formes : 1) *dépit amoureux*, (*Mariage*, III, 18 & V, 8. ; *Tartuffe*, II, 4 ; *Le Jeu de l'amour et du hasard*, II, 8) ; 2) *marivaudage* : vaine tentative d'esquiver l'amour, par peur d'aimer, vanité sociale ou amour-propre, qui se conclut par son triomphe : d'abord inconscient, le sentiment est mis à nu par la jalousie et le discours implicite, lors d'une « surprise de l'amour » (la Comtesse y est un peu sujette, qui fait la coquette, tout en se défendant, face à Suzanne, de l'idée qu'elle puisse aimer Chérubin : « *tenant sa boîte à mouches* : Mon Dieu, Suzon, comme je suis faite !… ce jeune homme qui va venir !... », II, 3 et suiv.) ; 3) *obsession maniaque*, traditionnelle source de ridicule chez les barbons et les jaloux (Arnolphe, dans *L'École des femmes* ; Bartholo, dans le *Barbier* ; Almaviva dans le *Mariage* : « Seule !... Avec qui parlez-vous donc ?/... Avec vous, sans doute. » II, 10 & suiv.) ; 4) *caprices* : Célimène, Alceste, dans *Le Misanthrope* ; la Marianne de Musset ; Almaviva : « Qui donc m'enchaîne à cette fantaisie ? J'ai voulu vingt fois y renoncer... Étrange effet de l'irrésolution ! Si je la voulais sans débat, je la désirerais mille fois moins. » (III, 4) ; 5) *coquetterie* : la Comtesse, Araminte ; dans *Les Fausses Confidences* de Marivaux.

Beaumarchais innove : 1) en peignant des personnages qui, hormis les comparses, sont tous séduisants et spirituels : Chérubin est la grâce même, la Comtesse propage son charme rêveur, Suzanne et Figaro pétillent d'esprit et de jeunesse, le Comte a fière allure, Marceline même s'embellit de la bonté que la reconnaissance révèle en elle ; 2) en relayant, par décence, le discours amoureux par une *circulation d'objets symboliques*, véritables métonymies• visuelles du corps et du désir (ruban, brevet, épingle, éventail, toque de la mariée) ; 3) en dotant le Comte d'un amour instable et *réversible*, qui oscille de l'envie au rejet, et engendre ainsi maintes péripéties ; 4) en utilisant le *rêve* (la Comtesse (II, 1 & 3), le Comte (III, 4) comme révélateur du désir inconscient ; 5) en se risquant à peindre dans une comédie une scène d'*amour heureux* (IV, 1) ; 6) en représentant des amoureux plus *habiles* que maladroits, comme Suzanne, Chérubin et, bien sûr, Figaro.

AMOUR-PROPRE
•

Comme chez Marivaux, il est un ressort essentiel. L'amour-propre tient lieu de vertu aux libertins. C'est lui qui pousse : 1) le Comte à s'entêter à conquérir les faveurs de Suzanne, tout en voulant toujours sauver la face ; 2) la Comtesse à se montrer tendre à la tentation d'une aventure avec Chérubin, qui la vengerait des soupçons d'Almaviva, mais aussi à vouloir ramener son mari ; 3) Suzanne surtout à obtenir sa dot par rouerie, mais sans compromettre sa vertu.

Rapprochements : Célimène *(Le Misanthrope)*, Marianne (les *Caprices...*), Araminte *(Les Fausses Confidences)*, Silvia, Dorante *(Le Jeu de l'amour et du hasard).*

ARGENT
•

« Figaro. – Recevoir, prendre et demander : voilà le secret en trois mots. » (I, 2). L'argent est au cœur du projet de Figaro, qui est « d'empocher l'or et les présents » (I, 2) ; *dettes* et *dots* comptent parmi les enjeux principaux de l'intrigue, de la première scène : « De l'intrigue et de l'argent ; te voilà dans ta sphère. » (I, 1), à la dernière : « ma femme et mon bien mis à part » (V, 19), et « Triple dot, femme superbe... » (Vaudeville). Les dettes de Figaro justifient l'acte III. Les trois dots qu'il tient à la main au dénouement symbolisent sa victoire. Le mariage à lui seul ne saurait conclure : sans pécule, Figaro ne pourrait s'arracher à la condition de domestique, ni aux menaces du Comte. Les dots permettent à l'enfant trouvé qu'il était de s'enraciner dans la roture et d'y prendre un état•.

Rapprochements : avec la vie de Beaumarchais : il était homme de finance ; avec la comédie de mœurs du début du siècle (Regnard, Lesage), où l'argent joue un rôle cardinal ; avec les romans picaresques *(Gil Blas)*, dont il est le ressort essentiel ; rouage-clé de *Manon Lescaut*, l'argent est comme l'âme de *La Comédie humaine* de Balzac...

BONHEUR

•

C'est l'objectif de tous dans la pièce, où, comme il se doit, « tout fini-it par des chansons » (V, 19), et c'est l'idée neuve du siècle. Dans le *Mariage*, le bonheur recherché est celui des sens ; il s'identifie facilement au plaisir. Le bonheur du Comte, c'est Fanchette, et surtout Suzanne, qui fera celui de Figaro, comme Figaro le sien. Marceline suffirait aux délices de Bazile, et Chérubin, dont Fanchette est friande, comblerait secrètement la Comtesse (ce qu'il fera du reste : lire la suite dans *La Mère coupable*...). Mais le bonheur n'est pas que cela : pour tous, il s'agit d'acquérir (Figaro, Chérubin, Suzanne, Marceline) ou de recouvrer (la Comtesse) le droit à l'existence personnelle, en rétablissant un ordre social perturbé par le désir pervers du Comte. Tous, hormis le Comte, sont, comme Chérubin, des « adeptes de la nature » (Préface). Être heureux, c'est réconcilier société, nature et morale, mais en suivant la pente de ses désirs : « Ainsi la nature sage/Nous conduit, dans nos désirs,/A son but par les plaisirs... », fredonne Suzanne dans le vaudeville. Le bonheur réside en définitive dans un accord retrouvé de l'être et du paraître.

CENSURE

•

« Sans la liberté de blâmer, il n'est point d'éloge flatteur » (V, 3). La censure est l'une des cibles principales de la satire politique dans le *Mariage*, et l'occasion du mot d'auteur le plus fameux de Beaumarchais ! Le plus souvent, le pouvoir ne fait en ce domaine que déférer à des pressions mondaines (des cabales), ou ecclésiastiques. Souvent, les motifs sont purement corporatifs : ainsi de l'arrêt, rendu en 1710, sur plainte de la Comédie-Française, qui interdisait aux comédiens forains de prononcer sur scène dialogues ou monologues. D'où la naissance de l'Opéra-Comique, où les pièces étaient chantées !

Rapprochements : Voltaire, *Lettre à un Premier Commis* (1765). Diderot, *Mémoire sur la liberté de la presse* (1758). Résultat de cette campagne des philosophes en faveur de la liberté d'expression : Déclaration des Droits de l'homme et du citoyen, art. 7 (1789).

DROIT

•

Le droit du seigneur, ou droit de cuissage, est l'enjeu central de la pièce : comment la question du droit ne serait-elle pas impliquée au premier chef dans la comédie du *Mariage* ? C'est même un point fondamental de sa moralité. Les contrats (contrat de type féodal, qui lie le Comte aux promesses faites à ses vassaux [1, 10], contrat juridique, qui lie Figaro à Marceline [III, 15], ou de mariage, que va signer le Comte [IV, 11]) jouent un rôle essentiel, en cela qu'ils ne cessent d'être violés ! (celui de mariage le sera-t-il à son tour... ?) Néanmoins, le droit est une des valeurs-clés des Lumières et de Beaumarchais, à condition qu'il cesse d'être l'arbitraire travestissement de la force, et s'identifie enfin au droit naturel, dont se réclament Figaro et Marceline. Ce n'est que par rapport à cette norme du droit naturel que peut se comprendre la notion même d'abus, et la tentative entreprise par Beaumarchais de réformer par le théâtre « une foule d'abus qui désolent la société » (Préface). Dans le *Mariage*, Beaumarchais illustre la nécessité pour les lois d'être générales, égales et surtout transparentes et publiques, soit le contraire exact du « privi-lège », qui, étymologiquement, est une loi privée, particulière à certains. D'où l'importance, dans l'intrigue, de l'antagonisme entre secret et publicité (*cf.* I, 9 & 10 ; III, 5 & 9 ; V, 2, 14, & 19).

Rapprochements : Montesquieu, *De l'Esprit des Lois* ; Rousseau, *Du Contrat social*.

ÉGALITÉ
•

« Figaro. – ... Je me changeais./Le Comte. – Faut-il une heure ?/Figaro. – Il faut le temps./Le Comte. – Les domestiques ici... sont plus longs à s'habiller que les maîtres !/Figaro. – C'est qu'ils n'ont point de valets pour les y aider. » (III, 5). L'égalité est le grand thème de la pièce.

ESPAGNE
•

Un code littéraire du XVIIIᵉ siècle (à travers le roman picaresque), et un contre-modèle pour les Lumières, celui de l'Inquisition et de l'obscurantisme. Dès les premières années du siècle, une Espagne de convention ne cesse de colorer d'un pittoresque facile les lettres françaises.

L'Espagne est surtout la terre du roman picaresque, qui prospère alors aussi bien en Angleterre (*Tom Jones*) qu'en France. Les procédés du récit picaresque sont si présents à l'esprit des lecteurs que Voltaire, tout comme Beaumarchais, peut se permettre d'en faire une parodie systématique dans *Candide*.

Mais cette Espagne-là n'est qu'une fiction transparente. Dès lors, les écrivains cherchent moins la vraisemblance ou la couleur locale que la caricature et le stéréotype, qui s'affichent ainsi d'autant mieux comme langage codé. L'Espagne offre donc à la littérature des Lumières, romanesque ou dramatique, ce que certains critiques modernes (Greimas) nomment une « isotopie », c'est-à-dire un réseau structuré de lieux communs, chargés de fournir aux lecteurs des schèmes préconstruits d'interprétation des textes.

En effet, si l'Angleterre fait figure de terre de la liberté, et si l'Empire ottoman représente le modèle même de la tyrannie politique, l'Espagne, quant à elle, a pour vocation littéraire d'incarner le règne de l'obscurantisme religieux et du traditionalisme social, avec ses hidalgos jaloux de leur honneur, et surtout les atroces bûchers de son Inquisition. *Cf.* Montesquieu, dans les *Lettres persanes* (LXXVIII), Voltaire, dans *Candide*, ou dans l'*Essai sur les mœurs* (chap. CXL).

Autres rapprochements : terre de couleurs et de passions fortes, pays de la grandeur, l'Espagne a une tout autre fonction dans les autres époques de notre littérature : voir Corneille, *Le Cid* ; Hugo, *Hernani, Ruy Blas*, ou encore *Le Petit Roi de Galice, L'Infante*, dans *La Légende des siècles* ; Mérimée, *Carmen* ; Montherlant, *Le Maître de Santiago, Le Cardinal d'Espagne* ; Malraux, *L'Espoir*...

FEMMES
•

Charmantes et libertines, franches, et adroites, elles dominent la pièce, notamment au deuxième acte, l'Espagne a une tout autre fonction dans les autres époques de notre union. Dans l'intrigue, elles ont un rôle moteur essentiel, avec les stratagèmes de Suzanne et de la Comtesse. Comme d'Alembert ou Condorcet, Beaumarchais, grand amateur de femmes, est un des écrivains qui s'est sincèrement ému de leur infériorité juridique. Toutes les femmes de la pièce sont en butte aux délations : « Sois belle si tu veux, sage si tu peux, mais considérée, il le faut. » (I, 4) ; aucune n'a d'issue en dehors du mariage. La pièce fait entendre les reproches d'une femme mariée à l'encontre de son époux volage : « Me suis-je unie à vous pour être éternellement vouée à l'abandon et à la jalousie ? » (II, 9), et ceux de Marceline contre une société hypocrite où la galanterie, flatteuse et gratuite pour les hommes, est sévèrement réprimée par ceux-ci chez les femmes : « Tel nous juge ici sévèrement, qui peut-être en sa vie a perdu dix infortunées !... Hommes plus qu'ingrats, qui flétrissez par le mépris les jouets de vos passions, vos victimes, c'est vous qu'il faut punir des erreurs de notre jeunesse, vous et vos magistrats » (III, 16).

Rapprochements : Olympe de Gouges ; Françoise de Graffigny, *Lettres d'une Péruvienne*.

FÊTE

•

Elle est le sujet même de cette *Folle Journée*. La noce villageoise permet le déploiement sur scène de nombreux figurants, qui forment à plusieurs reprises un chœur (IV, 4 & 9, notamment). Elle est l'occasion d'intermèdes musicaux, qui donnent à la pièce cet air inoubliable et charmant d'opéra bouffe.

Rapprochements : à cette fête de comédie, on pourra opposer les fêtes de roman. Fêtes populaires : Flaubert, *Madame Bovary,* la noce villageoise (I, 4) ; Zola, *L'Assommoir,* la noce de Gervaise (III) ; fête mondaine : *Madame Bovary,* le bal à la Vaubyessard (I, 8) ; fête merveilleuse : Alain Fournier, *Le Grand Meaulnes* ; ou des fêtes poétiques : Hugo, *Les Contemplations, La Fête chez Thérèse* (I, 22) ; Verlaine, *Fêtes galantes*.

HASARD

•

L'un des moteurs de l'intrigue (« Suz. – Aucune des choses que tu avais disposées, que nous attendions, mon ami, n'est pourtant arrivée !/Fig. – Le hasard a mieux fait les choses que nous tous, ma petite ; ainsi va le monde. » [IV, 1]) et un élément essentiel de la moralité.

JALOUSIE

•

La comédie excelle à peindre la jalousie, ou le dépit amoureux, dont elle tire des ressorts inépuisables pour l'animation de l'intrigue, l'accumulation des péripéties et l'observation du cœur. On pourra rapprocher des pages citées ci-dessous la jalousie orgueilleuse et crédule du Comte (II, 10 à 19), plus encore celle de Figaro, active et stimulante (IV, 13 à 15 ; V, 3 à 8), ou la situation étrange dans laquelle se trouve placée la Comtesse lorsqu'elle reçoit, sous le déguisement, la déclaration que son propre époux destine à une autre (V, 7). Dans la comédie, la jalousie est le plus souvent une passion ridicule, traditionnellement attribuée aux « barbons », comme le Bartholo du *Barbier de Séville* ou l'Arnolphe de *L'École des femmes*. Cela vient à la fois de la comédie italienne (Géronte, Pantalon) de la parade du théâtre de la Foire et de la comédie espagnole, qui oppose souvent deux amants rivaux, dont il faut qu'en soit l'un soit malheureux. C'est d'abord un thème éternel de la farce (Molière, *Georges Dandin*, III, 2 et 3). Beaumarchais renouvelle la farce de la jalousie du barbon par la subtilité du jeu sur le langage (*Le Barbier de Séville*, II, 4). Dans les comédies de Marivaux, les « surprises de l'amour » sont un motif central et répétitif. Les personnages ignorent eux-mêmes qu'ils s'aiment, refusent de se l'avouer par amour-propre, quand soudain la morsure de la jalousie leur révèle ce qu'ils leur cœur savait inconsciemment. Dans *Le Jeu de l'amour et du hasard* (III, 8, par ex.), par opposition avec la scène de farce du *Mariage* où « il pleut des soufflets » (V, 8), le dépit amoureux devient un véritable ressort dramatique.

Autres rapprochements : Racine : *Andromaque* (IV, 5), *Bajazet* (V, 4), *Iphigénie* (IV, 1) et, bien sûr, *Phèdre* (IV, 6). Jalousie fatale d'Orosmane (V, 8 et 9), le sultan de Jérusalem , dans la *Zaïre* de Voltaire, inspirée, sous son masque oriental, du drame de Shakespeare, *Othello* (dont la jalousie crédule s'apparente à celle d'Almaviva). Jalousie de Monsieur de Clèves, dans *La Princesse de Clèves* de Madame de La Fayette (IVᵉ partie), de Madame de Rênal, dans *Le Rouge et le Noir* de Stendhal (chap. 9), de Marcel, le narrateur de *À la recherche du temps perdu*, ou de Swann.

LIBERTINAGE
•

Le *Mariage* est une pièce libertine. L'intérêt s'y trouve suspendu à l'éventuelle séance du droit du seigneur ; l'enjeu de l'action n'est autre que pour chacun que la quête de son plaisir. Figaro le dit : « Une jolie femme et de la fortune... » (V, 19) ; quant au Comte, Bartholo le définit « libertin par ennui, jaloux par vanité » (I, 4). Et Almaviva lui-même désigne Chérubin comme « un petit libertin [qu'il a] surpris encore hier avec la fille du jardinier.» (I, 9).

Les traits les plus typiques du libertinage masculin se retrouvent nombreux dans la pièce. Le Comte campe le personnage du grand seigneur libertin. Il en a l'honneur affecté, le cynisme et la morgue, trois aspects essentiels de la quête libertine du plaisir, où une élégance toute aristocratique doit toujours masquer la brutalité du désir. C'est ce que soulignent plusieurs mots célèbres de la pièce. L'honneur faux : « Un Espagnol peut vouloir conquérir la beauté par des soins ; mais en exiger le premier le plus doux emploi, comme une servile redevance, ah ! c'est la tyrannie d'un Vandale, et non le droit avoué d'un noble Castillan » (I, 10). Le cynisme : « La Comtesse. – Quoi, Suzon, il voulait te séduire ?/Suzanne. – Oh ! que non ! Monseigneur n'y met pas tant de façons avec sa servante ; il voulait m'acheter » (II, 1). Et la morgue : « Des libertés chez mes vassaux, qu'importe à gens de cette étoffe ? Mais la Comtesse ! Si quelque insolent attentait... » (II, 4).

« Libertin par ennui », le Comte désire posséder par jeu plus que par passion, par défi aristocratique plus que par sentiment (III, 4), par libertinage mais sans tendresse : « L'amour... n'est que le roman du cœur, c'est le plaisir qui en est l'histoire ; il m'amène à tes genoux » (V, 7).

Ce grand seigneur, quand il se sent joué, peut même devenir, comme le Don Juan de Molière, « méchant homme » : « Soyez amis, soyez amants, soyez ce qu'il vous plaira, j'y consens ; mais parbleu, pour époux... » (III, 8). Son cynisme fait alors penser au Valmont des *Liaisons dangereuses*. Figaro (II, 2) et Chérubin (V, 6) se montrent à l'occasion les émules désinvoltes de leur seigneur et maître.

Car il y a comme une contagion du libertinage : la Comtesse, ni Suzanne, ni même Fanchette n'en sont exemptes. Suzanne se montre rouée avec le Comte (III, 9), la Comtesse aime se donner le spectacle de l'intérêt qu'elle inspire (II, 3), et Fanchette est une fausse ingénue (IV, 5).

Quant à la moralité de la pièce, elle est particulièrement équivoque : le libertinage doit-il être combattu ou partagé ? L'abus que dénonce Beaumarchais est-il dans le désir du Comte, ou dans sa prétention au monopole du désir ? De la part d'un homme qui disait de lui-même : « Je ne suis pas tendre, mais libertin », comment s'en étonner ? Comme le dit Suzanne dans le vaudeville : « Ainsi la nature sage/Nous conduit, dans nos désirs,/À son but par les plaisirs. » La leçon de la pièce se confond donc avec les maximes du libertinage.

Rapprochements : Sade, *La Philosophie dans le boudoir* ; Choderlos de Laclos, *Les Liaisons dangereuses*. À propos du libertinage féminin, voir Crébillon fils, *Les Égarements du cœur et de l'esprit*, ou Marivaux, *Lettres contant une aventure*.

MÉRITE CONTRE NAISSANCE
•

La fronde de Figaro consiste à opposer aux privilèges de la naissance et des ordres les prérogatives de l'individu et la supériorité des talents : *cf.* acte III, 16 : « Si le ciel l'eût voulu, je serais le fils d'un prince ». Face à la morgue aristocratique, Beaumarchais fait lancer par Figaro sa fameuse apostrophe : « Non, Monsieur le Comte, vous ne l'aurez pas... Vous ne l'aurez pas... Parce que vous êtes un grand seigneur, vous vous croyez un grand génie !... Noblesse, fortune, un rang, des places, tout cela rend si fier ! Qu'avez-vous fait pour tant de biens, vous vous êtes donné la peine de naître, et rien de plus : du reste, homme assez ordinaire ! tandis que moi, morbleu !... (V, 3). Voir aussi la Préface : « ... la moralité... y (naît) entièrement de l'abus qu'un homme puissant et vicieux fait de son nom, de son crédit pour tourmenter une faible fille... Un maître absolu, que son rang, sa fortune et sa prodigalité rendent tout-puissant... ». Car la revendication essentielle de Figaro est celle de l'esprit. Son monologue du Vᵉ acte, son rôle dans l'intrigue, sa carrière littéraire le prouvent : « L'esprit seul peut tout changer » (vaudeville). Figaro n'a d'esprit qu'au service de la vérité : il parodie, critique et dévoile les abus du privilège.

Rapprochements : le poète Jean Chopinel dit Jean de Meung († 1305), l'un des deux auteurs du *Roman de la Rose* ; La Bruyère dans les *Caractères* (IX, « Des grands », § 25, 1690) ; Claudel dans sa trilogie, *L'Otage* (1908), *Le Pain dur* (1909), *Le Père humilié* (1916).

NATURE
•

Aimable fée libertine qui préside aux enchantements du *Mariage* et à sa gaieté, la nature est surtout le point d'appui de la critique sociale dans la pièce. Notion fondamentale, donc, à tous égards. C'est, avec la raison, le bonheur et le progrès, l'une des quatre idées force des Lumières.

NOBLESSE
•

a) Les pouvoirs du Comte : juger, au nom du roi (III, 15) ; disposer arbitrairement de la personne de ses « vassaux » comme Figaro (I, 2), Chérubin (I, 10) ou Bazile (II, 22) ; consentir ou s'opposer à leur mariage (IV, 11) ; faire interner sa femme au couvent (II, 16 : « Et vous vouliez garder votre chambre ! Indigne épouse ! Ah ! vous la garderez... longtemps »). b) Leurs limites : désobéissance de Chérubin ; manipulation des signes, y compris ceux de son propre pouvoir (le cachet) ; mais surtout pouvoirs de justice limités par la loi : toutes les affaires ne sont pas du ressort du Comte (III, 15, début) ; le Comte représente la noblesse des années 1780, marginalisée par l'absolutisme et tentée par le libertinage. c) Sa morgue (III, 4 ; V, 12 et 18). d) Chérubin, jouant les libertins (I, 7), et nommé officier à treize ou quatorze ans. e) La Comtesse, « femme de condition » (II, 4 & 6, elle sait prendre ses distances et congédie Suzanne d'un ton glacé : « Occupez-vous plutôt de m'avoir du taffetas gommé dans ma toilette » ; avec ses vapeurs : III, 9 ; et sa supériorité sur Suzanne. Elles ont beau être alliées, elles n'en restent pas moins de deux mondes distincts : II, 24).

PEUPLE
•

L'intrigue, comme la mise en scène (avec les figurants) lui font jouer un rôle important. La pièce l'oppose à la noblesse. Il ébauche une révolte au dernier acte (sc. 2 : « troupe de travailleurs », et Figaro en « grand manteau sur les épaules, un large chapeau rabattu » ; sc. 14 : murmures des paysans.). Sa présence est l'obstacle principal que Figaro oppose au désir pervers du Comte.

Rapprochements : Marivaux, *L'Île des esclaves* ; Diderot, *Jacques le fataliste* ; Vallès, *L'Insurgé* ; Aragon, *La Semaine sainte*.

RÉVOLTE INDIVIDUELLE
•

C'est le sujet de la pièce.

Abyme (ou *abîme*) : terme du blason, désignant la simulation au centre de l'écu d'un autre écu ; terme de peinture, désignant la reproduction au centre du tableau du peintre peignant ; s'applique à la littérature, et notamment au théâtre, soit lorsqu'un motif principal de l'œuvre s'y trouve réfléchi sous plusieurs formes, soit lorsque l'auteur se met en scène écrivant son œuvre (*cf. Jacques le fataliste*), soit lorsque les personnages jouent le rôle de personnages de fiction, par exemple des acteurs de théâtre répétant leur rôle. Dans tous les cas, la scène se démultiplie en une série d'images gigognes et de reflets d'elle-même, qui s'amenuisent vertigineusement vers l'infiniment petit. Effet particulièrement recherché au théâtre par Pirandello.

Arlequin : nom générique de toute une série de valets dans la comédie italienne. Vêtu d'un habit fait de losanges multicolores et rapiécés, armé d'une longue batte. Il se caractérise par ses pantomimes et sa niaiserie, et s'oppose aux valets du type de Brighella, qui sont des meneurs de jeu, fourbes et rusés (le nom est de la famille de « brigue »).

Avant-scène : partie de la scène qui se situe à l'avant des décors, tout près de la rampe.

Barbon : emploi de comédie correspondant à un type de vieillard ridicule, le plus souvent amoureux et jaloux (syn. « ganache »).

Camariste (ou *camériste*) : femme de chambre attachée au service de la Comtesse ; tel est le service de Suzanne au château, qui se rapproche de celui d'une dame d'honneur ou dame de compagnie, conformément à l'étymologie espagnole du mot (*camarista*). En fait, il s'agit d'un habillage espagnol du rôle de « suivante », traditionnel dans la comédie.

Comédie larmoyante : comédie sérieuse, propre au XVIIIᵉ siècle, qui vise à peindre la vérité des mœurs et à émouvoir par des scènes morales et attendrissantes (*Le Glorieux* de Destouches). L'échec vint de l'incompatibilité du théâtre avec toute forme de réalisme appuyé.

Commedia dell'arte : opposée à la *commedia sostenuta* (soutenue) ; expression italienne signifiant « comédie de fantaisie », dans laquelle le scénario d'ensemble était seul fixé, et où les acteurs improvisaient, chacun suivant les caractères obligés de son emploi•. Arlequin• y est toujours niais, Isabelle amoureuse de Léandre, et Pantalon ou Géronte stupides et souvent cocus. C'est l'art de base des Comédiens-Italiens.

Condition : rang et statut social d'une personne au sein d'une société, en fonction de sa naissance ou de sa fortune.

Coquette (grande) : emploi de la comédienne qui, dans une troupe, peut jouer les grands rôles de femme dans la comédie de caractère (Elmire dans *Tartuffe*, Célimène dans *Le Misanthrope*, Araminte dans *Les Fausses Confidences*, la Comtesse dans le *Mariage*).

Deutéragoniste : personnage qui joue le second rôle d'une pièce, ici, Suzanne. Sa volonté entre directement en conflit avec celle du protagoniste•.

Didascalies : tout ce qui dans un texte de théâtre n'est pas réplique (titres, liste des personnages, noms de ceux-ci, indications de mise en scène ou de jeu).

Docteur (le) : rôle traditionnel dans la commedia dell' arte, un « rondeur » (barbon enveloppé). Bartholo en est l'héritier.

Dramatique : qui concerne le déroulement de l'action, dans n'importe quel genre narratif, théâtral ou non, quel qu'en soit le ton, farcesque aussi bien qu'émouvant. Ne pas confondre avec « pathétique » (qui émeut fortement) ou « tragique » (propre au genre tragique, c'est-à-dire qui relève de la représentation d'une liberté affrontant son destin).

Dramaturgique : se dit de ce qui relève des qualités spécifiques requises par l'art d'écrire pour le théâtre (conduite et rythme de l'action, enchaînement du dialogue, production des effets).

Drame : 1) l'action (grec *to drama*) dans une œuvre narrative quelconque, théâtrale ou non, comique ou tragique. 2) nom d'un genre théâtral particulier, apparu au XVIIIᵉ siècle en France ; le terme a été imposé par Diderot pour désigner ce genre dramatique nouveau, intermédiaire entre la comédie de mœurs et la tragédie, excluant le merveilleux et la mythologie, tout comme les effets de farce, et destiné à peindre « la vérité des conditions • » (Diderot, *Le Fils naturel* ; Sedaine, *Le Philosophe sans le savoir* ; Beaumarchais, *Eugénie, La Mère coupable*).

Drame bourgeois : synonyme du précédent, pour distinguer ce genre de drame, propre au XVIIIᵉ siècle et qui ne met en scène que des bourgeois, de la tragédie, dont les personnages sont forcément de la plus haute condition•, et du drame shakespearien ou du drame romantique.

Duègne : emploi de femme âgée, revêche, chargée en Espagne, et dans la comédie espagnole, d'en surveiller une plus jeune (Marceline).

Duplicité de la communication théâtrale : particularité propre à la situation de communication au théâtre, qui est double : tandis que les personnages parlent entre eux sur la scène, c'est en réalité l'auteur qui, par leur truchement exclusif, s'adresse au public. Il y a donc deux plans de communication : l'un, réel, d'auteur à public, l'autre « hypocrite » (= « qui se tient sous le masque »), de personnage à personnage. Entre ces deux plans, le niveau d'information est inégal, le public en sachant toujours plus que certains personnages, d'où la production de la plupart des effets, comme les quiproquos, par exemple.

Effet : au théâtre, tout élément d'un dialogue susceptible de provoquer une réaction instantanée du public. Inséparable d'une situation, il doit être préparé avant d'être produit. Exceptionnel dans la conversation, il est prodigué au théâtre et en fait la séduction et la poésie.

Emploi : série des rôles du répertoire présentant des caractères communs d'une pièce à l'autre, et qui de ce fait conviennent au physique et à la voix d'un même acteur (indépendamment de son âge), exactement comme dans l'opéra : par exemple « barbon », « valet » ou « suivante » « de bonne

compagnie » ou non, « grand premier rôle », « jeune premier ou première », « grande coquette », « ingénue », « père noble » ou « mère digne ». La rigidité de la notion d'emploi s'est assouplie grâce à l'habitude cinématographique du jeu « à contre-emploi », mais un acteur ne peut jouer n'importe quoi, et les auteurs sont obligés d'en tenir compte en composant leurs personnages, afin que les rôles puissent être distribués dans une troupe. Ce respect des emplois est très sensible chez tous les auteurs réellement dramaturges, comme Molière, Marivaux ou Beaumarchais. Les personnages de théâtre ne doivent en aucun cas être confondus avec des « personnes » ou même des personnages de roman. Ils n'ont point de psychologie, n'étant que des êtres de dialogue et « d'emploi ». Tout l'art de l'auteur et du comédien est alors ou de faire oublier la « marionnette », au profit du sens et de l'émotion, ou de jouer ironiquement des « ficelles » qui la dirigent.

Espace scénique : « ensemble abstrait des signes de la scène » (A. Ubersfeld), c'est-à-dire de tout ce qui dans la disposition matérielle de la scène peut être investi d'un sens par les spectateurs : le nombre des comédiens, leur emplacement et leur répartition dans l'espace, les figures de jeu qu'ils y exécutent, leur rapport avec l'éclairage ou le son, la hiérarchisation, au moyen de praticables, de plans scéniques opposables entre eux, les accessoires.

État : profession dotée d'un statut. Presque toutes dans la société d'ordres (Beaumarchais a commencé sa carrière dans l'état d'horloger).

Exposition : première partie d'une pièce de théâtre qui se distingue du nœud et du dénouement. On y présente au public tout ce qu'il doit savoir sur les personnages et leur situation afin de comprendre l'action. Dans la dramaturgie classique, elle ne doit pas en principe dépasser le premier acte, et aucun personnage nouveau ne doit plus être introduit sur scène une fois qu'elle est achevée. Elle pose un problème particulier de vraisemblance, puisque les personnages doivent avoir l'air de ne parler que pour eux, alors que l'auteur se sert d'eux pour informer le public.

Fable : intrigue d'une œuvre narrative de fiction construite par le réemploi allusif de scénarios préfabriqués. Dans la comédie d'intrigue, un jeune homme finit par épouser celle dont il est épris malgré l'opposition d'un barbon jaloux (*Le Barbier de Séville*). Les fables favorisent l'intertextualité en rappelant au lecteur les indices propres à un genre littéraire qui conditionnent le décodage de toute œuvre.

Implicite : propriété linguistique et logique particulière qui naît de l'utilisation du langage : dire « la rentrée aura lieu le dix septembre » présuppose qu'une « rentrée » aura lieu et que l'interlocuteur sait de quoi il retourne. Tout propos renferme un posé et un présupposé. Tous les dramaturges se servent des présupposés pour informer leur public sans invraisemblance lors des scènes d'exposition. Exemple : le début du *Cid* : « Chimène : Elvire, m'as-tu fait un rapport bien sincère ? /Ne déguises-tu rien de ce qu'a dit mon père ? » Ces mots présupposent que l'interlocutrice de celle qui parle se nomme Elvire, qu'elle est une inférieure, que celle qui parle a un père, qu'il a dit quelque chose, et que cela doit être important... Même au-delà de l'exposition, Beaumarchais use constamment de ces propriétés du langage. Les présupposés ne sont toutefois qu'une partie de l'implicite. D'autres éléments entrent dans l'implicite, comme les allusions aux caractéristiques d'un genre littéraire. Par exemple les noms de Léandre ou d'Isabelle suffisent à nous situer dans une comédie italienne ou dans une parade, et nous sommes quasi sûrs que Léandre est amoureux d'Isabelle.

Indices : éléments qui permettent de décrypter un texte par des allusions à son genre, comme les noms des personnages, les titres, etc.

Ingénue : emploi• de jeune fille innocente et chaste (Agnès, dans *L'Ecole des femmes*). Ingénue perverse ou ingénue libertine, rôle qui exige de l'ingénue d'une troupe un jeu à contre-emploi.

Intérêt : 1) au théâtre, incertitudes que le public redoute ou bien a hâte de voir lever ; 2) attirance mondaine ou libertine pour une personne du sexe opposé, qui ne s'apparente que d'assez loin à l'amour, par le désir, mais sans tendresse ni passion, où bien souvent l'amour-propre est le premier « intéressé ».

Langueur : les affections, de même que les symptômes et la clinique, ont aussi une histoire (*cf.* Michel Foucault). Les « maladies de langueur » présentaient un ensemble de malaises psycho-somatiques, voisins de l'hystérie, qui atteignaient éfectivement les jeunes femmes (« de condition ») délaissées... Cela se traduisait par des « vapeurs », c'est-à-dire par des syncopes, que l'on prévenait en se donnant de l'air, et que l'on soignait en faisant respirer des « sels ».

Libertin : Au XVIIe siècle, libre penseur comme Saint-Evremont ; au XVIIIe siècle, aristocrate de mœurs relâchées, opposant la nature à la morale convenue.

Lieu (troisième) : expression de Jacques Schérer qui désigne l'utilisation par Beaumarchais de lieux scéniques supplémentaires. Ceux-ci s'ajoutent à la coulisse et à la scène, comme le fauteuil où se cache Chérubin, et permettent à un personnage d'être à la fois présent et absent, ce qui est un facteur d'instabilité et de tension dramatique.

Métonymie : figure de mots en rhétorique qui consiste à désigner quelque chose par le nom d'un autre élément appartenant au même ensemble en vertu d'une relation logique (*le trône* et *l'autel* pour la monarchie et l'Église). Le ruban de nuit de la Comtesse est comme une métonymie de son corps.

Mouvement : ensemble de scènes liées par la présence des mêmes personnages principaux, par la persistance du même problème, ou comprises entre deux péripéties inverses.

Nœud : partie de l'intrigue d'une pièce de théâtre qui va de l'exposition au dénouement, et pendant laquelle les volontés des protagonistes sont affrontées et comme nouées entre elles.

Parade : genre théâtral proche de la farce, saynète burlesque et souvent grivoise, qu'improvisaient les comédiens de la Foire avant leur spectacle et en plein air, pour attirer le chaland. Du balcon des comédiens forains, elle est passée aux théâtres de salons, sous une forme écrite et plus recherchée.

ANNEXES

Péripétie : retournement de situation 1) inattendu, 2) exclu de l'exposition ou du dénouement, 3) qui ne provient pas de l'action des héros, 4) qui modifie leur situation matérielle et les fait changer de volonté, 5) réversible, c'est-à-dire qu'un second événement inattendu peut annuler l'effet du premier et rétablir la situation et les volontés initiales. Seule la dernière péripétie est irréversible ; elle conduit au dénouement, et se nomme « catastrophe » (retournement), que celle-ci soit heureuse (comédie) ou malheureuse (tragédie, drame).

Péripétie-éclair : dans la terminologie de Jacques Schérer, désigne des péripéties très rapides, qui peuvent se produire à quelques répliques d'intervalle seulement, comme lorsque Figaro s'écrie à la fin du procès : « J'ai gagné ! », pour s'effondrer deux mots plus tard : « J'ai perdu ! » (III, 15).

Pragmatique : nom ou adjectif (linguistique). Parler, c'est produire un sens, mais aussi accomplir une action. « Pragmatique » désigne tous les effets de sens produits non par le système de la langue, mais par l'action même de dire, comme les sous-entendus et présupposés.

Présupposé : voir « implicite » et « pragmatique ».

Protagoniste : premier rôle, celui dont la volonté sert de moteur à l'intrigue et sans qui elle ne serait pas.

Quiproquo : malentendu sur l'identité d'un personnage ou même de l'interlocuteur.

Recorder (se) : se remettre son rôle en mémoire.

Rôle : série des actions et des répliques d'un personnage dans une pièce. Ne pas confondre avec le personnage lui-même : Figaro existe dans plusieurs rôles (Les deux *Barbier de Séville*, Le *Mariage*, *La Mère coupable*, *Les Noces de Figaro*).

Situation : ensemble des facteurs de tout ordre qui déterminent ce qu'un personnage peut percevoir, dire, vouloir ou faire en un moment donné de l'action, compte tenu de tout ce qui précède et de la présence des partenaires qui se trouvent alors en scène.

BIBLIOGRAPHIE

1. Œuvres de Beaumarchais

a) Éditions courantes
Beaumarchais, Théâtre, préface de René Pomeau, Paris, Garnier-Flammarion, 1965.
Le Barbier de Séville, Jean Bête à la Foire, préface de J. Schérer, Paris, Gallimard, « Folio », 1982.
Le Mariage de Figaro, La Mère coupable, préface de Pierre Larthomas, Paris, Gallimard, « Folio », 1984.

b) Éditions critiques
Beaumarchais, Théâtre, J.-P. de Beaumarchais éd., Paris, Garnier, 1980, nouvelle éd. 1985.
Beaumarchais, Théâtre complet, P. Larthomas éd., Paris, Gallimard, « La Pléiade », 1988.

2. Biographies

B. Faÿ, *Beaumarchais ou les Fredaines de Figaro,* Librairie Académique Perrin, Paris, 1971.
Duc de Castries, de l'Académie française, *Beaumarchais,* Paris, Tallandier, « Figures de proue », 1985.

3. Sur la vie et l'œuvre de Beaumarchais

R. Pomeau, *Beaumarchais*, Paris, Hatier, « Connaissance des Lettres », 1967 (essentiel).
Ph. Van Tieghem, *Beaumarchais*, Paris, Le Seuil, « Ecrivains de toujours », 1960, rééd. 1978.

4. Sur le théâtre de Beaumarchais

J. Schérer, *La Dramaturgie de Beaumarchais*, Paris, Nizet, 1954, rééd. 1980 (essentiel).

5. Sur *Le Mariage de Figaro*

M.-F. Lemonnier-Delpy, *Le Mariage de Figaro de Beaumarchais*, Paris, Sedes, 1987 (étude thématique claire et complète.)
(collectif), *Beaumarchais, Le Mariage de Figaro*, Paris, Ellipses, « *Analyses et Réflexions sur...* », 1985 (passionnant pour le premier cycle de l'enseignement supérieur, mais d'une lecture parfois un peu difficile en second cycle).

6. Sur le théâtre en général

Pierre Voltz, *La Comédie*, Paris, A. Colin, « U », 1964.
Michel Lioure, *Le Drame de Diderot à Ionesco*, A. Colin, « U », 1963.
Marie-Claude Hubert, *Le Théâtre*, Paris, A. Colin, « Cursus », 1988.
J.-P. Ryngaert, *Introduction à l'analyse du théâtre*, Bordas, 1991.

7. Sur l'époque

Paul Hazard, *La Pensée européenne au XVIIIe siècle*, Paris, Fayard, 1963.
Pierre Goubert, *Les Français et l'Ancien Régime*. A. Colin, 1984.
Pierre Chaunu, *La Civilisation de l'Europe des Lumières*, Paris, Arthaud, 1971.
Michel Vovelle (collectif, sous la direction de), *L'État de la France pendant la Révolution*, Paris, La Découverte, 1988.

Le Mariage de Figaro, film, tourné avec les Comédiens-Français (Cinédis).

Le Mariage de Figaro, téléfilm, mise en scène et adaptation de Marcel Bluwal, ORTF, 1963.

Le Mariage de Figaro, enregistrement intégral par les Comédiens-Français, Jean Piat, Georges Descrières, Gérard Lartigau, Robert Etcheverry, etc. Production sonore Hachette, collection « Vie du Théâtre », disque Pathé, DTX, 30/305.

Les Noces de Figaro, opéra (livret de Lorenzo Da Ponte, musique de Mozart) : entre plus de vingt versions connues, nous nous contenterons de signaler celle qui nous a accompagné dans ce modeste travail : direction G. Solti, conduisant le Philharmonique de Londres, et les chœurs de l'opéra de Londres, disque Decca, enregistrement stéréo, disponible en compact. Suzanne : L. Popp, Figaro : S. Ramey (brillantissime), la Comtesse : K. Te Kanawa, le Comte : T. Allen... (1982).

Imprimé en France par Hérissey à Évreux (Eure) – N° 83651
Dépôt légal N° 5115-04/99 – Collection N° 10 – Édition N° 11

16/6193/3